MART

DE GEZWORENEN

Steve Martini bij Meulenhoff-M:

De advocaat

Steve Martini

DE GEZWORENEN

MEULENHOFF

Voor Leah & Meg

Eerste druk november 2001

Vertaling Hugo Kuipers
Omslagontwerp Studio Eric Wondergem bno
Omslagfoto ImageStore

Meulenhoff-M is een imprint van J.M. Meulenhoff bv, Amsterdam
Oorspronkelijk verschenen onder de titel *The Jury*

ISBN 90 290 7078 1 / CIP / NUGI 331

Dankbetuigingen

Zoals altijd ben ik dank verschuldigd aan de mensen van Penguin Putnam voor hun onvermoeibare inspanningen en geduld, met name aan Phyllis Gran, mijn uitgeefster, en Stacy Creamer, mijn redactrice, zonder wier hulp Paul Madriani niets meer dan een vluchtig beeld in de gedachten van deze auteur zou zijn geweest. Ik bedank ook Esther Newberg van ICM en de agenten van die firma, die hard hebben gewerkt om mijn werken in talen uit de hele wereld uit te geven. En mijn juridisch adviseur, Mike Rudell, zonder wiens kalme hand en zorgvuldig oordeel ik eindeloos veel nachten slaap zou hebben verloren. Ik dank er mijn leven aan dat de spanningen van de zakelijke aspecten van mijn schouders werden genomen.

En wat tenslotte het belangrijkst is: ik ben liefde en eeuwige toewijding verschuldigd aan mijn vrouw Leah en mijn dochter Megan voor hun hulp en steun in moeilijke tijden. Ze leefden voortdurend met de onzekerheid van een schrijvende man en vader, en alleen al daarvoor verdienen ze een plaats in de hemel.

Hun allen ben ik dankbaarheid verschuldigd.

SPM
Bellingham, WA
2001

Proloog

Haar hoofd rustte tegen de betonnen sierrand van het zwembad. Ze staarde omhoog naar de sterren in de maanloze hemel. Haar ogen waren exotische bruine ovalen met een zweem van mysterie in de welving van de wenkbrauwen. Die ogen waren altijd het eerste dat mensen zagen als ze met haar praatten. Mannen leken er soms helemaal in verloren te gaan.

Haar natte haar golfde als vloeibaar fluweel en dreef om haar schouders en slanke nek. Haar lichaam had iets atletisch waardoor Kalista Jordan een magnetisch effect op mannen had. Alles aan haar was perfect geproportioneerd, behalve misschien haar ambitie.

Lang en slank als ze was, had ze de ideale lichaamsbouw van haar tijd. Zonder dat ze haar best hoefde te doen had ze als fotomodel het geld voor haar studie verdiend. Ze vulde menige dubbele pagina van modebladen en volgens de mensen van het modellenbureau had ze als model een toekomst met een jaarinkomen van zeven cijfers voor de komma kunnen opbouwen. Ze had aanbiedingen gekregen om op covers te verschijnen, maar had ze afgewezen omdat ze niet naar New York wilde verhuizen.

Voor modellen is de piek van korte duur. Kalista was zuiniger op haar hersenen dan op haar lichaam, al zou ze geen van beide gemakkelijk prijsgeven. Ze wilde een carrière die langer duurde dan enkele modeseizoenen en die op het eind meer vruchten afwierp dan een stapeltje oude tijdschriften.

Ze had haar studie aan de universiteit van Chicago afgemaakt en was opgehouden met het modellenwerk. Als Afrikaans-

Amerikaanse vrouw met sublieme studieresultaten op het gebied van technologie en wetenschap kon ze voor haar vervolgstudie terecht op iedere universiteit die ze maar wilde. Uiteindelijk ging ze in Stanford studeren.

Kalista deed er zes jaar over, maar toen ze klaar was had ze een graad in de moleculaire elektronica, als een van de niet meer dan twee vrouwen aan de Westkust die op dat terrein werkten. Het was een geavanceerd terrein, de nieuwste wetenschap voor een nieuw millennium.

Nu ze daar in het warme water van het bubbelbadgedeelte van het zwembad lag, keek ze uit naar een oriëntatiepunt in de donkere nachthemel – iets wat ze als kind van haar moeder had geleerd.

Ze vond Ursa Major, de Grote Beer. Toen stak ze haar rechterarm helemaal uit en maakte een losse vuist waaruit de duim en pink naar buiten staken, als een telefoonhoorn. Vervolgens ging ze achtentwintig graden van de punt van haar duim naar de punt van haar pink en overbrugde zo de afstand van Debhe, de laatste ster op de rand van de Grote Beer, naar Polaris, de Poolster.

Ze hield haar hoofd een beetje schuin om een beter zicht te krijgen. Drijvend tegen de rand van het zwembad bracht ze de zichtbare kosmos langzaam in kaart: Leo Minor en Boötes, Antares en Scorpius. Meer naar links vond ze Sagittarius. Ze wendde haar ogen een klein beetje af; om de lichtvervuiling van de skyline van San Diego te overwinnen gebruikte ze de gevoeliger kegeltjes van het perifere zicht. Ze tuurde naar de miljoenen lichtstipjes aan het firmament, de sluier van de Melkweg.

Haar aandacht werd even afgeleid door iets in de struiken achter haar. Ze ging rechtop zitten, keek om en zag niets dan schaduwen. Misschien een vogel of de wind, al voelde de nachtlucht volkomen roerloos aan.

Ze liet zich weer in het water glijden, haar lichaam door haar hoofd tegen de rand van het zwembad verankerd. Haar zitvlak kwam van het onderwaterbankje omhoog, opgeheven door de zijdezachte straal van warme luchtbellen. De miljoenen glinsterende sterren raakten telkens even uit het zicht in de damp die boven het woelige water van het bubbelbad hing. Geleidelijk ontspanden de strakke spieren van haar rug. Die spanningen waren in haar vijandige werkomgeving ontstaan. Het kostte haar steeds meer moeite om 's morgens op te staan en naar haar werk te gaan.

Deze avond had ze weer eens ruzie gehad met David. Ditmaal had hij zowaar zijn handen naar haar uitgestoken, nog wel in het bijzijn van getuigen. Dat had hij nooit eerder gedaan. Het was een teken van zijn frustratie. Ze was aan de winnende hand, en dat wist ze. De volgende morgen zou ze de advocaat bellen en het hem vertellen. Fysieke aanraking was een van de juridische lakmoesproeven van seksuele intimidatie. Hoewel ze er zeker van was dat ze hem ruimschoots de baas kon als het op universiteitspolitiek aankwam, liet de spanning haar niet ongemoeid. Het bubbelbad hielp haar om zich te ontspannen. Gehuld in de lome warmte van het bruisende water dacht ze aan haar volgende zet.

Het zwembad was groot en stijlvol en in een vrije vorm ontworpen. Het bevond zich midden in het complex. Nu, laat op de avond, was het leeg. De jacuzzi bevond zich helemaal aan het eind. Soms, op rumoerige avonden, had hij gezien dat het zwembad zich met minstens tien mensen in nietige zwembroeken en badpakken vulde, giechelende meisjes en vrijgezelle jongens die plezier maakten. Hij was hier een week lang iedere avond geweest en hij had haar niet gezien. Vanavond had hij geluk.

Het enige licht bij het zwembad kwam van onder water en liet blauwe weerspiegelingen op de muur van het dichtbijstaande gebouw dansen. Dat was de trainingsruimte, al was die op dit uur dicht, donker en afgesloten. Hij had de omgeving zorgvuldig verkend, kende het terrein en de tijdschema's van de bewakingsdienst. Hij wist welke hekken en deuren op slot zaten en hoe hij ze toch kon passeren als het moest.

Ze maakten het hem gemakkelijk. Er was een onbemand bewakingshokje bij de ingang, en daar was ook een geautomatiseerd metalen hek. Bewoners maakten het vanuit hun autoraam open door een kaart langs een strip te halen. Het hek ging langzaam weer dicht. Vaak gingen er dan twee of drie auto's naar binnen en niemand controleerde of het allemaal bewoners waren.

Het complex was ongeveer twintig jaar oud, twee- en driekamerflats en ook een paar studio's. Er was een verkoopkantoor naast de trainingsruimte. Dat ging precies om zes uur dicht. Daarna bestond de enige beveiliging uit iemand van een bewakingsdienst die elke drie uur kwam aanrijden en over het terrein patrouilleerde. Hij had de tijd opgenomen. De bewaker deed zijn ronde over de wegen binnen het complex en ging dan op het parkeerterrein bij de ingang een sigaret zitten roken. Hij deed tussen de twaalf en veertien minuten over zijn ronde en die sigaret. Hij werkte als een nachtwaker, maar dan zonder klokken op controlepunten. En daarna reed de kleine witte personenauto met het blauwe embleem van de bewakingsdienst in de richting van Genesse, naar het volgende complex.

Het complex was een stad van flats. Er woonden studenten en docenten van de universiteit. Sommige flats waren gehuurd, andere waren eigendom. De ramen van de meeste appartementen waren op dit uur donker, al zat hier en daar een slapeloze, bij gebrek aan gezelschap, in het flikkerende, spookachtige schijnsel van een televisiescherm. Het licht schemerde door de gesloten gordijnen of zonwering.

Het was stil en grotendeels donker op het parkeerterrein. Hij hoefde zich alleen zorgen te maken om twee straatlantaarns en wat zwakke tuinverlichting.

Hij keek op zijn horloge. Hij had meer dan een uur de tijd voordat de bewaker weer zijn ronde zou doen.

Kalista, alleen met haar gedachten, wist dat ze op het hoogtepunt van haar succes stond. Wanneer alles goed verliep, zou ze binnen enkele maanden in de directie van het centrum worden opgenomen, over een jaarlijks budget van twintig miljoen dollar beschikken en de leiding hebben van al het onderzoek. Daarom had ze zich al die jaren opgeofferd en zo hard gewerkt. Het eerste dat ze had gedaan, was Davids gezag over een deel van de financiële middelen ondergraven. Daarna had ze bondgenoten op het hoofdkantoor van de universiteit verworven. Het ontbrak David aan tact en bovendien had hij geen enkel gevoel voor universiteitspolitiek. Hij leefde in een eigen wereldje en geloofde dat succes alleen op iemands wetenschappelijke verdiensten moest zijn gebaseerd. Hij kreeg er iedere dag nieuwe vijanden bij. Nog een wonder dat hij zich zo lang had kunnen handhaven, vond ze. Ze hoefde niets anders te doen dan ervoor te zorgen dat hij met andere mensen in contact kwam. David deed zelf de rest. Het was net een nucleaire reactie. Sinds ze haar eerste openlijke stappen had gezet, was hij nog opvliegender en nonchalanter geworden. Wat zijn carrière betrof, stuurde de man een kamikaze-koers. Kalista kon dat effect op mensen hebben.

Ze kon niet slapen. Hoog in het midden van haar rug zat een knoop ter grootte van een ganzenei. Ze wist niet of het door de spanning of door de opwinding van haar naderende overwinning kwam. Daarom trouwden mensen: om over elkaars rug te kunnen wrijven. Ze dacht daar even over na en zette de gedachte toen uit haar hoofd. Het verwarmde water van het zwembad vroeg niet om persoonlijke betrokkenheid, verlangde geen compromissen in je carrière.

Ze ging op het bankje onder water zitten en boog zich naar voren om haar rug te strekken. Ze greep achter zich en begon het topje van haar bikini los te maken. Niets was zo ontspannend als zich naakt op het water te laten drijven.

Ze worstelde nog even met de knoop en hield daar toen mee op, met haar handen achter haar rug. Ze hoorde het weer, iets in de struiken. Het was niet veel, een licht geklik, alsof iemand kinderspeelgoed opwond. Misschien een diertje of vogeltje dat langs het gaashek rond het zwembad scharrelde. Het hield op.

Ze gaf de poging om de knoop los te maken op. Het complex wemelde van alleenstaande mannen en sommigen van hen kwamen na sluitingstijd van de bars naar huis gestrompeld. Als ze een glimp opvingen van haar dat tot op de schouders hing en een klein hoopje lycra op de rand van het zwembad, had dat op hen net zo'n effect als wanneer je met een rode onderbroek naar een stier zwaaide.

Ze pakte haar horloge, dat op de handdoek aan de rand van het zwembad had gelegen. Het was net twee uur in de nacht geweest.

Ze hoorde het opnieuw. Ditmaal was er geen twijfel mogelijk.

De punt van de nylon kabelband zat nu stevig tussen de metalen tanden van de spanner. Door de pistoolgreep had je er goed vat op. De smalle band van wit nylon vormde een lus met een middellijn van meer dan dertig centimeter en was strak genoeg om er iets mee te verstrikken. De band was bedoeld om grote elektrische kabels te bundelen en aan een plafondbalk of muur vast te maken. Als hij was strakgetrokken, kon hij meer dan honderd kilo druk weerstaan. Als die lus eenmaal was gesloten en met de lange trekkergreep was strakgetrokken, kon alleen een scherp mes hem verbreken.

Hij keek op naar het raam van haar appartement. Daar brandde een enkele zwakke lamp, waarschijnlijk in haar slaapkamer. Hij wist waar ze woonde, want hij was haar twee keer van haar werk naar huis gevolgd en had vanaf het parkeerterrein gezien dat ze naar binnen ging en de lift nam. Enkele seconden later waren er lichten aangegaan achter de ramen. Hij had vanaf het eind van het gebouw geteld en de buitenbalkons gebruikt om de appartementen van elkaar te onderscheiden. Ze had het vijfde appartement vanaf het eind van het gebouw.

Vogels deden soms vreemde dingen. Kalista tuurde in de duisternis, maar kon niets zien. De struiken stonden als een jungle om het zwembad heen, met diepe schaduwen en bladeren zo lang als messen. Het zou wel een musje in het gaashek zijn geweest. Ze had ze door de ruitvormige openingen op insecten zien jagen, pikkend als een mitrailleur. Dit geluid had ook zo'n metaalachtig ritme, erg snel, en toen was het voorbij.

Ze legde het bandje van haar horloge om haar pols, maakte het vast, pakte haar handdoek, stond op, trok haar bikini recht, het nietige broekje en het dichtgeknoopte topje, en ging toen over de traptreden het water uit. Intussen droogde ze haar gezicht en haren af.

De snelle verdamping in de nachtlucht voelde koud aan en ze sloeg de grote handdoek om haar schouders. Hij kwam nog niet tot aan haar knieën maar hielp goed tegen de kou. Ze liep naar het hek, dat van binnenuit zonder sleutel kon worden geopend. Ze ging het hek door en maakte het achter zich dicht. Toen viste ze, voordat ze het terrein met het gedempte licht verliet, naar de sleutel van het appartementsgebouw. Ze had hem met een veiligheidsspeld aan de binnenkant van haar haltertopje vastgemaakt, net onder het koord dat om haar hals liep. Omlaag kijkend vouwde ze de stof om, vond de speld en begon er met haar vingers in te knijpen – en toen hoorde ze het, een geritsel in de struiken achter haar. Dat was geen vogel. Wie het ook was, hij kwam snel door de struiken, sloeg takken opzij en liep langs het buitenhek naar het zwembad, twintig meter van haar vandaan.

Haar vingers klungelden met de veiligheidsspeld. De sleutel viel op een van de tegels onder haar voeten en stuiterde op de grondafdekking bij de trap. Kalista draaide zich er even naar om. Er was geen tijd genoeg. Ze herinnerde zich dat ze de deur naar de binnentrap op een kier had laten staan. Als niemand die deur na haar had gebruikt, kon ze zonder sleutel naar binnen. Ze rende op blote voeten de trap af, op weg naar het gebouw en haar appartement.

Ze sprintte over het parkeerterrein en het betegelde pad, met lange benen als een gazelle. Ze hoopte vurig dat ze iemand zou tegenkomen; wie dan ook. Maar op dit uur waren de paden verlaten. Ze rende naar de ingang van haar gebouw en bereikte de luifel. Ze trok aan de zware metalen deur met zijn smalle raampje, de deur die naar het trappenhuis leidde. Hij ging open. Van opluchting stokte haar ademhaling even. Ze slaakte een diepe zucht, ging vlug naar binnen en gooide de deur dicht. Hij viel met de klap van een kluisdeur achter haar in het slot.

Ze bleef even staan om op adem te komen, leunend tegen de muur. Het leken minuten, maar in werkelijkheid waren het seconden. Haar hart bonkte. Het water droop van haar natte bikini op de betonnen vloer en vormde een plasje bij haar voeten. Ze draaide haar hoofd naar links, met haar rug dicht tegen de muur en de rand van de deur, en schuifelde naar het kleine, met draad versterkte raam. Ze keek naar buiten en zag het pad dat naar de voordeur leidde. Voor zover ze kon zien, was daar niemand.

Ze bukte zich en glipte onder het raam aan de andere kant door. Nu kon ze de ingang zien, twee dubbele spiegelglazen deuren en daarbinnen, daarachter, de liftdeuren. Er was daar niemand en de voordeuren waren dicht, op slot. Wie het ook was, hij had het opgegeven.

Ze hield haar adem in en ging langzaam de trap op, de handdoek om haar vochtige lichaam heen geslagen. Ze beklom de twee trappen en kwam recht tegenover de liftdeuren uit. Toen ze bij een kruising van gangen kwam, ging ze rechtsaf, van haar appartement vandaan. Ze liep bijna tot het eind van de gang, dicht bij een andere trap, en bleef voor een deur met het nummer 312 staan. In het midden van de deur hing een decoratief bloemstuk, zijden rozen in een mandje dat plat tegen de deur hing.

Kalista greep in de mand en vond hem: de reservesleutel van haar appartement. Er stond geen nummer op. Ze had die regeling getroffen met een buurvrouw, ook een jonge vrouw die alleen woonde. Ze hadden elk een reservesleutel verstopt in ornamenten bij de deur van de ander.

Als een vreemde de sleutel vond, zou hij hem eerst op de deur in kwestie uitproberen. Dat paste niet, en om de juiste deur te vinden zou hij alle deuren van het complex moeten uitproberen. Alleen al in dit gebouw waren meer dan honderd appartementen.

Ze liep langzaam over de vloerbedekking van de gang en kwam langs het EXIT-bordje bij de lift en de trap. De opwinding had haar moe gemaakt. Bij de tiende deur links bleef ze staan, stak de sleutel in het slot van de deur, maakte hem open en ging naar binnen.

Ze draaide zich om, deed de deur op slot, haalde de dubbele grendel over en liet toen de badhanddoek van haar schouders glijden. Ze stak haar hand uit naar de lichtschakelaar naast de deur. Haar vingers kwamen daar niet aan. In een flits bewoog iets in de duisternis voor haar ogen langs, en plotseling sloot het zich als een bankschroef om haar keel. Haar ogen puilden uit, ze klauwde naar haar keel. Wat het ook was, het sneed in haar huid. Ze probeerde te schreeuwen, maar kon geen adem krijgen. Haar vingers krabden over de muur. Ze vonden de lichtschakelaar en plotseling baadde de hal in het licht. Beide handen gingen naar haar keel terug, ze spartelde uit alle macht, trok aan haar eigen huid, deed verwoede pogingen om haar vingers onder dat ding te krijgen. Ze probeerde haar lichaam om te draaien, maar haar belager bleef achter haar. Hij liet een voet uitschieten, en haar benen vlogen onder haar vandaan en ze viel op de hardhouten vloer, eerst op haar zij, toen met haar gezicht omlaag. Ze draaide haar hoofd opzij en er sneed iets in haar keel. Ze voelde het door haar huid gaan. Er liep een warm stroompje over haar hals. Haar zicht vervaagde. Ze verloor de macht over haar handen, kon ze niet meer laten doen wat ze wilde. Ze keek naar de lange nagels van haar vingers, die lusteloos in de steeds grotere rode plas lagen die zich van onder haar hoofd over de houten vloer verspreidde. De zijkant van haar gezicht werd verwarmd door het vocht.

Er gingen vage gewaarwordingen door haar lichaam, alsof dat van iemand anders was. De laatste scherpe klank was die van metaal dat op de hardhouten vloer viel. Een glimmend stuk koper kwam van ergens hoog boven haar omlaag. Het kwam een paar centimeter van haar neus tot rust. Elk van haar pupillen opende zich als een camera waarvan de sluiter helemaal opengaat; het laatste dat ze zag, was haar eigen sleutel die op de vloer lag.

— 1 —

Ik zie dat een van de juryleden, een man van middelbare leeftijd, uitgebreid de tijd neemt om een van de foto's van het slachtoffer te bekijken. De boodschap van de aanklagers is duidelijk: Kalista Jordan was een Afrikaans-Amerikaanse schoonheid, een vrouw die een heel leven van mogelijkheden voor zich had. Maar ze had niet alleen een knap gezichtje. Ze was een academica die zich op een exotisch terrein van de moderne wetenschap had gespecialiseerd.

Op de foto glimlacht ze met twee vriendinnen op een zonnig strand. Kalista draagt een tweedelig badpak en heeft een hemelsblauwe sarong laag over haar fraaie heupen geslagen. Die sarong zakt in een v-vorm onder haar navel omlaag, op de plaats waar hij is vastgemaakt. Aan de rechterkant van de sarong is door een spleet een gladde gebronsde dij te zien. Iemand buiten beeld, een schaduw op het zand, maakt de foto.

Deze foto staat in scherp contrast met de sectiefoto's van de patholoog-anatoom. Wanneer die foto's hun weg door de jurybanken afleggen, laten ze verbleekte, misselijke gezichten achter, als een besmettelijke ziekte die zich zienderogen verspreidt. Een aantal juryleden kijkt beurtelings naar de foto's en mijn cliënt, alsof ze hem in hetzelfde beeld proberen te krijgen.

Op de sectiefoto's is Kalista Jordans gezicht bijna onherkenbaar opgezwollen. Het donkere purper van de verstikking zit onder haar huid gevangen, bekneld door de dunne nylon band die nog in de huid rond haar hals verzonken ligt. Wat van haar lichaam is overgebleven, alleen de romp en het hoofd, is na bijna een week in zout water helemaal opgezwollen. De armen en benen zijn weg. We zouden de schuld aan haaien kunnen geven, maar het rapport van de patholoog-anatoom is daar heel duidelijk over: het slachtoffer is chirurgisch van haar ledematen ontdaan, de benen en armen zijn precies bij de gewrichten geamputeerd, '*met kennelijke vakbekwaamheid en medische precisie*'. De aanklager legt veel nadruk op het woord 'medische'.

We hebben in deze rechtszaal twee dagen over deze foto's gekibbeld: welke mochten worden toegelaten en welke niet? Meestal kreeg de aanklager zijn zin – foto's waarop genoeg geweld te zien was om hun theorie te ondersteunen dat dit misdrijf in woede is gepleegd.

Harry Hinds en ik zijn relatieve nieuwkomers in de juridische wereld van San Diego, al heeft het advocatenkantoor Madriani en Hinds in korte tijd naam gemaakt. We houden nog steeds weleens zitting in Capital City. Harry en ik reizen van tijd tot tijd naar het noorden voor een proces of hoorzitting. Twee jongere collega's passen daar op de winkel, terwijl Harry en ik ons hier een positie proberen te veroveren. De verandering van omgeving had een aantal redenen, vooral de dood van Nikki, mijn vrouw, die vier jaar geleden aan kanker is gestorven.

Het was vooral die ervaring – een lange ervaring met ziekte, angst voor het ergste en leven in de greep van die angst – waardoor ik deze zaak had aangenomen, want mijn cliënt is een man van de wetenschap die een medemens zijn hulp aanbood. Op die manier ben ik hierbij betrokken geraakt.

Professor David Crone is vlezig, met brede schouders, en gebouwd als een ex-tophonkballer. Hij is een grote man, amper een paar centimeter kleiner dan ik, en hij is fit. Hoewel hij zesenvijftig is, lijkt hij veel jonger. Als hij in hemdsmouwen zit, zie je meer haar op zijn armen en borst dan bij de gemiddelde chimpansee. Bij een zwembad zou iemand kunnen vragen wie het hek heeft opengedaan om die gorilla erin te laten. De enige plaats waar hij geen haar heeft, is op de kruin van zijn hoofd, waar hij kaal begint te worden. Hij heeft dikke wenkbrauwen die de hele tijd naar het midden van zijn hoofd lijken te bewegen als hij de redeneringen en nuances in de betogen van de aanklager probeert te volgen. Hij maakt veel aantekeningen, alsof deze hele zaak een studieproject is en hij er later een examen over moet afleggen. Het zachtste deel van zijn gezicht zijn de twee ontwapenend bruine ogen, diep verzonken onder zijn wenkbrauwen, die steeds bewegen, als rotsrichels in een aardbeving.

Evan Tannery is een carrière-officier van justitie. Hij werkt al twintig jaar op het parket en laat zich geen knollen voor citroenen verkopen. Zijn bewijsvoering bestaat uit allerlei stukjes en beetjes, die ieder voor zich als niet meer dan toeval van de hand gewezen kunnen worden. Maar samen brengen ze Crone in grote moeilijkheden.

Kalista Jordan had een aanklacht wegens seksuele intimidatie tegen onze cliënt ingediend. Het lijkt er sterk op dat die eventuele intimidatie niets met seks en alles met de constante onderlinge moeilijkheden op het werk te maken had. Misschien intimideerde hij haar, maar dat deed hij dan omdat zij zijn positie als lid van de directie in het centrum wilde inpikken. Het had er alle schijn van dat Kalista Jordan het spel van de universiteitspolitiek erg goed kon spelen en dat het haar menens was. Er waren maanden van felle woordenwisselingen geweest, en ze hadden ook een paar keer tegen elkaar staan schreeuwen. Kalista had geprobeerd de subsidie voor een aantal lievelingsprojecten van Crone in te pikken. Erger nog: ze was daarin geslaagd. In zijn woede had hij dingen tegen collega's gezegd, allemaal gericht tegen Jordan maar nooit echte bedreigingen met de dood.

De chirurgische precisie waarmee de armen en benen waren verwijderd, was uitgebreid naar voren gebracht. Gesuggereerd werd dat het door iemand met ervaring was gedaan. Crone had medicijnen gestudeerd, met chirurgie als een van zijn vakken.

Het gebrek aan enig alibi is weliswaar niet doorslaggevend, maar het snijdt wel aan twee kanten. Het openbaar ministerie kan het tijdstip van overlijden niet precies vaststellen. Daarom kunnen we niet bewijzen dat onze cliënt het niet gedaan kan hebben. Erger nog, hij deed tegenover Harry en mij nogal vaag over zijn verblijfplaats op de avond dat Jordan voor het laatst was gezien. En tenslotte is er altijd het doorslaggevende bewijsstuk. In dit geval is dat iets erg bezwarends: de nylon kabelbanden die in zijn zak zijn gevonden. We zitten met het probleem dat elke dag weer nieuwe verrassingen brengt.

Tannery beweegt zich in een langzaam tempo. Hij laat geen steen op de andere, schraapt als het ware met een mesje over de grond. Geen enkele kleinigheid ontsnapt aan zijn aandacht. Crone wordt aan de jury gepresenteerd alsof hij de Aristoteles Onassis van de genetische wetenschap is. Volgens de theorie van het openbaar ministerie werd Kalista Jordan verblind door zijn brein. Een vrouw die verleid werd door grijze cellen, de kracht van het intellect en een brandende ambitie om carrière te maken. Om dat alles aan te tonen hebben ze de wetenschappelijke kwalificaties van mijn cliënt gepresenteerd alsof hij een getuige-deskundige op zijn eigen proces was.

David Crone doet onderzoek. Hij heeft de leiding van een team van onderzoekers en speelt een belangrijke rol in het menselijk-genoomproject. Sommigen noemen dat wetenschap via persberichten. Het spookbeeld van een nieuwe medische behandeling en de heisa eromheen zijn de laatste jaren de gouden weg naar subsidies van overheid en particuliere instellingen geworden. Als je een gen isoleert en aan een specifieke ziekte koppelt, en dan op het juiste moment een persbericht de wereld instuurt, kan dat aandelenprijzen omhoog jagen met een opwaartse curve als die van Madonna's tieten, en kan het de directie van een biotech-firma tot pure extase brengen.

Op dat speelveld kwamen Crone en Kalista Jordan elkaar

tegen. Ze was nog maar kort afgestudeerd en bezat schitterende papieren op een exotisch terrein van de wetenschap waarvan ik onmiddellijk toegaf dat ik er niets van begreep: moleculaire elektronica. Crone heeft, als een vrek die in het informatietijdperk angstvallig over informatie waakt, met tegenzin iets over bepaalde aspecten van hun werk verteld. Blijkbaar was Jordan niet zijn favoriete kandidaat. Ze kwam in het kader van een grote subsidie uit het bedrijfsleven die hem in de gelegenheid stelde zijn werk aan genetica voort te zetten. Volgens hem maakten Jordans achtergronden haar bij uitstek geschikt voor computerapplicaties bij genetisch onderzoek. Afgezien daarvan zegt hij niets. Hij beweert dat er patentrechten en beschermde bedrijfsgeheimen op het spel staan. Volgens Crone kan er, als we op die terreinen te veel bij hem aandringen, een compleet nieuw proces in deze zaak ontstaan. Hij waarschuwt voor een golf van procedures over bedrijfsgeheimen en patentschendingen. We zouden een hele horde bedrijfsadvocaten op onze nek krijgen, gestuurd door bedrijven die hem subsidie geven voor zijn onderzoek en die een rendement op hun investering verwachten. Voor hen zijn de moord op Kalista Jordan en het lot van mijn cliënt slechts kleinigheden in vergelijking met de genetische goudmijn die aan het ontstaan is.

Blijkbaar was Jordan op haar terrein zo veelbelovend dat ze de aandacht van een aantal andere universiteiten en een handvol ondernemingen trok. Ten tijde van haar dood waren die allemaal bezig met pogingen haar te rekruteren. Crone schrijft dat grotendeels toe aan een combinatie van twee dingen: ze behoorde tot een etnische minderheid en ze was erg hoog gekwalificeerd op haar terrein. Volgens Crone zou een werkgever die zich op positieve discriminatie wilde beroemen met Jordans aanstelling erg goede sier hebben kunnen maken. Hij moest op zijn tenen lopen om haar te houden, en vooral om het subsidiegeld te houden dat in combinatie met haar binnenkwam. Hij gaf haar de hele tijd extraatjes, salarisverhogingen en promoties. Crone klaagt niet, maar anderen op het lab hebben ons verteld dat Jordan steeds onredelijker eisen stelde.

De laatste getuige van deze dag is Carol Hodges. Ze stookt een klein vuurtje langs de rand van hun bewijsvoering. Hodges was plotseling opgedoken. Ik neem aan dat Tannery ongeduldig had gewacht tot hij met deze verrassing kon komen en bang was dat wij vroeg of laat de feiten van onze eigen cliënt te horen zouden krijgen. Hij had zich geen zorgen hoeven te maken.

'U kende het slachtoffer?' zegt Tannery.

'Ja.'

'Hoe?'

'We hebben een tijdlang een flat gedeeld.'

'En u bleef aan de universiteit verbonden. Is dat juist?'

'Als docente,' zegt ze.

'Nu wil ik uw aandacht vestigen op de avond van drieëntwintig maart. Vorig jaar. Kunt u zich die dag herinneren?'

Ze knikt.

'U zult hardop moeten spreken.'

'Ja.'

'Herinnert u zich wat u die avond om ongeveer zes uur deed?'

'Ik zat te eten,' zegt ze. 'In de kantine van de faculteit.'

'En zag u op die avond het slachtoffer, Kalista Jordan?'

'Ja.'

'Wat deed ze?'

'Ze at.'

'At u samen?'

'Nee. Aan aparte tafels.'

'En wat gebeurde er die avond?'

'Er was ruzie.'

'Met wie?'

'Met hem.' Ze wijst naar onze tafel.

'U bedoelt de verdachte, David Crone?'

'Ja.'

'Met wie maakte hij ruzie?'

'Met Kalista.'

'Kalista Jordan?'

'Ja.'

'Waar ging die ruzie over?'

'Dat kon ik niet horen,' zegt ze.

Harry en ik schrikken ons een ongeluk, al doen we ons best om daar niets van te laten blijken. Harry ziet zelfs kans om op dit moment, terwijl de jury deze onthulling te horen krijgt, te gapen en zijn hand voor zijn mond te houden.

Het openbaar ministerie is erin geslaagd een groot deel van hun getuigenbewijs af te schermen. Er zitten weinig getuigenverklaringen in hun dossiers, en de meeste vrienden van het slachtoffer hebben van de politie te horen gekregen dat ze niet verplicht zijn om met ons te praten. En dat doen ze dus ook niet.

'Was het een luidruchtige ruzie?'

'Voor een deel wel.'

'Wie begon?'

'Hij.'

'Professor Crone?'

Ze knikt. De getuige vindt het duidelijk niet prettig om iets ten nadele van een hoogleraar te zeggen, want de academische pikorde is een serieuze zaak, al is Crones status niet meer wat hij geweest is.

'Schreeuwde professor Crone tegen haar?'

'Ja.'

'Bedreigde hij haar?'

'Ik weet niet goed wat u bedoelt.'

'Hoorde u hem dreigende woorden tegen het slachtoffer zeggen?'

'Zoals ik al zei: ik kon niet horen wat ze zeiden.'

'Maar u hoorde ze schreeuwen?'

Ze knikt. Een wirwar van haar hangt over haar voorhoofd en ze veegt het met de rug van haar hand weg. 'Ja.'

'Raakte hij haar aan?' vraagt Tannery. Dit is duidelijk de kern van de getuigenverklaring.

'Ja.'

'Hoe?'

'Hij greep haar bij haar arm toen ze probeerde weg te lopen.'

'Ze probeerde van hem weg te lopen?'

'Ja.'

'Zag het er op enig moment naar uit dat de verdachte, David Crone, het slachtoffer zou slaan?'

'Protest.'

'Het gaat over de waarnemingen van de getuige,' zegt Tannery.

'Protest afgewezen. Ik sta toe dat de getuige antwoord geeft.'

'Ja. Op een gegeven moment dacht ik dat hij haar zou slaan.'

'Sloeg hij het slachtoffer?' Tannery laat die vraag niet aan mij over.

'Nee.'

'Op het moment dat professor Crone haar vastgreep, maakte het slachtoffer toen een angstige indruk?'

'Protest.'

'Afgewezen,' zegt de rechter.

'Ze was niet blij,' zegt de getuige.

'Maakte ze een erg bange indruk?'

'Ik zou bang zijn geweest,' zegt Hodges.

'Protest – verzoek om te schrappen.'

Voordat de rechter een beslissing neemt, zegt Hodges: 'Ik geloof dat ze bang was.'

De rechter schrapt haar eerdere antwoord, maar dat laatste werkt in Tannery's voordeel. De schade is al aangericht.

Binnen drie minuten zijn we buiten gehoorsafstand van de bewaarders. We zitten veilig in het kleine overlegkamertje bij de cellen, met de deur dicht.

'Waarom heb je ons dat niet verteld?' Harry kijkt hem fel aan, rood tot aan de puntjes van zijn oren. Wat Harry betreft, mag een cliënt tegenover de rest van de wereld een vuile leugenaar zijn, maar dan wel ónze vuile leugenaar – dat wil zeggen, totdat hij tegen óns liegt.

'Ik was het vergeten. Sorry.'

'Hoe kun je zoiets nou vergeten?' Harry kijkt mij vragend aan. 'Snap jij dat?'

'We hadden een gesprek,' zegt Crone. 'We praatten. Het is me ontschoten.'

'Je hebt ons niet verteld dat je haar die avond had ontmoet.'

'Doet het er iets toe? Is het zo belangrijk?'

'Nou en of,' zegt Harry.

'Het bewijst niet dat ik haar heb vermoord.'

'Nee. Maar het laat wel zien dat je tegen de politie hebt gelogen,' zeg ik. Inmiddels heb ik het dossier open voor me op tafel liggen. Ik blader erin tot ik vind wat ik zoek: Crones eerste verklaring tegen de politie.

Crone heeft daar niet meer aan gedacht.

'Ze vroegen je wanneer je haar voor het laatst hebt gezien. Je zei dat je Jordan minstens een week voor de dag van haar verdwijning niet had gezien.'

Die borstelige wenkbrauwen trekken weer peinzend naar het midden van zijn voorhoofd. Hij krabt over zijn hoofd met het gummetje aan het eind van een potlood, alsof dit een wiskundig probleem is waarop je een berekening kunt loslaten.

'Kunnen we niet gewoon tegen ze zeggen dat ik me vergiste, dat ik het was vergeten?'

'Erg handig dat je er door de verklaring van hun getuige aan wordt herinnerd,' zegt Harry. 'Het gebeurt heel vaak dat leugens op die manier in een rechtszaak uitkomen.'

'Je bedoelt dat ze me misschien niet zullen geloven.'

Harry knikt en rolt met zijn ogen, alsof hij wil zeggen: *Eindelijk snapt hij het.*

'Wil je een getuigenverklaring afleggen?' zegt Harry. 'In dat geval douwen ze je de verklaring die je bij de politie hebt afgelegd door je strot.'

Crone glimlacht zowaar bij het beeld dat dit oproept. Er zijn momenten waarop hij plezier schijnt te beleven aan Harry's woede en de verbale hitte die van de tong van mijn collega afdruipt. Ik krijg het gevoel dat uitingen van woede voor Crone een soort curiositeiten zijn, als dieren in de dierentuin, iets dat in zijn wereld van proteïnen, enzymen en de mathematische formules van het leven geen ander nut heeft dan andere mensen te amuseren.

Hij kijkt Harry aan alsof hij het niet begrijpt. En dus leg ik het uit.

'Als je in de getuigenbank gaat zitten, kunnen ze je verklaring in het politierapport gebruiken om aan te tonen dat je hebt gelogen. Een voorafgaande inconsistente verklaring. Heb je haar die avond ontmoet?' vraag ik voor alle zekerheid.

'O, ja.'

'Je had ruzie met haar?'

'Nu, ik weet niet of ik zo ver zou gaan...'

'Was het ruzie of niet?' Harry heeft genoeg van die muggenzifterij.

'We hadden een woordenwisseling.'

'Een luidruchtige woordenwisseling?' vraagt Harry.

'Misschien.'

'Dan is de verklaring die je bij de politie hebt afgelegd een voorafgaande inconsistente verklaring.'

'Is dat hetzelfde als een leugen?' vraagt Crone.

'Alleen in de ogen van de jury,' zegt Harry. Hij rolt zijn eigen grote bruine ogen naar het plafond en wendt zich af.

'Jullie kunnen daar vast wel mee afrekenen. Ik heb het volste vertrouwen in jullie,' zegt Crone.

'Ik ben blij dat te horen,' zegt Harry. 'Als ik maar niet voor gaas ga en in jouw plaats hoef te brommen.'

Crone kan zelfs daarom glimlachen. 'Weet je, Harry... Je vindt het toch niet erg als ik je Harry noem?'

Tot Harry's voortdurende ergernis heeft Crone hem drie maanden 'meneer Hinds' genoemd. Harry heeft de professor al in het begin verteld dat hij Harry heet, dat zijn *vader* meneer Hinds was, en dan nog alleen voor familieleden waar hij een hekel aan had.

'Je hebt een erg kleurrijke manier om de dingen te zeggen,' zegt Crone. 'Erg origineel.'

Harry schudt zijn hoofd alsof de man geen woord heeft gehoord van wat hij heeft gezegd.

'Nee, ik meen het. "Als ik maar niet voor gaas ga".' Terwijl Crone het herhaalt, gebruikt hij zijn vingers als metronoom. 'Dat is een mooie uitdrukking. Je kunt er een song van maken. Gilbert en Sullivan,' zegt hij. 'Heb je er ooit over gedacht om songteksten te schrijven?'

'Alleen als ik dronken ben,' zegt Harry.

'Als ik op mijn werk terugkom en al die mooie nieuwe woorden spui, zullen ze zich afvragen waar ik heb gezeten.'

'Geloof me,' zei Harry, 'tenzij ze op Mars wonen, weten ze waar je hebt gezeten.'

'Je bedoelt de tv?'

Harry knikt. 'Je bent een beroemdheid. Berucht. Hard op weg om Charlie Manson te worden, en dat terwijl je nog niet eens bent veroordeeld.' Harry draait zich om en loopt door de anderhalve meter van de cel die niet door de tafel in beslag wordt genomen.

'Ja. Dat zal vast wel,' zegt Crone. 'Iedere avond op het journaal, op weg naar de rechtbank of daarvandaan, altijd met een bewaarder aan elke arm. Dat kan geen mooi plaatje zijn. Ik kijk geen televisie,' zegt hij. 'Dat zou te deprimerend zijn.' Zijn manier van spreken is didactisch. Dat komt waarschijnlijk door al die jaren dat hij college heeft gegeven.

Harry kijkt me aan met een gezicht alsof hij vermoedt dat we met een geesteszieke te maken hebben.

'Voor de goede orde,' zegt Crone. 'Ik loog niet tegen ze. Wat je ook denkt, Harry, ik was het echt vergeten. Dat is de simpele waarheid en meer kunnen we er niet over zeggen.'

'Ja, simpel is het zeker.' Harry trapt er niet in, maar de jury misschien wel, als Crone het zo oprecht weet te brengen.

Crone zit vol verrassingen. Dit is al de tweede keer dat onze cliënt details vergeten is of vergeten is ons erover te vertellen.

Drie maanden voordat ze werd vermoord, probeerde Kalista Jordan een straatverbod voor Crone te krijgen. Dat mislukte, maar dat lag niet aan haar. Ze beweerde dat hij haar als stalker belaagde. Crone geeft toe dat hij achter haar aan zat, maar volgens hem had dat niets met ongewenste avances te maken. Jordan had papieren uit zijn kantoor meegenomen en die wilde hij terug hebben.

Uiteindelijk resulteerde Jordans bewering in een aanklacht wegens seksuele intimidatie. Die zaak speelde nog toen ze stierf. De aanklacht stierf tegelijk met haar. Omdat er geen onderzoek was ingesteld en geen conclusies waren getrokken, ging Crone er, nogal voorbarig, vanuit dat die zaak niet relevant was. Hij zag die hele episode als iets weerzinwekkends, en omdat haar bewering in zijn ogen onwaar was, wilde hij ons er niets over vertellen.

In de loop van ons onderzoek lukte het ons die bewering van seksuele intimidatie boven tafel te krijgen. Het feit dat de jury er een motief voor moord in zou kunnen zien, is nog steeds niet tot zijn briljante geest doorgedrongen.

Crone vertelt ons dat mensen elkaar niet om zulke redenen vermoorden, maar het is een feit dat mensen elkaar wel om veel minder reden van het leven beroven. Als we hem eraan herinneren dat zijn carrière op het spel staat, knikt hij alleen maar nuchter en geeft hij met tegenzin toe dat het misschien waar is.

Ik kom terug op de ruzie die hij die avond in de kantine van de faculteit met haar heeft gehad. 'Heb je haar in enig opzicht aangeraakt?'

'Misschien heb ik haar arm aangeraakt.'

'Heb je haar vastgepakt?' vraagt Harry.

'Misschien heb ik haar arm vastgehouden.' Dit is niet iets dat uit de diepe spelonken van zijn geheugen komt. 'Ze probeerde van me weg te lopen. We waren nog niet klaar met praten.'

'Je bedoelt dat jíj nog niet klaar was,' zegt Harry.

'Misschien.'

'Dus ze wilde een eind aan het gesprek maken?' vraag ik.

'Ja.'

'En jij hield haar tegen?'

'Ze weigerde de papieren terug te geven. Die papieren waarover ik het had.'

Zo komen we weer op die mysterieuze papieren terug. Crone wil ons niet precies vertellen wat het voor papieren waren. Hij zegt alleen dat ze betrekking hadden op het project waaraan hij en Jordan werkten voordat ze onenigheid kregen.

'En je wilde die papieren zo graag hebben dat je haar fysiek belaagde?' vraagt Harry.

'Ik heb haar niet fysiek belaagd.'

'Laat me zien hoe je haar vastgreep,' zegt Harry.

Crone komt uit de stoel en Harry speelt voor Jordan, keert Crone zijn rug toe en doet alsof hij weg wil lopen. Crone pakt zijn arm vast en Harry trekt zich los.

'Als dat alles is wat je deed, moet er vrij gauw een eind aan de ruzie zijn gekomen,' zegt Harry.

'Misschien deed ik het een beetje krachtiger,' zegt Crone.

'Heb je één arm vastgepakt of beide?'

'Dat weet ik niet meer. Het ging zo snel.'

'Heb je haar met geweld omgedraaid?'

'Waarschijnlijk. Ik denk dat ik beide armen boven de ellebogen vasthield, ongeveer zo,' zegt hij. Hij pakt Harry bij beide bovenarmen vast.

'Schudde je haar heen en weer? De getuige zegt van wel.'

'Dat kan ik me niet herinneren.'

'Je kunt het je niet herinneren of het is niet gebeurd?'

'Dat weet ik niet. Ik kan het me niet herinneren.'

'Hoe lang duurde dat gesprek?'

'Een minuut, misschien twee.'

'En wat zei je?'

'Ik zei tegen haar dat ik de papieren terug wilde hebben.'

'En wat zei zij?'

'Ze werd grof. Ze zei dat ik ze in mijn reet kon steken.'

'Met die woorden?'

'Als ik het me goed herinner. Ja.'

'Zei ze nog iets meer?'

'Dat weet ik niet meer. Het is lang geleden. Ik geloof dat ze me een "machtswellusteling" noemde, of zoiets.'

'Wat bedoelde ze daarmee?'

'Ze kon niet goed tegen gezag. Dat was een van Kali's minder prettige eigenschappen. Ze volgde geen instructies op. Als je het niet met haar eens was, was je een machtswellusteling. Ze wilde altijd haar zin hebben.'

'Maar ze werkte voor jou. Jij was haar baas,' zegt Harry.

'Jammer dat jij er niet bij was om haar daaraan te herinneren. Ze was moeilijk in de hand te houden. Ze deed vaak dingen waar je niets van wist. Dingen die met het werk te maken hadden.'

'Daarom heb je haar reis geannuleerd. Die naar Genève.'

'Ja.'

'En toch noem je haar Kali,' zeg ik. 'Niet professor Jordan, niet Kalista.'

'We werkten bijna twee jaar samen en tutoyeerden elkaar.'

'Hoe noemde ze jou?'

'Dat weet ik niet meer.'

'Dave?'

'Nee.'

'David?'

'Ik denk van niet. Ze noemde me meestal professor Crone.'

'Waarom noemde jij haar dan geen professor Jordan?' zegt Harry.

'Hoezo? Is dat belangrijk?'

'De officier van justitie zal het doen voorkomen alsof het belangrijk is.'

'Heb je ooit aan haar of andere ondergeschikten laten blijken dat je voorkeuren had?' vraag ik. Jaloezie op het werk zou ons veel problemen kunnen bezorgen en olie op het vuur van de seksuele intimidatie kunnen gooien.

'Nee. Dat zei ik toch? Onze onenigheid had niets met persoonlijke relaties te maken. Het was een verschil van mening over professionele zaken. We hadden een verschillende visie op het project.'

Dat komt steeds weer terug: Crone wil ons niets meer over hun ruzie vertellen. Hij zegt dat het te maken heeft met de papieren die Jordan uit zijn kantoor heeft meegenomen, papieren die volgens Crone uiterst vertrouwelijke informatie bevatten over het onderzoek waaraan ze werkten. Voor zover ik weet, zijn die papieren nooit gevonden. Ze stonden niet op de lijst van dingen die door de politie zijn aangetroffen toen het appartement en het kantoor van het slachtoffer werden doorzocht. Ze zochten in haar appartement naar sporen van een misdrijf, indicaties van geweld, maar vonden niets. En toen ze tussen Crones papieren naar de vermiste papieren zochten, vonden ze die ook niet.

Het is moeilijk te voorspellen wat een jury met dit alles doet.

Je kunt net zo goed met een dobbelsteen gooien. En intussen heeft de rechter de inzet in handen: Crones leven.

'Toen jullie die avond ruzie in die kantine hadden, heb je toen tegen Jordan geschreeuwd? De getuige zegt dat je meermalen in het gezicht van het slachtoffer hebt geschreeuwd.' Harry leunt nu op de tafel.

'Dat weet ik niet meer. Misschien heb ik mijn stem verheven.'

'Operazangers verheffen hun stem,' zegt Harry. 'Mensen die ruzie hebben, schreeuwen. Soms horen andere mensen wat ze zeggen.'

'Niemand heeft gehoord wat we zeiden, behalve Kali en ikzelf. Mevrouw Jordan,' verbetert hij zichzelf. 'Of professor Jordan.' Hij begint onzeker te worden. Wanneer we hem als getuige oproepen, hebben we zeker een maand nodig om hem voor te bereiden.

'Voor een man die zich een uur geleden niet eens kon herinneren dat er iets was gebeurd, ben je er nu wel erg zeker van dat niemand jullie heeft gehoord,' zegt Harry. 'Laat me je iets anders vragen. Heb je haar bedreigd?'

Volgens de getuige kon ze niet horen wat er werd gezegd, alleen dat ze woedend tegen elkaar schreeuwden. We weten niet wat anderen misschien hebben gehoord.

'Het is belangrijk,' zeg ik tegen hem. 'Als je haar bedreigde, als je iets zei dat zelfs ten onrechte als een bedreiging kan worden geïnterpreteerd, moeten we dat nu weten.'

'Ik heb haar niet bedreigd. Dat zou ik nooit doen.'

Het probleem is dat we dit alles voor het eerst van hun getuige te horen hebben gekregen. Het openbaar ministerie heeft ons ermee overvallen.

Crone verontschuldigt zich voor wat hij een 'verzuim' noemt. Hij heeft onder grote stress gestaan. Volgens hem kan hij zich daardoor niet alle bijzonderheden herinneren.

'De schade is al aangericht,' zeg ik tegen hem. 'Maar vergis je niet: het is schade. Misschien wordt het tijd dat we over andere dingen praten, dan komen we misschien niet meer voor verrassingen te staan.'

Hij kijkt me vragend aan.

'Ik weet dat we hier al eerder over hebben gepraat. Het gaat om die papieren waarvan je zegt dat Jordan ze uit je kantoor heeft meegenomen. Ik denk dat het tijd wordt dat je ons vertelt wat dat voor papieren waren. En vooral waar ze over gaan.'

Crone kijkt geërgerd. 'Dat hebben we al besproken,' zegt hij.

Die papieren zijn van het begin af aan taboe geweest. Al vanaf het moment dat we de zaak op ons namen, waren de details van zijn onderzoek verboden terrein.

'Als ik jullie de bijzonderheden van mijn onderzoek vertelde, zou ik net zo goed mijn ontslag bij de universiteit kunnen indienen. Ze zouden me binnen een minuut, binnen een seconde ontslaan,' zegt hij. 'Het spijt me. Jullie zullen me moeten vertrouwen.'

'Dat wordt moeilijk,' zegt Harry.

'Als jullie willen dat ik een andere advocaat neem...' zegt Crone.

'Dat hoeft niet,' onderbreek ik hem.

'Je denkt dat ze je niet ontslaan als je voor moord wordt veroordeeld?' vraagt Harry.

'Ik zal het erop moeten wagen.'

'En als we je in de getuigenbank zetten? Wat ga je tegen de officier van justitie zeggen als hij naar die papieren vraagt?' zeg ik.

'Dat zullen we wel zien als het zover is.'

Daar was ik al bang voor.

— 2 —

Maandag, en Crones zaak staat voor die dag niet op de agenda. De rechtbank heeft het proces onderbroken om de rechter in de gelegenheid te stellen andere zaken af te handelen.

Harry zit aan zijn bureau en werkt aan een verzoekschrift in een civiele zaak. Hij probeert een cliënt voor een faillissement te behoeden. Het is een kleine fabrikant in San Diego, een bedrijf van de derde generatie waar tweeëndertig mensen werken. Al bijna vijftig jaar maakt Hammond Ltd. jachtgeweren op bestelling – olifantengeweren, bij gebrek aan een betere term. Dat zijn zeldzame dubbelloopsgeweren van groot kaliber, kunstwerken met graveringen en andere kunstige bewerkingen. Sommige hebben inlegwerk van kostbare metalen, aangebracht door bekwame vaklieden die hun werk in Europa hebben geleerd.

Hammonds goedkoopste geweer kost twaalfduizend dollar en de prijs kan oplopen tot vijfentachtigduizend dollar. Het zijn dus geen huis-, tuin- en keukenwapens. Alleen een idioot zou ermee schieten. Het zijn verzamelaarsstukken, kunstwerken, gemaakt om te worden opgepoetst en tegen een achtergrond van groen vilt in vitrines te worden tentoongesteld, als een prachtig bewerkte klok.

Desondanks is de onderneming betrokken geraakt bij een gerechtelijke procedure die in gang gezet is door politici die anti-wapenstemmen proberen te trekken. De hogepriesters van de verkiezingsenquêtes hebben tegen hen gezegd dat als ze de boel nog een klein beetje opzwepen, ze veel vrouwelijke kiezers voorgoed in hun kamp kunnen krijgen. Je kunt tegenwoordig gemakkelijk geloven dat er politici zijn die elke avond voor nog één fikse schietpartij op een school bidden, want die zou hen aan de overwinning kunnen helpen.

Harry houdt niet van vuurwapens en ook niet van mensen die ze maken. Hij is een democraat van de oude stempel, iemand die in de werkende klasse en de underdog gelooft. Hij heeft nooit veel gevoeld voor de tirannie van welke meerderheid dan ook, zwijgend of niet. En als er dan ook nog hypocrisie bij komt kijken, is voor hem de maat vol.

Hij heeft een verloren zaak aangenomen en financiert die nu uit eigen zak. De prijs die je voor Harry als compagnon moet betalen, is dat hij nu en dan tegen windmolens ten strijde trekt. Die prijs is het me wel waard.

Twintig deelstaten en een even groot aantal gemeenten hebben zich inmiddels aangesloten bij de processen die de federale overheid tegen vuurwapenfabrikanten voert. Zo'n twintig kleine ondernemingen in het hele land, waarvan de vuurwapens nooit voor een misdrijf zijn gebruikt, worden nu brodeloos gemaakt door de kosten van processen die door de overheid zijn aangespannen.

Harry legt zijn potlood neer. 'Misschien ga ik toch maar met je mee,' zegt hij. Hij kijkt op van de stapel papieren die op het bureau voor hem uitgespreid ligt.

Ik heb een afspraak met de officier van justitie over de zaak-Crone. Misschien komt het tot een juryproces, maar Harry ruikt dat er een deal in de lucht hangt.

'Ook als ze iets willen regelen,' zeg ik tegen hem, 'kunnen we dat nooit aan Crone verkopen. Hij zal zich nooit schuldig verklaren in ruil voor strafvermindering of zoiets. Trouwens, weet je zeker dat je er de tijd voor hebt?'

'Ik maak er wel tijd voor.' Hij doet zijn bureaulamp uit en pakt zijn jas. 'Je weet dat hem nog iets ergens boven het hoofd hangt dan doodslag.'

'Tannery heeft door de telefoon niet veel gezegd,' zeg ik. 'Alleen dat het voor mij de moeite waard zou zijn om te komen praten.' Tannery belde vanmorgen ineens op en nodigde me bij zich uit. Hij zei dat het verstandig zou zijn als we met elkaar praatten voordat de zaak verder ging. Daar kun je van alles uit afleiden. Harry is altijd een optimist.

Ik herinner hem eraan dat Crone zelfs al afwijzend reageerde toen we nog maar vaag op zo'n regeling zinspeelden.

'Dat was voordat hij iets van de bewijsvoering had gezien,' zegt Harry.

'Hij schijnt zich niet erg druk te maken om Hodges en haar onthullingen.'

'Ze zijn zich nog maar aan het warmlopen,' zegt Harry. 'Dat kan ik ruiken. Ik heb een slecht voorgevoel.'

'Hoe dan?'

'Nou, misschien is er nog veel meer dat onze cliënt ons niet heeft verteld.'

Tannery had ons een deal aangeboden voordat het proces begon, al is hij nooit formeel met een aanbod gekomen. Hij zinspeelde op een lichte vorm van doodslag, op voorwaarde dat Crone op een geloofwaardige manier kon aantonen dat hij Jordan in een vlaag van woede of hartstocht van het leven had beroofd. Hij zei dat hij het aan zijn baas zou moeten verkopen. Indertijd kon hij dat niet. Crone barstte in woede uit toen ik zelfs maar op die deal zinspeelde. Harry deed zijn best om hem over te halen. Op het eind trok Crone in twijfel of Harry wel een kerel was en de moed had om een proces te voeren. Sindsdien zit het niet helemaal lekker tussen die twee.

'Als ze echt een aanbod doen,' zegt Harry, 'hoop ik dat je hem deze keer flink onder druk zet. Als ik het me goed herinner, heb jij de vorige keer vooral geluisterd terwijl hij mij alle hoeken van de cel liet zien.'

'Ik heb hem over de risico's verteld. Dat hij na een veroordeling levenslang zou kunnen krijgen. Wat kan ik nog meer zeggen?'

'Je kunt hem eraan herinneren dat ze in de ziekenboeg van Folsom niet veel aan genetisch onderzoek doen. In elk geval niet op levensvormen die hij zou herkennen. De man mag dan professor zijn, al te slim is hij niet,' zegt Harry. 'Als hij zich schuldig verklaart aan doodslag, is hij over zes jaar vrij, misschien nog eerder.'

'Ik denk niet dat hij zich laat overhalen.'

'Waarom niet?'

'Misschien heeft hij het niet gedaan.'

'Dan wordt hij de zoveelste onschuldige met levenslang,' zegt Harry. 'Of je nu denkt dat hij het heeft gedaan of niet, we zouden tekortschieten als we hem de feiten niet vertelden. Zijn kansen bij die jury zijn niet gunstig. De demografische omstandigheden zijn verkeerd. We hebben geprobeerd er academici in te krijgen en dat is niet gelukt.'

Harry heeft gelijk. We zitten opgescheept met drie secretaresses en een receptioniste, en een monteur van het elektriciteitsbedrijf die waarschijnlijk wil weten waarom de staat de elektrische stoel niet wil gebruiken om onze cliënt van kant te maken. De voorzitter van de jury heeft zijn middelbare school niet afgemaakt en denkt waarschijnlijk dat een geneticus iemand is die genocide bedrijft. Het zijn mensen die Crones wetenschappelijke kwalificaties waarschijnlijk eerder verwarrend dan indrukwekkend vinden.

'Ik heb naar hun gezichten gekeken, op hun ogen gelet, terwijl jij getuigen aan een kruisverhoor onderwierp,' zegt Harry. 'De bewijsvoering doet er niet toe. Ze zouden Crone alleen al om zijn arrogantie veroordelen.'

We lopen naar de deur, Harry vlak achter me. 'Ik heb een slecht voorgevoel.' Hij zegt het opnieuw, alsof hij over een jeukende plek krabt waar hij net niet bij kan. Harry heeft het sterke gevoel dat iets niet goed zit, al zou hij niet precies kunnen zeggen wat dat is.

We doen er twintig minuten over om in mijn jeep over de brug te komen. Omdat de ramen openstaan, overstemt de wind gelukkig de preek die Harry helemaal tot aan Tannery's kantoor bij het gerechtsgebouw houdt. We parkeren op een van de terreinen achter het gebouw en gaan via het gerechtsgebouw naar binnen. We nemen de roltrap en lopen naar het kantoor van de officier van justitie op de derde verdieping. Tannery's kantoor, zo hoog in het gebouw, bevindt zich in de hemel van de topfunctionarissen, met overal vloerbedekking, zeeën van ruimte en mahoniehouten bureaus en stoelen. Evan Tannery is op weg om waarnemend hoofdofficier te worden, verantwoordelijk voor alle ernstige misdrijven. Hij wordt zelfs genoemd als kroonprins van Dan Edelstein, die in september met pensioen zal gaan. Om die reden krijgt de zaak-Crone extra veel aandacht, in elk geval in de top van het parket. Iedereen kijkt hoe hij het ervan afbrengt. Harry denkt dat Evan daarom zo graag een deal wil sluiten. Waarom zou je risico's nemen als je ook een garantie kunt krijgen?

We wachten in een grote receptieruimte met twee bureaus ter grootte van vliegdekschepen in tegenoverliggende hoeken. Een secretaresse achter elk van die bureaus bewaakt de deur van haar baas als een Romeinse schildwacht. Achter een van die deuren, in het grote hoekkantoor, zit de grote baas, Jim Tate. Tate is al officier van justitie in dit district sinds God de Tien Geboden met een hete vinger in steen uithakte en aan Mozes overhandigde. Aan eenieder die wil luisteren zal Tate vertellen dat hij bij die gebeurtenis als ceremoniemeester heeft gefungeerd. Hij is een luidruchtige Ier met een opvallende bos wit haar en een rood gezicht, en hij brengt meer tijd op zijn visboot en op de golfbaan door dan in zijn kantoor. Als ze zijn kamer zouden onderverhuren, zou Tate de laatste zijn die het merkte. Niemand kan zich de laatste keer herinneren dat hij een zaak behandelde. Maar hij behoort tot het politieke establishment van het district. Als er verkiezingen op komst zijn, staat zijn naam op ieders lijst.

In feite wordt het kantoor geleid door Tates nummer twee, die al twintig jaar zijn eerste plaatsvervanger is, Daniel Edelstein. Stein, zoals hij wordt genoemd door degenen die hem kennen (Edsel door degenen die hem niet mogen) is een keiharde overlevende van de bureaucratie. Op vergaderingen zegt hij niet veel maar kijkt hij naar het opkomend en afnemend tij en verstaat de kunst om altijd aan de winnende kant van elke controverse terecht te komen. Hij is een meester in de subtiele illusie van de invloed. Iedereen in de stad wil met hem praten, al heb je vaak het gevoel dat je net zo goed het woord tot een baksteen kunt richten. Iemand die carrière wil maken op het openbaar ministerie kan niet om Edelstein heen.

Momenteel staat Tannery in zijn schaduw. Het verbaast me dan ook als de twee mannen samen uit Edelsteins kantoor komen. Stein kijkt even naar ons, en op zijn gezicht verschijnt het soort zelfvoldane grijns waaruit is af te leiden dat hij en Tannery juist over onze zaak hebben gesproken. Tannery neemt afscheid van hem en komt naar ons toe.

'Meneer Madriani...'

'Zeg maar Paul. En dit Harry Hinds.'

'We kennen elkaar.' Ze schudden elkaar de hand. Hij is een sympathieke man, zeker voor een officier van justitie. Tannery koestert geen rancunes en neemt zichzelf niet al te serieus, een zeldzame eigenschap voor iemand in zijn positie.

'Ik denk dat het belangrijk is dat we dit gesprek hebben,' zegt hij. 'Om de lucht te zuiveren voordat we verder gaan.'

'Ik neem aan dat het de moeite waard is.' Harry glimlacht. Hij suggereert dat Tannery bij ons in het krijt staat omdat we door de stad moesten reizen om hem op zijn terrein te ontmoeten.

De officier van justitie glimlacht maar zegt niets terug. Hij gaat ons voor. We verlaten de receptie en lopen door een brede gang, weg van de rij liften. Al gauw blijft hij bij een dubbele deur staan en steekt een sleutel in een glanzend slot dat eruitziet alsof het nog maar kort geleden in de deur is gezet.

'Een van de vergaderkamers,' zegt hij. 'Ze hebben me hier gezet totdat Dan Edelstein zijn kantoor ontruimt.'

In de kamer staat een grote vergadertafel die door Tannery als bureau en opslagruimte wordt gebruikt. Aan het ene eind staat zijn computer, en daar heeft hij ook een groot vloeiblad en een telefoon, die hij van een zijtafeltje langs de muur heeft gehaald. Op het andere eind staat een stapel dozen met notities, dossiers en boeken, dingen uit zijn oude kamertje hier beneden. De vergaderstoelen zijn in het midden van de langgerekte tafel bij elkaar gezet. Harry en ik gaan aan deze kant zitten, terwijl Tannery om de tafel heen loopt en over het telefoonsnoer heen stapt om aan de andere kant te komen. Er staan nog meer dozen, drie in totaal, tegen de muur. Hij vist in een van die dozen en haalt er een zwarte ordner met drie ringen uit. Ik zie dat het een van de ordners is die het parket voor de zaak gebruikt. Hij gaat tegenover ons aan de tafel zitten, bestudeert de inhoud even en kijkt dan op.

'Een tijdje geleden hadden we het over een eventuele beperking van de tenlastelegging.'

'Doodslag,' zegt Harry.

'Dat klopt.'

Ik knik maar zeg niets.

'Het zou een goede afsluiting van de zaak zijn. Ik had indertijd tenminste het gevoel dat het een eerlijke uitkomst was,' zegt Tannery.

'Onze cliënt is moeilijk te overtuigen,' zegt Harry.

'Ja. Mijn baas ook. Hij was er niet blij mee, maar hij vond goed dat ik ernaar informeerde. Maar sindsdien zijn de dingen misschien veranderd.'

Ik kan voelen dat de lucht uit Harry ontsnapt.

'In welk opzicht?' vraag ik.

'Ik heb het over informatie die we aan het onderzoeken zijn. Misschien komt er niets uit, maar als de gegevens kloppen, zullen we misschien geen deal meer aanbieden. In het licht van die informatie is het heel goed mogelijk dat we de zaak ernstig hebben onderschat.'

'Wat is dat voor informatie?'

'Dat kunnen we op dit moment niet vertellen,' zegt hij. 'Niet voordat we in de gelegenheid zijn geweest een grondig onderzoek in te stellen. Maar als het klopt, zit er een kant aan deze zaak waar we waarschijnlijk geen van allen weet van hadden.'

'Waar heb je het over? Als jullie bewijzen hebben, moeten jullie dat bekendmaken,' zegt Harry. 'Dat is beleid, dat is voorschrift in dit district. Als jullie over relevante informatie beschikken, over welk bewijsmateriaal dan ook, moeten wij daarvan weten.'

'Het is misschien niet relevant,' zegt Tannery. 'In dat geval zouden jullie ons ervan beschuldigen dat we jullie een doodlopende weg insturen om midden in het proces jullie tijd te verspillen. Daarom zijn we van plan het eerst zelf uit te zoeken. Als er iets in zit, nemen we meteen contact met jullie op.'

'Ik begrijp het,' zegt Harry. 'Kort voordat we aan onze eigen getuigen beginnen.' Harry is bang dat Tannery ons met nieuwe informatie overdondert als we net op het punt staan onze eerste getuige op te roepen, zodat we geen tijd hebben om ons voor te bereiden.

'Ik vertel het jullie nu, opdat het niet later als een volslagen verrassing komt.'

'Wát vertel je ons?' vraag ik hem.

'Dat jullie je moeten voorbereiden op de mogelijkheid van een nieuw element in de zaak.'

'Is het nieuw bezwarend materiaal?' vraag ik hem. We spelen nu ons juristenspelletje.

'Misschien. Het heeft vooral met de theorie van de zaak te maken,' zegt Tannery.

'Het zijn geen papieren?' Harry denkt hetzelfde als ik: de politie heeft de papieren gevonden waarvan Crone beweert dat Kalista Jordan ze uit zijn kantoor heeft meegenomen.

'Je denkt aan iets specifieks?' Tannery is aan het vissen.

'Zijn het papieren?'

'Nee.'

Ik zou kunnen zeggen dat ik om een gerechtelijk bevel zal vragen om Tannery te dwingen aan ons over te dragen wat hij heeft. Dat zou me een dag, misschien twee dagen kosten. Tegen die tijd zou de politie het zonder twijfel hebben uitgezocht. Als het iets belastends is, geven ze het toch wel aan ons en dan zou dat gerechtelijk bevel geen enkele waarde hebben. Als datgene wat Tannery heeft niet blijkt te kloppen, is de hele zaak irrelevant. Dan zou Tannery alleen maar onze bloeddruk een paar dagen omhoog hebben gejaagd.

Harry zal naar het huis van bewaring terug willen gaan om Crone de duimschroeven aan te draaien en er zo achter te komen wat hij nu weer voor ons heeft verzwegen.

'Wanneer ontdekten jullie die informatie?' vraag ik hem.

'Vrijdag.'

'Afgelopen vrijdag?'

'Ja.'

'Een beetje laat, hè?'

'We hadden dit zelf niet kunnen ontdekken. Er kwam een getuige naar ons toe. Zomaar opeens,' zegt hij.

'Een nieuwe getuige? Iemand die niet op jullie getuigenlijst staat?'

Hij knikt.

'Waarschijnlijk maken we er bezwaar tegen dat jullie nog iemand op de lijst zetten.'

'Dat moeten we dan op de rechtbank uitvechten,' zegt hij.

'Hoe geloofwaardig is die getuige?'

Hij trekt een gezicht als een winkelier die de waarde van goederen inschat, en kijkt naar de ordner, die hij tegen zijn borst houdt opdat ik niets kan zien. 'Dat is een van de dingen die we moeten nagaan,' zegt hij. 'Maar we weten wel dat de getuige in de positie verkeerde om sommige van de dingen te weten die ons zijn verteld. We hebben erg weinig tijd om het uit te zoeken. Dit zit me helemaal niet lekker,' zegt Tannery.

'Terecht niet,' zegt Harry.

'Nee, ik meen het. Jullie hebben het eerlijk gespeeld. Ik wilde echt een akkoord sluiten. Ik dacht dat het kon. Ik geloofde echt dat het een impulsieve daad was. Dat jullie cliënt over zijn toeren raakte en zijn zelfbeheersing verloor. Woede op de werkplek. Dat gebeurt wel meer. Ik bedoel, ondanks die verminkingen. In zulke gevallen doen we meestal geen aanbod. Jullie kennen de sentimenten van het grote publiek.'

'Dat is allemaal na haar dood gebeurd,' zegt Harry.

'Kort daarna,' zegt Tannery. 'Dat weten we. Het maakt allemaal deel uit van een enkele daad.'

'Nou, wat wil je met dit alles zeggen?' vraag ik.

'Wat ik wil zeggen, is dat als deze informatie juist blijkt te zijn het misschien toch een misdrijf was waar veel woede in meespeelde, maar misschien met een ander motief.'

Harry en ik kijken elkaar aan. We begrijpen er niets van.

'Wat? Het motief is minder sociaal aanvaardbaar, bedoel je?' vraagt Harry.

'Ik denk dat ik alles heb gezegd wat ik momenteel kan zeggen.'

Tannery kijkt nog steeds aandachtig naar de ordner. Ik vraag me af of hij op dood spoor is geraakt en nu probeert zijn bewijsvoering opnieuw op te bouwen. Misschien wil hij met een nieuwe theorie komen over de reden waarom Crone kwaad op Kalista Jordan was.

'We zijn niet bereid lang te wachten,' zeg ik tegen hem. 'Ik zie me gedwongen de rechtbank over dit gesprek van ons te vertellen.'

'Dat begrijp ik,' zegt Tannery. 'We hebben al stappen in die richting ondernomen.' Hij maakt de ordner open, haalt er een vel papier van A4-formaat uit en geeft het aan mij. 'Jullie krijgen met de post een kopie hiervan voor jullie dossier.'

Het is een brief aan de rechter van het proces. In de brief deelt het parket mee dat het alle zorgvuldigheid in acht heeft genomen bij het ontdekken van nieuw bewijsmateriaal, dat het de verdediging van de aard van deze informatie op de hoogte heeft gesteld maar geen bijzonderheden verstrekt voordat het de juistheid en relevantie ervan kan vaststellen. Tannery is me een slag voor. Het zal moeilijk zijn om bij de rechtbank te klagen als er een onthulling is gedaan, zelfs een gedeeltelijke. Zijn brief neemt ons veel wind uit de zeilen, maakt het ons in feite onmogelijk om te beweren dat we door de informatie zijn overvallen. Tannery dekt zich helemaal in.

— 3 —

In de jaren dat ik mijn praktijk in Capital City uitoefende, heb ik geleerd de verschillende soorten bewijsmateriaal in strafzaken van elkaar te onderscheiden, van geleerde betogen van getuigen-deskundigen tot heimelijke undercover-video's van politici die smeergeld aanpakken terwijl ze botte grappen maken over 'het dienen van het volk'.

Hoe amusant sommige van die dingen ook zijn, ze kunnen niet tippen aan het huiveringwekkende verhaal van een geschoolde patholoog-anatoom die de bijzonderheden van een plotselinge en gewelddadige dood opsomt.

In Maxton Schwimmers verhaal klinkt nog iets van zijn Oostenrijks accent door, een restant uit zijn kinderjaren. '*Of course*' klinkt als '*af coss*'.

Hij is de patholoog-anatoom van het district, en vandaag heeft Tannery hem als getuige à charge opgeroepen.

Centraal in de bewijsvoering staat de beruchte kabelband, een dun stuk wit nylon. Het ding is bijna een meter lang, al is er een stuk van afgeknipt. Aan het ene uiteinde heeft hij kleine tandjes, en als die in de opening aan het andere eind wordt geschoven en daar doorheen wordt getrokken om een lus te vormen, maken die tandjes een geluid als een rits. De band wordt aangetrokken en kan in maar één richting bewegen. Als hij strak zit, is hij bestand tegen een ontzaglijke spanning. Kabelbanden zijn in elke bouwmarkt te koop en worden door iedereen gebruikt, van elektriciens die bossen kabels bijeen willen houden tot politieagenten die ze soms als tijdelijke handboeien gebruiken om relschoppers buiten gevecht te stellen. In dit geval is een kabelband gebruikt om Kalista Jordan te wurgen.

'Dokter, kunt u met zekerheid verklaren wat de doodsoorzaak was?'

'Verstikking. Technisch gezien was het mechanische verstikking.'

'U bedoelt niet dat dit door een machine is gedaan?' Tannery houdt een van de foto's van het slachtoffer omhoog. Haar hoofd ziet eruit als een paarse blaar die elk moment open kan springen.

'Mechanische verstikking is een technische term. Ze is gewurgd met behulp van een ligatuur, in dit geval een nylon kabelband die om haar keel geslagen en strak aangetrokken is.'

'Ik geloof dat u eerder hebt verklaard dat het slachtoffer op een moment dat aan haar dood voorafging bewusteloos is geraakt. Weet u hoe lang nadat de band om haar keel werd geslagen het slachtoffer bewusteloos zal zijn geraakt?'

Schwimmer denkt even na. 'Misschien een minuut, misschien twee, nadat de band strak is aangetrokken. Hier. Hoog,' zegt hij. De patholoog-anatoom maakt bewegingen met beide handen om zijn keel. 'Binnen drie of vier minuten zal het slachtoffer niet meer hebben bewogen.'

'Dus misschien bewoog ze nog toen ze al bewusteloos was?' vraagt Tannery.

'Enkele onwillekeurige reflexen,' zegt de arts.

'Zal ze in de periode ervoor pijn hebben gevoeld?'

'Jazeker.'

'En hoe lang duurde het voordat de dood intrad?'

'Het hart zal binnen vijf minuten zijn opgehouden met slaan.'

'Dus als mijn berekeningen kloppen, zullen er ongeveer negen tot elf minuten zijn verstreken tussen het moment waarop de band werd aangetrokken en het moment waarop de dood intrad?'

'Dat is juist.'

'Dus er is niets vlugs, ogenblikkelijks of humaans aan dit soort dood?'

'Absoluut niet.'

'Zou u het een langzame, langgerekte dood noemen?'

'Ja. Een aantal minuten.'

'Zou u het een pijnlijke dood noemen?' vraagt Tannery.

'Protest. De getuige heeft al verklaard dat het slachtoffer reeds bewusteloos was voordat de dood intrad.'

'Edelachtbare, ik heb het over de periode voordat ze volledig bewusteloos was.'

'Afgewezen. De getuige mag de vraag beantwoorden.' Rechter Harvey Coats is zelf officier van justitie geweest. Zes jaar geleden is hij tot rechter gekozen. Hij won toen van een zittende rechter die benoemd was door de gouverneur, die door politie en justitie was gewaarschuwd dat zijn man niet hun zegen had maar die toch zijn eigen zin had doorgedreven.

'Ik zou zeggen dat wurging een pijnlijke manier van sterven is,' zegt Schwimmer. 'Ik zou er niet voor kiezen, als ik de keuze had.'

'Zou u het een gruwelijke dood noemen, dokter?'

'Protest.'

'Ik denk dat u wel duidelijk hebt gemaakt wat u bedoelt,' zegt Coats. 'Gaat u verder.'

Als Tannery het mes er nog dieper in zou willen drijven, zou hij nu zijn horloge te voorschijn halen, zich naar de juryleden omdraaien, hen aankijken en de tijd opnemen. Twee minuten van stilte zouden zo lang als een jaar lijken. Negen tot elf minuten zouden, gesteld dat een zwakke rechter het zou toestaan, een eeuwigheid zijn. Ik heb meegemaakt dat zoiets me werd aangedaan, en ik heb het anderen aangedaan. Gelukkig voor ons denkt Tannery daar niet aan. In plaats daarvan slaat hij een andere koers in.

'Kunt u voor de jury beschrijven welke fysieke effecten het

slachtoffer onderging toen de kabelband om haar keel werd gelegd en strak werd getrokken?'

'Zo'n band is erg sterk. De band die in dit geval is gebruikt, heeft een spankracht van honderdtien kilo.'

'Wat betekent dat?'

'Zoveel spanning kun je op de band uitoefenen voordat hij bezwijkt door te breken of uit te rekken. En hij was dun genoeg om in de huid te snijden. In dit geval sneed hij ook voor een deel in de halsslagader van het slachtoffer.'

'Kunt u met zekerheid zeggen dat het slachtoffer aan verstikking is gestorven? Is het mogelijk dat ze is doodgebloed?'

Het is me niet duidelijk wat de betekenis daarvan is, maar Schwimmer veegt het meteen van tafel.

'Verstikking. Ten gevolge van wurging met een dunne plastic band,' zegt hij.

'Zou ze, als de halsslagader is doorgesneden, niet zijn doodgebloed?'

'Misschien wel als die slagader volledig was doorgesneden. Maar in dit geval maakte de kabelband alleen een diepe insnede die een klein gedeelte van het slagaderoppervlak afschaafde. Die insnede was horizontaal, met alleen een kleine opwaartse afwijking aan de achterzijde van de hals. Dicht onder de ligatuurinsnede trad enige bloeding op, waaronder hemorragie en abrasie van zacht weefsel. Deze groef, de ligatuurinsnede, kruist de middenlijn aan de voorkant van de hals, juist onder het strottenhoofd. Hier,' zegt hij, op zijn adamsappel wijzend. 'En er is een fractuur van het tongbeen.'

'In lekentermen?' zegt Tannery.

'Het strottenhoofd is verpletterd. De luchtdoorvoer werd afgesneden. Er is geen twijfel mogelijk; ze is aan verstikking gestorven.'

'In negen tot elf minuten?' vraagt Tannery.

'Ongeveer.'

'Kunt u voor de jury de fysiologische veranderingen beschrijven, dus wat het slachtoffer voelt of ondergaat als gevolg van verstikking door wurging?'

'Ja. De druk in het hoofd neemt toe doordat bloedvaten worden samengetrokken en de hersenen geen zuurstof meer krijgen. Dat leidt tot paniek, tot grote angst. De achterkant van de tong komt omhoog en duwt tegen het achterste van de keel. Dat blokkeert de luchtweg. Binnen enkele seconden begint de tong op te zwellen. Het hoofd wordt roodachtig purper. De lippen worden uiteindelijk cyanotisch –'

'Wat betekent dat?'

'Ze nemen een lichtblauwe tot zwarte kleur aan. De dood is het gevolg van een gebrek aan zuurstof in de hersenweefsels.'

'Hoe kunt u er zeker van zijn dat het geen zelfmoord of een ongeluk was?' vraagt Tannery.

Schwimmer kan er zowaar om glimlachen. Hij kijkt de officier van justitie aan alsof Tannery een grapje maakt. 'U bedoelt, afgezien van het feit dat na de dood de armen en benen van het slachtoffer zijn verwijderd?' vraagt Schwimmer.

'Ja. Afgezien daarvan. Ik heb het over ophanging, zelfmoord of een ongeluk als mogelijke doodsoorzaak, even afgezien van wat daarna met het lichaam is gebeurd.'

Tannery dekt zich in. Hij houdt er rekening mee dat wij met de theorie zullen komen dat ze zelfmoord heeft gepleegd en dat Crone, in paniek omdat hij bang was dat hij de schuld zou krijgen, zich van het lichaam heeft ontdaan.

Schwimmer denkt even na. 'Nou, er zijn de ligatuursporen. De kneuzingen op de hals waren niet consistent met ophanging, als u dat bedoelt. Als iemand zich ophangt, vooropgesteld dat ze dit ding, die nylon kabelband, daarvoor zou kunnen gebruiken, zou je een v-patroon van kneuzingen op de hals krijgen.'

'Een v?'

'Ja. Het resultaat van de zwaartekracht op het lichaam, de

kracht die het omlaag trekt, en het afzakken van de band. In dit geval echter is er een rechte lijn, een ligatuurspoor – hier en daar zelfs zo diep dat je van een incisie kunt spreken. Die rechte lijn gaat bijna helemaal om de hals heen. Dat is consistent met verstikking door wurging vanaf de achterkant.'

'En hoe weet u dat het vanaf de achterkant gebeurde, dokter?'

'Toen het lichaam werd gevonden, zat de band nog strak om de hals, verzonken in de huid. De plaats waar de kabelband een lus vormt, bevond zich hier bij de middenlijn.' Hij wijst naar achteren, naar zijn nek. 'Dat was net iets boven de eerste halswervel, bij de achterste middenlijn van de hals.'

'En welke conclusie trok u daaruit?'

'Dat het slachtoffer als gevolg van een criminele daad is gestorven,' zegt Schwimmer.

'In duidelijke taal voor de jury, dokter?'

'Ze is door iemand anders gedood.'

'U zegt dat dit een levensberoving was? Een moord? Het opzettelijk doden van een ander mens?'

'Ja.'

Tannery wendt zich een ogenblik van de getuige af alsof hij zich op de volgende aanval voorbereidt. 'Dokter, zou u zeggen dat de fysieke sporen zoals u die hebt waargenomen, bijvoorbeeld de manier waarop de band is gebruikt, erop wijzen dat aan deze daad enige gedachten en voorbereidingen zijn voorafgegaan?'

'Protest. De officier legt de getuige woorden in de mond.'

'Toegewezen. Wilt u de vraag anders formuleren?' zegt Coats.

Tannery doet dat en krijgt het antwoord dat hij wil, namelijk dat er enige gedachten en voorbereidingen aan de daad voorafgingen. Schwimmer heeft kabelbanden meegebracht om een en ander te verduidelijken. Tannery laat hem een aantal daarvan uit een tas halen. Een van die banden geeft hij aan de rechter, die er korte tijd naar kijkt en hem dan voor zich neerlegt. Een andere band wordt door de parketwacht naar onze tafel gebracht. Twee andere worden, met toestemming van de rechter, door de juryleden aan elkaar doorgegeven.

'Deze banden zijn identiek aan de kabelband die is gebruikt om het slachtoffer, Kalista Jordan, te doden,' zegt Schwimmer. 'Ik geloof dat ze door dezelfde fabrikant zijn gemaakt. Het zijn kabelbanden die een grote spanning kunnen weerstaan. Ze zijn achtentachtig komma vier centimeter lang, negeneneenhalve millimeter breed, en ze zijn gemaakt van wit nylon. Ze hebben een spankracht van honderdtien kilo.'

Een van de mannelijke juryleden heeft het uiteinde van een van de banden in de sluiting gestoken en trekt aan de gesloten lus alsof hij de kracht wil uitproberen. Er komt geen beweging in.

'Om de band te gebruiken zoals hij naar mijn mening in dit geval is gebruikt, moet eerst een lus worden gemaakt door het ene uiteinde in de sluiting te steken.'

Schwimmer demonstreert het. De band is nu een grote witte nylon lus in zijn hand, als een riem met gesp, alleen veel dunner, en het uiteinde steekt een centimeter of vijf als een staart uit de sluiting.

'Waarom zou dat noodzakelijk zijn?' vraagt Tannery.

'Als niet van tevoren op die manier een lus is gemaakt, en als het slachtoffer zich verzet, wordt het erg moeilijk, zo niet onmogelijk, voor de dader om het uiteinde in de opening te steken. Alsof je een draad door een naald haalt,' zegt hij. 'Erg moeilijk als iemand zich tegen je verzet. Nee, het lijkt me wel duidelijk dat de kabelband eerst op deze manier is voorbereid.'

'En dat zou erop wijzen dat de moordenaar had nagedacht en voorbereidingen had getroffen?' Tannery wil daarmee zeggen dat het moord met voorbedachten rade was.

'Ja. Er zijn ook aanwijzingen dat de moordenaar een spanwerktuig gebruikte om meer kracht te kunnen zetten,' zegt Schwimmer.

'Een spanwerktuig?'

De patholoog-anatoom grijpt weer in de tas en haalt iets te voorschijn dat op een pistool met een lange trekker lijkt. Hij houdt het voor de jury en de rechter omhoog en we kijken er allemaal aandachtig naar, al hebben we het reeds eerder gezien.

'Dit is speciaal ontworpen voor het straktrekken van kabelbanden. Het open eind past hierin.' Hij leidt het uiteinde van de band in wat je de loop van het pistool zou noemen, net zo lang tot het niet verder kan, en gebruikt dan de trekker. Het werktuig grijpt de band vast, en telkens wanneer de trekker wordt overgehaald, wordt bijna honderd kilo druk op de band uitgeoefend. Een voorbeeld van hefboomwerking.

'Denkt u dat de dader een dergelijk werktuig heeft bevestigd aan de band die is gebruikt om Kalista Jordan te doden?'

'Ja.'

'Laat me de vraag afmaken, dokter. Denkt u dat de moordenaar een dergelijk werktuig gebruikte, en dat hij of zij dat deed om zich op de moord voor te bereiden?'

'Ja,' zegt Schwimmer. 'We vonden kleine indrukken op de nylon band die is gebruikt om het slachtoffer te doden. Die sporen zijn consistent met een werktuig van dit type, dat veel gebruikt wordt en vaak tegelijk met kabelbanden wordt verkocht. Bovendien zou zo'n werktuig de moordenaar meer kracht geven. De dader hoeft het dunne nylon niet met zijn handen strak te trekken.'

'Is dat belangrijk?'

'Ja. Gezien de druk die wordt uitgeoefend zou het nylon anders gemakkelijk in zijn of haar handen hebben kunnen snijden.'

Tannery neemt dat alles in zich op. Knikkend loopt hij een

paar meter van de jurybank vandaan. Dan gaat hij naar de getuige toe. 'Dokter, kunt u demonstreren hoe u denkt dat de moordenaar in dit geval de kabelband om de hals van Kalista Jordan heeft aangebracht?'

'Jazeker.' Schwimmer komt uit de getuigenbank. Hij bevindt zich nu in de ruimte net voorbij het bureau van de griffier. Om een en ander aan de rechter en jury te laten zien speelt Tannery nu voor slachtoffer en nadert de patholoog-anatoom hem van achteren. Behendig legt hij de lus van de kabel om het hoofd van de officier van justitie en trekt snel aan het pistoolwerktuig om hem strak te trekken, zij het natuurlijk niet zo strak als mogelijk is. Als de nylon tanden door de kleine sluiting glijden, is er een ritsgeluid te horen.

'Als hij eenmaal om de hals zit,' zegt Schwimmer, 'gebruikt de moordenaar de trekker van het spanwerktuig om de band strak te trekken. Twee of drie keer zal voldoende zijn.'

'Dank u, ik denk dat dit genoeg is, dokter.' Tannery probeert de band te verwijderen door hem over zijn hoofd te trekken, maar hij zit te strak. Het is mij, maar misschien de jury niet, duidelijk dat de getuige en Tannery dit hebben geoefend. De parketwacht moet Schwimmer een grote schaar lenen om de lus door te knippen en van Tannery's hals te verwijderen. De getuige loopt naar de getuigenbank terug en gaat weer zitten.

De officier van justitie strijkt met zijn hand over zijn keel, een niet al te subtiel gebaar met het oog op de jury. 'Door dat alles, en zeker in combinatie met het verrassingselement,' zegt hij, 'is dit een erg effectief wapen, nietwaar, dokter?'

'O, ja. En geluidloos. Het maakt erg weinig geluid.'

'Als de band eenmaal is strakgetrokken, kun je hem alleen verwijderen door hem door te knippen. Is dat juist?' Alsof Tannery dat niet juist zelf had bewezen.

'Ja. Dat is juist.'

Tannery loopt naar zijn eigen tafel terug, vraagt de rechter om een ogenblik geduld en kijkt een paar aantekeningen door. Hij bladert in zijn papieren alsof hij iets zoekt en komt dan naar de getuigenbank terug.

'Laat me u iets vragen, dokter. U hebt de nylon band in kwestie bekeken voordat hij van Kalista Jordans keel werd verwijderd. Is dat juist?'

'Ja.'

'Hebt u de band zelf verwijderd?'

'Ja.'

'Waar deed u dat?'

'In de onderzoekskamer. In het kader van het onderzoek dat aan de sectie voorafging. We hebben toen ook foto's gemaakt.'

'En kon u tijdens dat onderzoek nog iets anders vaststellen dat misschien iets over de dader van dit misdrijf vertelde?'

'Ik kon bepaalde dingen constateren.'

'Bijvoorbeeld?'

'Op grond van de positie van de nylon band om de keel van het slachtoffer denk ik dat de moordenaar linkshandig was.'

Als hij dat zegt, houdt Crone, die aan de tafel naast mij ijverig aantekeningen maakte, daar opeens mee op en legt zijn pen neer. Jammer genoeg is hij niet vlug genoeg. Een aantal juryleden kijkt naar de balpen die op de tafel ligt en als een pijl naar zijn linkerhand wijst, de hand die hem zojuist heeft neergelegd.

'Kunt u de jury vertellen hoe u tot die conclusie bent gekomen?'

'In het geval van een garrot of een stuk touw is het meestal moeilijk te zeggen,' zegt Schwimmer, 'hoewel de dominante hand meestal wel een kneuzing achterlaat op de plaats waar de handen elkaar kruisen. De ligatuur wordt verdraaid doordat de belager druk uitoefent. Maar in dit geval is het tamelijk gemakkelijk en is er ook zekerheid. De reden daarvoor is het ontwerp van de kabelband zelf.' Hij pakt een nieuwe band uit de tas alsof hij zijn woorden wil illustreren. 'De belager steekt het uiteinde van de band in de opening om een lus te maken.' Schwimmer doet dat met de band. 'Aan de sporen op het nylon uiteinde is duidelijk te zien dat de dader een spanwerktuig gebruikte om meer kracht te kunnen zetten. Op die manier kreeg hij een goede greep op het dunne nylon. Daarbij, dus bij het gebruik van dat werktuig om de lus gesloten te krijgen, is het vanzelfsprekend dat de moordenaar zijn dominante hand gebruikte om de trekker van het werktuig over te halen en zijn zwakkere hand om de sluiting van de lus op de nek van het slachtoffer te krijgen. Dus toen dat gebeurd was, toen de kabelband helemaal strak zat, ging de staart van de band, die uit de sluiting stak, van rechts naar links achter de nek van het slachtoffer langs. Die staart geeft de richting van de dominante hand van het slachtoffer aan. In dit geval de linkerhand. Dat zag ik voordat ik de kabelband van de hals van het slachtoffer verwijderde.'

'Dank u, dokter.' Tannery laat het zien op een aantal foto's die van dichtbij zijn genomen en die door de getuige zijn geïdentificeerd. Die foto's worden gewaarmerkt en zonder protesten van onze kant aan het bewijsmateriaal toegevoegd. Vervolgens identificeert hij de kabelband die gebruikt is om Kalista Jordan te doden en die in een plastic bewijsmaterialenzak zit – nog in een dodelijke lus, al is hij doorgeknipt. Ook die band wordt geïdentificeerd en als bewijsmateriaal ingediend.

'Nog even voor de goede orde, dokter: kunt u op enige wetenschappelijke grondslag zeggen welk percentage van de bevolking linkshandig is?' vraagt Tannery.

'Ongeveer tien procent,' zegt Schwimmer.

'Duidelijk een minderheid,' zegt Tannery.

'Dat is correct.'

Ik voel dat Crone hiertegen in opstand komt.

'Heeft u voor of gedurende de sectie nog iets anders waargenomen?'

'Ja. Het was duidelijk dat de moordenaar groter was dan het

slachtoffer. De dader was ongeveer een meter tachtig lang, schat ik.'

'En hoe hebt u dat vastgesteld?'

'Hoewel de band bijna horizontaal is aangebracht, is hij in de nek iets hoger opgetrokken. Boven de eerste halswervel, zoals ik al zei. Dat zou erop wijzen dat toen de moordenaar druk uitoefende, de band een klein beetje naar boven werd getrokken. Dat zou de verklaring voor het verschil in hoogte zijn. Ik heb de lengte van het slachtoffer gemeten, en dat kleine verschil in hoogte van de band, en op grond van enige berekeningen ben ik tot de conclusie gekomen dat de dader ongeveer een meter tachtig lang is.'

'Ik begrijp het.' Tannery laat de getuige over het ontbreken van de ledematen vertellen, over het feit dat Kalista Jordans armen en benen precies bij de gewrichten waren verwijderd. Drie van haar ledematen zijn niet gevonden toen haar lichaam op het strand was aangespoeld.

'Kunt u vertellen hoe lang ze in het water heeft gelegen?'

'Minstens drie dagen.'

'Kunnen haaien of andere roofdieren de ledematen hebben verwijderd?'

'Alleen als ze medicijnen hebben gestudeerd,' zegt Schwimmer. Een aantal juryleden lacht om de zwarte humor.

'Protest.'

'Toegewezen.'

'Kunnen haaien dit hebben gedaan?' Tannery houdt een van de foto's voor de jury omhoog.

'Nee. We hebben geen tandensporen en geen botbreuken gevonden. Degene die het lichaam na de dood van de ledematen ontdeed, wist wat hij of zij deed.'

'Is het waarschijnlijk dat deze persoon een medische studie of opleiding heeft gevolgd?'

'Protest.'

'Ik vraag de getuige om zijn mening als deskundige,' zegt Tannery.

'Ik sta het toe,' zegt de rechter.

'Het is mogelijk,' zegt Schwimmer. 'De incisies in de gewrichten zijn met een erg scherp instrument gemaakt.'

'Bijvoorbeeld een scalpel?'

'Mogelijk.'

'Dank u, dokter. Geen vragen meer.'

Coats kijkt mij aan. 'Uw getuige, meneer Madriani.'

De tactiek is hier altijd hetzelfde. Je speelt het spel van wat nog mogelijk is. Je peutert kleine concessies van de expert los, dingen waarvan hij niet absoluut zeker is, en je zoekt naar mazen in het net.

'Dokter Schwimmer. Spreek ik uw naam goed uit?'

Hij knikt en glimlacht.

'In uw sectierapport zegt u dat het slachtoffer een aantal rijtwonden en kneuzingen op het hoofd had.'

'Dat is juist.'

'Kon u vaststellen waardoor dat letsel veroorzaakt was?'

'Nee.'

'Weet u of die kneuzingen en rijtwonden voor of na de dood van het slachtoffer zijn ontstaan?'

'Nee. Dat was niet mogelijk. Het lichaam had te lang in het water gelegen.'

Dat had hij ook in zijn rapport vermeld. Onder normale omstandigheden is aan bloedingen in de weefsels rondom een kneuzing of rijtwond te zien of het letsel voor de dood was ontstaan, dus voordat het hart ophield met kloppen. Maar omdat het lichaam twee of drie dagen in zout water had gelegen, waren veel van de mogelijke forensische indicaties vernietigd.

'Dus het is mogelijk dat die verwondingen, die kneuzingen en wonden op Kalista Jordans hoofd, zijn toegebracht voordat ze stierf.'

'Dat is mogelijk.'

'Als ik het me goed uit uw rapport herinner, waren er drie afzonderlijke kneuzingen, een aan de linkerkant van het slaapbeen en twee aan de achterkant van het hoofd bij de rechterslaap. Is dat juist?'

'Ik geloof van wel.'

'Wilt u in uw rapport kijken?'

'Nee. Het is juist.'

'Waren een of meer van die kneuzingen, met name de twee aan de achterkant van het hoofd, consistent met trauma ten gevolge van bewerking met een stomp voorwerp?'

Hij denkt daar even over na, als een theoloog die zich met haarkloverijen bezighoudt.

'U begrijpt wat ik daarmee bedoel, dokter? De toepassing van geweld met een stomp voorwerp dat wordt gebruikt om op het hoofd van het slachtoffer te slaan.'

'Ik begrijp het.' Hij kijkt me streng aan, alsof ik zijn kwalificaties in twijfel trek. 'Het is mogelijk,' zegt hij dan. 'Ze kan ook op haar hoofd zijn gevallen. En de verwondingen kunnen zijn ontstaan toen ze al in het water lag. Ze kan door de golven tegen rotsen zijn geworpen. Er valt weinig over te zeggen.'

'Maar het is mogelijk dat die kneuzingen het gevolg waren van een slag met een stomp voorwerp voordat het slachtoffer stierf?'

'Ja.'

'En het is ook mogelijk dat ze zijn ontstaan doordat de belager of belagers het slachtoffer, Kalista Jordan, met een stomp voorwerp sloeg om haar bewusteloos te maken?'

'Dat is mogelijk.'

Dit is de opening waarnaar ik zocht.

'Dus als een of meer kneuzingen op het hoofd het gevolg waren van een slag met een stomp voorwerp, is het ook mogelijk dat het slachtoffer niet alleen ten tijde van haar dood bewusteloos was, maar dat ze ook bewusteloos was toen de kabelband over haar hoofd, om haar hals, werd gelegd en strakgetrokken?'

Hij denkt daar even over na en zegt tenslotte: 'Ik weet het niet.'

'Is het niet mogelijk dat slagen op het hoofd, slagen die hard genoeg waren om die kneuzingen te veroorzaken, het slachtoffer bewusteloos hebben gemaakt, dokter?'

Het is Schwimmers probleem dat hij dat niet kan weten. Een hersenschudding, zwaar genoeg om iemand bewusteloos te maken, is achteraf bijna niet te zien, zelfs niet aan weefselproeven die tijdens een sectie van de hersenen worden genomen. Iets wat hij niet weet, kan hij niet tegenspreken.

Hij begint te knikken om dat te erkennen. 'Het is mogelijk,' zegt hij.

'En als die slagen het slachtoffer bewusteloos maakten, is er geen worsteling geweest. Dan was het niet nodig om achter het slachtoffer te gaan staan. Dan was het niet nodig om de kabelband van tevoren, dus voordat de moordenaar hem gebruikte, in gereedheid te brengen en aan het spanwerktuig te bevestigen. Is dat niet waar, dokter?'

'Ja. Als die slagen, zoals u zegt, haar bewusteloos maakten. Dat weten we niet.'

'Maar we weten dat ze die kneuzingen heeft.'

'Ja.'

'En we weten dat ze veroorzaakt kunnen zijn door een slag met een stomp voorwerp en dat dit gebeurd kan zijn toen ze nog leefde?'

'Dat is mogelijk.'

Ik haal diep adem. Hij heeft de deur een klein beetje opengezet.

'Laten we er even van uitgaan dat het slachtoffer met een stomp voorwerp bewusteloos is geslagen voordat de kabelband werd aangebracht. Is het dan niet redelijk om te veronderstellen dat ze op de grond of op de vloer lag, in ieder geval niet op haar eigen voeten stond, toen de kabelband werd gebruikt?'

'Ja. Dat is mogelijk.' Hij begint achterop te raken in het spel van mogelijkheden.

'Mogelijk? Als ze bewusteloos was, kon ze toch niet rechtop staan?'

'Nee, dat kon ze niet. Dan zou ze liggen.'

'Liggen. In dat geval was ze in elkaar gezakt. Dat is toch zo?'

'Ja.' Schwimmer ziet waar ik heen wil, maar hij kan er niets tegen doen.

'En als dat het geval was, als ze lag, kan de kabelband gemakkelijk daarna om haar hals zijn gelegd en strak zijn getrokken?'

'Ik neem aan van wel.'

'En in dat geval zou de dader niet zijn dominante hand hoeven te gebruiken om de kabelband strak te trekken, nietwaar?'

'O, ik denk dat hij evengoed zijn dominante hand zou gebruiken.'

'Ja, maar als het slachtoffer lag, weten we niet of de belager bij haar hoofd, met zijn gezicht naar haar voeten stond terwijl hij de band strak trok, nietwaar?'

Hij ziet het probleem.

'In dat geval zal de moordenaar de kabelband met zijn rechterhand hebben dichtgetrokken om de staart van de band van rechts naar links door de sluiting te laten gaan. Hij zou op haar schouder knielen, over haar lichaam heen reiken en aan de kabelband trekken alsof hij een kettingzaag startte. Dat is toch zo, dokter?'

'Nou, als de relatieve posities van de betrokkenen zijn veranderd...'

'Wat is veranderd, is het feit dat het slachtoffer bewusteloos is en op de grond of de vloer ligt,' zeg ik. 'En als dat het geval is, is uw mening over de dominante hand van de moordenaar niet meer relevant, nietwaar?'

'Nee. Als we daarvan uitgaan niet.'

Het was voor de politie niet moeilijk om vast te stellen dat David Crone linkshandig was en daar in hun bewijsvoering gebruik van te maken.

'Voor alle duidelijkheid: als het slachtoffer lag en vanuit iedere hoek kon zijn benaderd, is dan op enige manier vast te stellen welke hand is gebruikt om de kabelband strak te trekken?'

Hij denkt even na, op zoek naar een uitweg, en geeft het dan toe. 'Nee.'

'En dan is er evenmin een manier om de lengte van de dader vast te stellen, nietwaar? Als het slachtoffer op de grond ligt.'

'Dat is zo.'

'Dus voor zover wij weten, kan de moordenaar ook een rechtshandige dwerg zijn geweest.'

Ik krijg geen reactie van Schwimmer, in elk geval geen verbale.

'Ik wil het leed dat het slachtoffer is toegebracht niet bagatelliseren,' zeg ik, 'maar uw hele verklaring over de pijn en het leed, de angst en de verschrikking, de verklaring die u hebt afgelegd toen u door meneer Tannery werd ondervraagd – dat alles zou niet irrelevant zijn als het slachtoffer bewusteloos is geraakt door een of meer harde slagen tegen het hoofd. Dat is toch zo?'

'Ja. Maar we weten niet of ze bewusteloos was.'

'We weten ook niet dat ze dat niet was, hè?'

'Nee.'

'Het enige wat we weten, is dat iemand haar doodde. We weten niet hoe lang hij of zij was, of welke hand hij of zij gebruikte.' Ik maak er geen vraag van, niets waartegen hij in het geweer kan komen. 'Dat is alles, edelachtbare.'

— 4 —

Ze zit op de schoot van haar moeder en kijkt me met grote bruine ogen aan vanonder een wilde bos haar die in geen maanden is geknipt. Penny Boyd houdt er niet van om haar haar te laten knippen, en gezien haar conditie dwingt haar moeder haar niet meer om dingen te doen die ze niet wil. Penny is negen. Ze mag blij zijn als ze haar volgende verjaardag nog meemaakt.

Ik ontmoette haar voor het eerst met haar moeder en vader op een ouderavond. Indertijd zag Penny er goed uit, een doodgewoon, gezond kind uit de vierde klas. Haar ouders, Doris en Frank Boyd, hebben twee andere kinderen: de twaalfjarige Jennifer, de beste vriendin van mijn dochter Sarah, en een jongen, Donald, die zeven is. Maar Doris en Frank hebben een vreselijk geheim. Het gezin leeft onder een donkere wolk waar de kinderen nog steeds niets van weten. Ik heb de bijzonderheden voor Sarah verborgen moeten houden en codes moeten ontwikkelen wanneer ik in haar bijzijn met andere ouders sprak.

Enkele maanden voordat ik hen ontmoette, kwam Penny in de problemen. De Boyds waren in een pretpark. De kinderen keken naar de orka's die hun kunstjes deden, toen er opeens een golf over de rand van het bassin vloog en tegen de voorste rijen plensde. Kinderen renden gillend en giechelend tegen de tribune op om dekking te zoeken, behalve Penny, die stuiptrekkend op de betonnen vloer bleef liggen. Ze had een soort toeval gekregen. Doris en Frank gingen in allerijl met haar naar het ziekenhuis, waar de artsen een serie onderzoeken deden en haar ter observatie opnamen. Toen het verschijnsel zich niet opnieuw voordeed, wisten de artsen niet wat er aan de hand was. Ze lieten haar gaan, maar zeiden tegen de ouders dat Penny misschien epilepsie had. Daar vergisten ze zich in.

In de maanden daarop begon Penny verontrustende tekenen van terugtrekkend gedrag te vertonen. Ze was altijd een extravert kind met goede sociale vaardigheden geweest, een kind dat snel leerde. Nu begon ze achteruit te gaan, zich naar binnen te keren. Ze speelde niet meer met andere kinderen en begon achter te raken met leren. Het onderwijzend personeel zei dat ze leermoeilijkheden had, zoals ze dat noemen. De ouders probeerden haar bijles te laten geven, maar het probleem werd alleen maar erger. Ze gingen met haar naar een kinderarts die alle drie kinderen Boyd vanaf hun geboorte als patiënt had gehad. Hij begreep er niets van.

Tenslotte ging Penny voor een groot aantal onderzoeken naar het academisch ziekenhuis. Uiteindelijk vond een specialist het antwoord. Penny Boyd had chorea van Huntington, een erfelijke ziekte die de hersenen en het centraal zenuwstelsel aantast. Na verloop van tijd gaat er hersenweefsel verloren, kan de patiënt zijn spieren niet meer beheersen. Uiteindelijk overlijdt de patiënt. Het enige positieve aspect van de ziekte is dat kinderen er maar zelden het slachtoffer van worden. Penny was de uitzondering.

Waarschijnlijk zou die diagnose nooit bij haar zijn gesteld, als de genetische wetenschap niet kort daarvoor een diagnostische test voor chorea van Huntington had ontwikkeld.

In het afgelopen jaar heb ik meer over de genetische aspecten van Huntington geleerd dan ik ooit had willen weten. De mutatie van het gen dat de ziekte veroorzaakt, voltrekt zich in chromosoom 4. Een totale afwezigheid van het gen leidt niet tot chorea van Huntington maar tot een andere dodelijke ziekte, het syndroom van Wolf-Hirshhorn. Die ziekte doodt zijn slachtoffers op nog jongere leeftijd.

Het leven is een alfabetsoep die uit maar vier letters bestaat: A, C, G en T. Je zou denken dat het saai kan worden. In plaats daarvan komt uit die vier letters een levenscode voort die complexer is dan elke code die de supercomputers van de National Security Agency zouden kunnen uitdenken.

De vier moleculen, adenine, cytosine, guanine en thymine, produceren aminozuren. Die laten op hun beurt proteïnen ontstaan, die enzymen voortbrengen. Die enzymen vervullen de noodzakelijke chemische functies om het leven op de planeet in stand te houden.

Toen de ingewikkelde structuur van chromosoom 4 eindelijk ontcijferd was, ontdekten de wetenschappers dat C, A en G, drie van de vier letters van het leven, op een bijna poëtische manier werden herhaald in het chromosoom. Het aantal herhalingen in die sonate bepaalde het lot van Penny Boyd.

Als het woord CAG tien keer of twintig keer of zelfs dertig keer werd herhaald, zou er niets met haar aan de hand zijn geweest. Maar als je de rouletteschijf laat doordraaien en op negenendertig keer of meer komt, als de natuur al je speelgeld afpakt – dan heb je verloren.

En het kan nog erger. Aan de hand van een bizarre formule die zowel exact als genadeloos is, kunnen genetici tegenwoordig met nagenoeg volledige precisie vaststellen wanneer je de ziekte zult krijgen. We komen tegenwoordig dingen aan de weet die we niet willen weten. Als je vijftig herhalingen hebt, zul je, als je zevenentwintig jaar bent, wankelend op je benen staan, je intellectuele vaardigheden beginnen te verliezen, geconfronteerd worden met onbeheersbare verlammingsverschijnselen van je ledematen en zul je langzaam je verstand verliezen. In het geval van Penny zijn er meer dan zeventig herhalingen.

Tot voor kort werd dit alles – wie Huntington kregen en wie eraan ontsnapten – als een ondoorgrondelijk mysterie beschouwd, een toevalstreffer. Tegenwoordig weten we wat het probleem veroorzaakt, maar we kunnen het niet verhelpen. Misschien is onwetendheid inderdaad een zegen.

De Boyds staan nu voor de vraag of het beter is in onwetendheid te leven of de andere kinderen te laten testen. Tot nu toe hebben ze die tests geweigerd.

Vanmiddag begroet ik Penny met een glimlach en strijk ik even over haar wang. Ze herkent me niet. Ze zit met haar slungelige benen op de schoot van haar moeder. Haar voeten hangen tot op de vloerbedekking van de huiskamer en ze heeft een vinger in haar mond. Al gauw vormt zich een sliert speeksel tussen haar vinger en tong. Het meisje wordt daar blijkbaar door gefascineerd. Ze heeft nu het verstand van een kind van vier. Haar hersenen gaan achteruit, maar haar lichaam groeit gewoon door.

Ik ken Doris Boyd nu ongeveer een jaar, en in die tijd is ze tien jaar ouder geworden. Ze heeft haar baan opgezegd, want ze weet niet hoeveel tijd ze nog bij haar dochter kan zijn, of zelfs bij haar andere kinderen. Zo langzamerhand gaat dit ook ten koste van haar huwelijk.

'Is Frank thuis?'

Ze schudt haar hoofd. 'Hij komt elke avond later thuis. Kun je het hem kwalijk nemen?'

Ik kom mijn dochter Sarah ophalen, die samen met Jennifer, het oudste kind van de Boyds, aan een schoolproject werkt. We praten een beetje, verdrijven de tijd, vermijden wat ons bezighoudt: het stervende kind op haar schoot. Ze vraagt me hoe het met de zaak gaat. Voor de ouders van de meeste vriendinnen van Sarah is mijn beroep heel bijzonder. Mijn naam staat weleens in de plaatselijke kranten, meestal samen met de naam van iemand die van moord wordt beschuldigd, en dat heeft me een ongewenste faam opgeleverd. Ze heeft het nieuws op de tv gezien. Doris Boyd is persoonlijk geïnteresseerd in de uitslag. Vreemd genoeg heb ik David Crone via haar ontmoet.

'We hebben goede dagen en slechte dagen. Ongeveer net als Penny,' zeg ik tegen haar. Dat begrijpt ze. 'Vraag het me over een week nog maar een keer.'

'Op de televisie komt het niet gunstig over,' zegt ze.

'Ik heb wat van de beelden gezien.' Ik heb er ook genoeg van om steeds weer dezelfde afgezaagde beelden te zien, een advocaat in een drukke gang met een microfoon tegen zijn neus die aan de wereld verkondigt dat als het bewijsmateriaal wordt gepresenteerd zijn cliënt zal worden vrijgesproken. Ze gebruiken altijd dezelfde woorden. 'Ik heb er alle vertrouwen in.' Het zijn steeds weer dezelfde lusteloze ontkenningen, en het publiek wordt steeds cynischer. Vervolgens krijg je meestal dezelfde afgezaagde analyse te horen van mediatypes die denken dat ze journalistiek bedrijven als ze met camera's en microfoons aan lange stangen op de trappen van het gerechtsgebouw staan en op een publieke bekentenis wachten. Op een dag gaat nog eens een gestresste advocaat door het lint en zegt hij tegen ze: 'Die rotcliënt van me heeft het gedaan. Nou en?'

Gelukkig voor ons heeft de rechter besloten geen camera's in de rechtszaal toe te laten. Evengoed wordt het proces steeds meer een mediacircus. De pers spreekt van het 'Jigsaw Jane Proces', een benaming die ontleend is aan de galgenhumor van de medewerkers van de patholoog-anatoom voordat ze het slachtoffer aan de hand van haar lichaamsdelen identificeerden.

Het belangrijkste televisiestation van de stad zendt elke avond hetzelfde beeld uit, geprojecteerd op een blauw scherm boven de schouder van de presentatrice: een imitatie van de cover van een detectiveroman uit de jaren vijftig. Je ziet een anatomische figuur, opgebouwd uit losse lichaamsdelen met ruwe sneden en bloedvlekken. Geef ze een verhaal en ze hebben binnen twintig minuten een logo.

Het journaal van zes uur opent elke avond met Crones proces, tenzij er een massamoord is, of een nucleaire ramp of een ander bloedbad dat snel verpakt en geëtiketteerd kan worden. Het begint altijd met dezelfde woorden. 'En in de Jigsaw Jane-moordzaak waarin professor David Crone terechtstaat, is vandaag...' Of hij het nu beseft of niet, en hoe het proces ook afloopt, Crone zal de rest van zijn leven met dat stempel rondlopen. Als hij wordt veroordeeld, wordt hij vast en zeker de 'Jigsaw Jane Killer'.

'Ze moeten natuurlijk iets doen om te zorgen dat de mensen blijven kijken,' zegt Doris. Haar belangstelling is meer dan oppervlakkig. Er zijn nog geen vijftig gevallen van chorea van Huntington op jonge leeftijd in de hele Verenigde Staten. Daarom zijn er geen klinische tests om geneesmiddelen voor kinderen te onderzoeken. Toen ze me dat voor het eerst vertelden, kon ik het niet geloven. We zaten op een avond koffie te drinken, en Frank Boyd legde me uit wat de problemen waren.

Ze waren doodmoe van hun gevechten met verzekeringsmaatschappijen en schuldeisers. Hun pogingen om de steeds hoger oplopende medische rekeningen te betalen waren een uitputtingsslag geworden, en ze waren die slag aan het verliezen. Het enige dat ze nog hoopten, was dat Penny mocht meedoen aan nieuw onderzoek dat misschien een kans, hoe klein ook, op genezing bood. Het medisch centrum van de universiteit had plannen voor zo'n onderzoek. Er werd nog gevochten om subsidie van overheid en bedrijfsleven. Maar zelfs als ze het geld kregen, zou Penny Boyd niet aan het onderzoeksprogramma mogen deelnemen. Ze paste niet in het protocol. Ze was te jong. Ze accepteerden alleen patiënten tussen de zesendertig en zesenvijftig jaar.

Ons hele leven laten we ons door onze aspiraties leiden. We zetten ons in voor carrière, gezin, geld. We nemen ons wel stilzwijgend voor dat we op een dag iets goeds voor anderen zullen doen, dat we ons zullen inzetten, dat we een helpende hand zullen uitsteken, gewoon omdat het goed is om dat te doen.

Maar dat voornemen schuiven we steeds weer voor ons uit. Die avond was er iets dat me aanspoorde om in actie te komen, al was dat eigenlijk niets voor mij. Ik ben van nature niet altruïstisch, maar de Boyds waren aan het verdrinken.

De volgende dag kwam ik in een wereld die ik niet begreep, een wereld die werd bevolkt door artsen en laboranten, van wie de meesten een doof oor, zo niet een versteend hart, kregen zodra ze het beroep op mijn kaartje lazen: advocaat en procureur. Die woorden riepen dingen bij hen op waaraan ze niet wilden denken: de eeuwige vijand van eenieder die in de geneeskunde werkt, de bloedzuigende advocaat.

Ze hadden geen zin om te helpen, zelfs niet om te praten. Er werden zoveel deuren in mijn gezicht dichtgegooid dat ik een deskundige op het gebied van scharnieren en knoppen werd. Ik werd een paria. Ik begon mijn aktetas thuis te laten en poloshirts en vrijetijdsbroeken aan te trekken in plaats van een pak, alleen om binnen te komen. Een aantal keren werd ik voor een patiënt aangezien en bekende ik de waarheid pas als ze een scherpe naald te voorschijn haalden om bloed bij me te prikken. Ik zou tot het uiterste zijn gegaan, maar ik wist dat zodra het glazen buisje blauw werd, het spel uit zou zijn – 0, de bloedgroep van advocaten. Als ik een transfusie nodig had, moest het haaienbloed zijn.

Als ik naar buiten werd geleid, kwam ik, terwijl ik mijn klauwensporen op hun deurkozijn achterliet, altijd met hetzelfde betoog aanzetten: dat ik niet tegen iemand wilde procederen, dat ik alleen hulp voor een ziek kind zocht. Dat ging weken zo door. Ik benaderde politici van de deelstaat, onder wie een oude vriend, lid van de commissie voor volksgezondheid van de senaat, met brieven en telefoontjes. Die vriend bracht me tenslotte in contact met een aantal ziekenhuisbestuurders, en nadat ik me een weg omhoog had gegeten in de voedselketen, kwam ik bij professor David Crone terecht.

Ik zat boordevol met alle denkbeelden die juristen over artsen hebben. Dat ze andere opvattingen over maatschappelijke gelaagdheid hebben dan de rest van ons. In hun ogen staan ze boven in de pikorde. Als ze hun witte jassen aantrekken, moeten de wateren voor hen uiteengaan. Ten grondslag aan dat alles ligt het idee dat, aangezien de geneeskunde gebaseerd is op goede bedoelingen, de resultaten niet van belang zijn. Dat begint met de ziekenverzorgster en eindigt met de ziekenhuisdirecteur, voor wie het knoeien met medische gegevens een prijzenswaardige zaak is.

Toen ik Crone voor het eerst sprak, kreeg ik het gevoel dat hij anders was. Hij was sluw zoals de meeste succesvolle mensen dat zijn. Hij wilde de politici die me met hem in contact hadden gebracht niet beledigen, maar toch wilde hij me de deur uit werken zonder te veel van zijn kostbare tijd te verspillen. Ik had de indruk dat hij al zoveel sterfgevallen had meegemaakt dat hij niet meer wakker lag van de dood van één kind. Niet dat hij gevoelloos was, maar hij was iemand die zijn cijfers kende en hij wist dat Penny Boyd geen schijn van kans maakte. Daar kon ik weinig tegen inbrengen.

Hij was een onderzoeker. Dat betekende dat als iets niet in een statistische standaardafwijking paste, zijn geest begon af te dwalen. Ja, het kind was ter dood veroordeeld. Dat gebeurde de hele tijd, overal op de wereld. Het bleef een feit dat niet genoeg kinderen door chorea van Huntington werden getroffen om te rechtvaardigen dat kinderen in de therapeutische onderzoeken werden opgenomen.

Als directeur, verantwoordelijk voor genetisch onderzoek, zou hij moeten beslissen of Penny zou worden toegelaten. Crone legde uit dat de protocollen al geschreven waren. Ze waren gebonden aan subsidies, geld van bedrijfsleven en overheid dat streng door accountants werd gecontroleerd. En dan was er nog de kwestie van de aansprakelijkheid. Als hij een oogje dicht zou knijpen en Penny door het hek liet glippen, en er ging iets mis, dan konden de universiteit en Crone zelf in grote problemen komen.

Hij was een man met een voorgeschiedenis van controverses. Eind jaren zeventig kwam hij onder vuur te liggen omdat hij onderzoek had gedaan waardoor hij in het politieke mijnenveld van de raciale genetica terecht was gekomen. Hij publiceerde twee wetenschappelijke artikelen over dat onderwerp en werd al gauw het doelwit van studentendemonstraties en harde verwijten van universiteitsbestuurders die geen enkele behoefte aan dat soort aandacht hadden.

Dus toen ik met hem over Penny kwam praten, had Crone een heel boek vol tegenargumenten, maar daar zaten geen antwoorden bij waarmee ik naar de Boyds terug kon gaan. Intussen maakten ze zich steeds meer zorgen om de andere twee kinderen. Hoewel ik het gevoel had dat Frank het nooit echt accepteerde, kon ik merken dat in Doris' gedachten Penny er al niet meer was. Ze hield van haar dochter, maar ze was haar aan het verliezen en daar kon ze niets tegen doen. Ze zag Penny geleidelijk sterven. Frank en Doris hoopten dat Penny tot het onderzoek kon worden toegelaten. Hoe klein haar kans ook zou zijn, het was haar enige kans. Als ze het niet haalde, behoorde ze in ieder geval tot dezelfde genetische familie als de andere twee kinderen Boyd. Alles wat de onderzoekers ontdekten, kon worden gebruikt om hen te helpen – dat wil zeggen, als bleek dat ze de ziekte ook zouden krijgen.

Crone had een miljard argumenten waarom hij het helemaal niet zou moeten doen, een bootlading bezwaren, vooral het feit dat het een ontwrichtend effect kon hebben op het onderzoek dat binnenkort zou beginnen en waarvan de financiering al rond was. Er zou veel nieuw onderzoeksgeld voor nodig zijn. Ik hield op met argumenteren. Ik kon niets meer naar voren brengen. In gedachten was ik al op weg naar de deur. Voor de beleefdheid zette ik het gesprek nog even voort en veranderde ik van onderwerp, maar toen keek hij me aan, glimlachte en zei: 'U geeft het te gemakkelijk op.'

Ik was met stomheid geslagen.

'Hebt u ooit een subsidieverzoek geschreven?' vroeg hij.

Ik zei van niet.

'Nou, het zou niet zo eenvoudig zijn. Zou u het willen leren?'

Ik glimlachte, lachte bijna hardop, en gedurende zes weken in de herfst en het begin van de winter zaten we avonden en weekends achter een computer in mijn kantoor te typen. Ik was niets waard. Crone deed alles. Hij dicteerde de woorden, liet me de valkuilen zien en stuurde tenslotte het pak papier naar de subsidiegoden in het bestuur van de universiteit. Uiteindelijk was het allemaal voor niets, maar we hadden het tenminste geprobeerd.

Harry en ik hebben onze problemen met Crone gehad, maar voor mij komt het altijd op hetzelfde neer: hoe kun je twijfelen aan een man die dat heeft gedaan? Hij stak zijn nek in de strop voor een kind dat hij niet eens kende. Dat mag dan dom zijn, het is wel de reden waarom ik niet kan geloven dat hij Kalista Jordan heeft vermoord.

Onze inspanningen leverden niets op. Het subsidiegeld dat beschikbaar had kunnen komen om onderzoek naar Huntington bij kinderen te doen, ging naar concurrerende onderzoeken. Enkele weken later werd Crone voor de moord op Jordan gearresteerd, en de rest is geschiedenis.

'Nooit gedacht dat ik nog eens zou duimen voor iemand die van moord is beschuldigd,' zegt Doris. Dan denkt ze aan wat ze zojuist heeft gezegd tegen de man die hem verdedigt. 'Ik bedoelde dat niet kwetsend. Alleen heb ik nog nooit eerder te maken gehad met iemand die gearresteerd is. Hoe lang kan dit duren?'

'Het kan weken, misschien wel maanden doorgaan. En als hij wordt veroordeeld...'

'Dat zal toch niet gebeuren?'

'Ik geloof niet dat hij het heeft gedaan, maar ik kan niet voorspellen wat een jury gaat doen.'

'Misschien kan hij eens met mensen van de universiteit praten? Misschien kan hij ze overhalen om nog eens naar het subsidieverzoek te kijken?' zegt ze.

'Jammer genoeg heeft hij het gezag dat hij bij de universiteit had helemaal verloren op het moment dat hij werd gearresteerd.'

'O.' Haar gezicht betrekt. Ik kan zien dat ze deze hoop een paar dagen heeft gekoesterd.

'In afwachting van het proces is hij met onbetaald verlof gestuurd.'

Gelukkig is Crone financieel onafhankelijk en kan hij mijn honorarium moeiteloos betalen. Het schijnt dat hij uit een rijke familie in het oosten van het land komt. Zijn overgrootvader was een van de spoorwegbaronnen van de midden-Atlantische deelstaten. Het enige dat ik weet, is dat mijn rekening, gebaseerd op het aantal uren werk, iedere maand volledig wordt betaald door een accountantsfirma in New York.

'Als hij op borgtocht vrij was, zou de universiteit er misschien anders over denken?' oppert ze.

Ik leg haar uit dat de rechtbank al heeft geweigerd hem op borgtocht vrij te laten. En zelfs als ze hem voorlopig vrijlieten, zou de universiteit hem nooit zijn functie van projectdirecteur teruggeven. Niet zolang de zaak nog aan de gang is. Crone wordt beschuldigd van de moord op een ander personeelslid van de universiteit. Dat heeft implicaties. Een mogelijke eis van schadevergoeding.

'O.'

Ik kan niet in details treden, maar de aanklacht wegens seksuele intimidatie die Kalista Jordan had ingediend brengt de werkgever in een hachelijke positie. De advocaten van de universiteit houden al rekening met de mogelijkheid dat de universiteit aansprakelijk wordt gesteld voor haar dood omdat er niets aan haar vijandige werkomgeving werd gedaan. Zo blijft er nog maar één gedachte in Doris' hoofd over: ik moet de zaak winnen, en dat moet snel gebeuren.

Ik weet niet eens zeker of dat iets zal veranderen. 'Je moet je voorbereiden op de mogelijkheid dat niets van dit alles zal helpen,' zeg ik tegen haar. 'De subsidiegelden zijn waarschijnlijk al weg. Het onderzoek is misschien al zo'n eind op gang dat ze het niet meer kunnen veranderen.'

'Ik wil daar niet aan denken,' zegt Doris hardnekkig.

'Misschien krijgen we haar niet in het onderzoek, en ook als het lukt, is de weg naar werkzame gentherapieën nog erg lang.'

'Dat weet ik. Maar daar wil ik niet aan denken.'

'En er is nog iets anders,' zeg ik. 'De mogelijkheid dat zelfs wanneer professor Crone wordt vrijgesproken de universiteit hem niet terug wil hebben.'

Daar heeft ze nog niet aan gedacht.

'Waarom niet? Waarom zouden ze hem dan niet terugnemen?' Haar ogen zijn nu groot en rond van verontwaardiging. Crone is de enige die haar kind kan helpen, en nu krijgt ze van mij te horen dat zelfs dat misschien een illusie is.

'De negatieve publiciteit. De vernedering. Ook als de jury Crone niet schuldig bevindt aan de moord op die vrouw, wil de universiteit zich misschien distantiëren van het schandaal. Iemand die wordt vrijgesproken, wordt vaak nog met de vinger nagewezen. Als dit achter de rug is, draagt Crone, ongeacht de uitkomst, een zware last met zich mee.'

'Dus wat doen we?' zegt ze.

'Misschien hebben we te veel hoop gekoesterd,' antwoord ik.

'Wat kan ik anders doen?' Een ouder die zich aan een rafelig draadje van hoop vastklampt.

Ik heb geen antwoord.

— 5 —

'Hij heeft het mis,' zegt Crone.

'Wie heeft het mis?' Harry zit aan een tafel die aan de vloer verankerd is in een kleine spreekkamer, niet ver van de rechtszaal.

Crone is druk bezig zich op de zitting voor te bereiden. Om er niet als een gekke professor uit te zien haalt hij een kam door de lange slierten van zijn uitgedunde zwarte haar. Hij kijkt in de roestvrij stalen spiegel aan de wand om er zeker van te zijn dat zijn das recht zit, ondanks het feit dat de uiteinden ongelijk zijn. Hij is niet iemand die zich goed weet te kleden. Ook nu hij zich wat heeft opgeknapt, heeft hij het slordige uiterlijk van een professor en lijkt het of hij in zijn kleren heeft geslapen. Hij draagt geen pak. In plaats daarvan kiest hij voor de minder formele combinatie van corduroy jasje, geruit overhemd en grijze Dockers, en geen van die kledingstukken wil hij laten strijken. Het lijkt wel of een naadloze broek en gekreukte stof tekenen van academisch prestige zijn, een boodschap aan de wereld en aan de jury – alsof hij volgens andere regels leeft. Een generatie geleden zou dat misschien een probleem zijn geweest, maar nu verschijnt de helft van de jury in T-shirt en spijkerbroek. De juryleden moeten zelfs op wapens worden gescand voordat ze in de jurykamer worden toegelaten.

'De patholoog-anatoom, Maxton Schwimmer,' zegt Crone. 'Als hij onder ede een verklaring aflegt, moet hij geen dingen zeggen die niet kloppen. En het is niet tien procent.'

'Waar heb je het over?' zegt Harry.

'Het percentage van de mensen dat linkshandig is. Het is eerder vijftien dan tien.'

'Dat zal ik noteren,' zegt Harry. Hij kijkt mij vanuit zijn ooghoek aan alsof hij wil zeggen: *Dit zal ons redden.* Harry moet nog steeds niet veel van Crone hebben. Er hangt iets tussen hen in de lucht, iets als de ozon na een onweersbui. Ze willen geen van beiden het eerste gebaar maken om die sfeer van kwaadwilligheid te verdrijven.

Crone vindt kleine dingen belangrijk, is gespitst op details. Als het op cijfers aankomt, is hij bijna religieus fanatiek. In Crones ogen beheerst de mathematica het universum. Wie zijn cijfers verkeerd heeft, begaat een doodzonde.

Hij is iemand die de situatie altijd onder controle heeft, iemand die een en al zelfvertrouwen uitstraalt. Als hij, op dagen dat we niet naar de rechtbank gaan, dat oranje shirt niet droeg, zou je zweren dat hij geen gedetineerde maar de directeur van de gevangenis was. Hij loopt met grote stappen door de recreatieruimte en baant zich een weg tussen de beroepscriminelen door, mannen wier contact met de wetenschap nooit verder is gegaan dan de vraag of een straatdealer de crack zo vaak heeft versneden dat je er niet meer high van kunt worden. David Crone deinst voor niemand terug en hij gaat met iedereen om alsof hij iets kan leren van elke nieuwe ervaring in het leven. Ik heb hem levendig zien praten met lusteloze mislukkelingen, mannen wier armen bedekt waren met tatoeages die op hun beurt bespikkeld waren met naaldsporen. Als ze met Crone hebben gepraat, hebben ze altijd een glimlach op hun gezicht. Hoe vreemd het ook mag lijken, hij schijnt zich hier thuis te voelen. Hij mist geen gezin, want hij is nooit getrouwd geweest. Ze noemen hem de professor. 'De professor doft zich weer op.'

Crone gaat elke ochtend in de slag met de gewichthefmachine en begint er redelijk fit uit te zien. De vadsigheid waarmee hij aan het proces begon, is hij voor een groot deel kwijt. Het huis van bewaring geeft hem de discipline waaraan het in zijn leven heeft ontbroken, en Crone, altijd even efficiënt, maakt daar een goed gebruik van.

Iedere avond zit hij in de recreatieruimte met andere gedetineerden te kaarten, meestal blackjack. Ik heb weleens zo'n spelletje kaart moeten onderbreken om met hem te praten. Ze spelen om sigaretten, de valuta van de gevangenis, al rookt Crone niet. Ze spelen vals, geven elkaar ingewikkelde tekens en maken zelfs gebruik van verspieders op de galerijen boven de tafels om in zijn kaarten te kijken en met tekens door te geven wat hij heeft. Toch begrijpen ze niet waarom hij steeds wint, de man met de grijze supercomputer tussen zijn oren. Al gooien ze er vier nieuwe spellen kaarten tussen, dan nog kan hij bijhouden welke kaarten al voorbijgekomen zijn.

Deze ochtend is Aaron Tash met Harry en mij naar de rechtbank meegekomen om met Crone te praten. Tash probeert al dagen hem te spreken te krijgen, maar ik heb de strikte instructie gegeven dat die twee elkaar alleen in mijn bijzijn mogen ontmoeten. Tash werkt op de universiteit met Crone samen. Hij was zijn nummer twee in het geneticaproject, totdat Crone na zijn arrestatie met verlof werd gestuurd.

Ik weet niet waarom hij verantwoording blijft afleggen aan Crone, die officieel niets meer met het project te maken heeft. In ieder geval wil ik niet dat ze achter glas met elkaar praten, via een telefoon die door bewaarders wordt afgeluisterd. Het risico is te groot dat Crone iets zegt dat in zijn nadeel kan worden uitgelegd, vooral wanneer het over Kalista Jordan gaat.

Tash is midden veertig en een meter negentig lang, al heeft hij een kromme rug en gaat hij een beetje door de knieën – dat schijnt zijn normale houding te zijn. Hij is een pezige, lenige man met een rand van grijzend haar rond een kale schedel. Hij is het tegenovergestelde van Crone. Tash is een man wiens persoonlijkheid, als hij die al heeft, zo koel en gereserveerd is dat je hem ijzig zou kunnen noemen. Het lijkt erop dat hij zich geheel en al voor Crone en zijn zaak inzet. Aan de andere kant is hij personeelslid van de universiteit, en ik neem aan dat hij ook graag in de gunst wil komen bij de autoriteiten. Het zou me niet verbazen als hij het op Crones baan heeft voorzien. Je weet nooit wat de regenten van hem gedaan kunnen krijgen als ze denken dat Jordans dood hen financieel in de problemen kan brengen. Per slot van rekening had ze een klacht wegens seksuele intimidatie ingediend.

Tash heeft een dunne leren aktetas onder zijn arm. Ik weet niet wat erin zit, maar als we de gevangenis binnenkomen, heeft de bewaarder nog geen drie seconden nodig om vast te stellen dat het niets gevaarlijks is.

Deze ochtend brengen ze ons niet naar de kleine ontmoetingskamer met zijn scheidingswand van twee centimeter dik acryl, maar naar een grotere kamer met een roestvrij stalen tafel die aan de vloer is verankerd en plastic tuinstoelen daar omheen. Die kleinere kamer is niet groot genoeg voor ons drieën.

Crone is er niet, maar ik kan hem door de ramen beneden ons in de recreatieruimte zien. Hij praat met een andere gedetineerde en de bewaarder wacht op hen. De andere man, een reus van een kerel, is net van de gewichthefmachine afgekomen. Hij is bedekt met zweet en ziet eruit als een Scandinavische nachtmerrie: jukbeenderen uit een horrorfilm, een blonde paardenstaart, zijn beide armen van oksels tot polsen met tatoeages bedekt. Het zou nog erger kunnen zijn; in ieder geval staat hij te lachen met mijn cliënt. Ik begin me af te vragen of Crone hier duivelse experimenten heeft uitgevoerd – als een dokter Vikingstein.

Crone maakt een eind aan het gesprek en gaat, gevolgd door de bewaarder, de trap op. Enkele seconden later doen ze de deur van het slot om hem vanaf de gevangeniskant te laten binnenkomen. Zodra hij ons daar alle drie ziet zitten, is hij een en al jovialiteit.

'Aaron, ik zie dat je meneer Madriani en Harry Hinds al hebt ontmoet. Harry is een interessante man. Ik persoonlijk vind dat hij goed met woorden kan omgaan.'

'O ja? In welk opzicht?' vraagt Tash.

'Ik vind dat Harry songteksten zou moeten schrijven.'

Mijn collega trekt een kwaad gezicht.

'O, u hebt songs geschreven?'

'Nee.'

'O.' Zo te zien heeft Tash er spijt van dat hij het heeft gevraagd.

Crone kijkt weer in de spiegel aan de andere kant van de kamer. Ik kan hem daarin zien lachen.

'Je moet hier goed op je woorden letten, Aaron. Het schijnt dat ze kunnen liplezen.' Hij knikt naar de spiegel. 'Hoe gaat het op het centrum?'

'Ze duimen voor je,' zegt Tash. 'Ze weten dat je het niet hebt gedaan.'

'Goh. Misschien zouden ze eens met Harry moeten praten.'

Crone schat Harry helemaal verkeerd in. De man heeft een kookpunt als van vloeibare zuurstof en kan net zo explosief zijn. 'Ik ben blij met die steun. Dat betekent veel voor me. Wil je dat tegen ze zeggen?' Misschien heeft Crone toch nog een plaats waarnaar hij kan terugkeren.

'Doe ik.'

'Maar je bent niet helemaal hierheen gekomen om me dat te vertellen?'

'Nee. Je moet deze cijfers eens bekijken,' zegt Tash. Hij maakt een gebaar met zijn vinger, tikt op de aktetas onder zijn arm.

Crone steekt zijn hand uit.

Tash haalt een map ter grootte van een brief uit de tas, en uit die map haalt hij een enkel vel papier. Dat blijkt de totale inhoud van de aktetas te zijn. Hij geeft het papier aan Crone, en de twee mannen kijken ernaar, Tash over Crones schouder. Ze mompelen binnensmonds, praten niet hardop. Het is me een raadsel waarom Crone dit doet, waarom hij zijn tijd besteedt aan een project waaruit hij zonder betaling is geschorst. Maar ik vermoed dat het liefdewerk is, en verder is hij een onverbeterlijke optimist. In zijn gedachten is hij al bijna terug.

Crone beweegt zijn vinger over het papier. Hij is op ongeveer tweederde als hij naar het midden teruggaat. 'Dit is het probleem.' Hij kijkt Tash aan. 'Zie je dat?'

Tash schudt zijn hoofd en Crone glimlacht, nog steeds de meester van het universum.

'Geef me je potlood eens,' zegt Crone.

Tash grijpt in zijn binnenzak en haalt een vulpotlood te voorschijn. Crone pakt het aan en drukt twee keer met zijn duim op de knop om een nieuw stukje lood in de punt te krijgen. Hij houdt het papier tegen de muur en begint te schrijven. Op een afstand lijkt het of hij heel vlug cijfers noteert, alsof hij in zijn hoofd sneller kan rekenen dan zijn hand de cijfers op papier kan zetten. Hij streept een aantal van de geprinte cijfers door – formules, voor zover ik kan zien – en schrijft dan iets in de marge. Hij tekent grote pijlen die naar delen van de geprinte tekst wijzen. 'Zie je?' Crone kijkt even naar Tash, die met een verbaasd gezicht naar het potloodgekrabbel op het papier kijkt.

Tash' ogen beginnen plotseling te stralen, als de ogen van een kind dat met Kerstmis een elektrische trein heeft gekregen. 'O. Natuurlijk.' Hij slaat met zijn hand tegen zijn voorhoofd. 'Dat betekent dus dat we hier verkeerd zaten.' Hij krijgt het vulpotlood terug en schrijft zelf ook iets in de marge.

'Zo is het,' zegt Crone.

'Dat heeft ons bijna een week opgehouden,' zegt Tash.

'Waarom ben je niet eerder naar me toe gekomen?'

'Vraag hem dat maar.' Tash wijst naar mij.

Crone kijkt mij aan en zegt: 'Ik dacht dat ik dat duidelijk had gemaakt. Jullie mogen je niet met mijn werk bemoeien.'

'Nee, wat je duidelijk hebt gemaakt, is dat je niet aan je eigen verdediging wilt meewerken,' zegt Harry. 'Volgens mij is dat voldoende grond om de rechter te vragen ons van de zaak te ontheffen.'

'Ga je gang,' zegt Crone. 'Ik zal geen bezwaar maken.'

'Harry, alsjeblieft.' Ik kijk hem met een geforceerd glimlachje aan, een teken dat hij zich moet inhouden.

'Ik moet toegang hebben tot professor Tash,' zegt Crone. 'Ik wil dat jullie het gevangenispersoneel persoonlijk de instructie geven dat hij me mag spreken wanneer hij maar wil.'

'Alleen je advocaten kunnen je spreken wanneer ze maar willen,' zeg ik tegen hem. 'Professor Tash is een bezoeker. Wat ik ook zeg, hij zal zich aan de bezoekuren moeten houden. Ik wil je er ook aan herinneren dat hij niet alleen op onze getuigenlijst staat maar ook op die van de aanklager. Dat levert een probleem op. Ik kan je niet toestaan om met hem te spreken als ik er niet bij ben.'

'Daar komt nog iets bij,' zegt Harry. 'Als je met hem spreekt, kunnen de gesprekken worden afgeluisterd.'

'Laat ze maar luisteren,' zegt Crone. 'Ze kunnen er toch geen wijs uit worden. Het zou me sterk verbazen als ze hier ook maar een snars van begrepen.' Hij houdt het papier omhoog.

'Dus je zou geen bezwaar maken als ze het fotokopieerden?' vraag ik.

'Natuurlijk wel.'

'Dat doen ze misschien als hij hier in zijn eentje naartoe komt.' Ze kunnen dat nu trouwens ook nog doen. Omdat Tash met ons, Crones advocaten, meekwam, gingen de bewaarders ervan uit dat hij deel uitmaakt van het verdedigingsteam. We hebben niet voor hem ingestaan. We hebben alleen gezegd dat hij met ons meekwam.'

'De bewaarders kunnen die cijfers misschien niet interpreteren, maar een expert, een andere geneticus, kan dat misschien wel,' zeg ik tegen hem. 'Hij of zij kan de aanklagers misschien ook vertellen of het onderzoek waaraan jullie werken in enig opzicht met de zaak te maken kan hebben.'

Crone en Tash kijken ontnuchterd.

'Ook nu wij erbij zijn,' zegt Harry. 'De officier van justitie kan professor Tash altijd als getuige oproepen en hem vragen waar jullie twee over praatten.'

'Is dat waar?' Crone kijkt mij aan.

Ik knik.

'Ik kan ze alles vertellen wat ik wil,' zegt Tash. 'Hoe kunnen ze ooit weten of het de waarheid is?'

'Dan zou u meineed begaan,' zegt Harry.

Tash kijkt alsof hij zich daar niet zo druk om maakt.

'Nou, dat moeten we er dan maar op wagen,' zegt Crone. 'Ik moet toegang tot professor Tash hebben. We zitten in een kritiek stadium, weet je. Alles wat we de afgelopen vijf jaar hebben gedaan, bereikt nu een kritiek punt. Je ziet toch wat er gebeurd is? Al die vertraging.'

'Dan moet de verdediging er altijd bij zijn wanneer jullie elkaar ontmoeten. En het aantal ontmoetingen moet tot het minimum beperkt blijven. Het spijt me, maar het is niet anders.'

Crone kijkt me aan, denkt even na en knikt. 'Goed.'

'Geen telefoongesprekken. Geen ontmoetingen,' zeg ik tegen hem. 'Alleen in het bijzijn van Harry of mij en als ik van tevoren mijn toestemming heb gegeven.'

Crone knikt. 'Goed.'

Tash knikt niet. Hij kijkt me alleen maar ijzig over zijn lange, autoritaire neus aan, al heeft hij nog steeds die welwillende glimlach op zijn gezicht. Dan krast hij nog een paar cijfers op het papier door, terwijl Crone toekijkt. Als hij schrijft, zie ik dat Tash zelf ook deel uitmaakt van de vijftien procent waar Crone het over had. Hij schrijft met zijn linkerhand.

— 6 —

Jimmy de Angelo is zevenenveertig, een straatagent die rechercheur werd. Hij heeft het zure gezicht en de behoedzame ogen van iemand die zich beroepshalve met de dood bezighoudt. De Angelo werkt al vijftien jaar aan moordzaken en hij zoekt zijn toevlucht in fysieke training: het lichaam van de man past eigenlijk niet meer bij het doorgroefde gezicht met trieste ogen dat op zijn schouders rust.

Hij heeft het bovenlichaam van een football-linebacker, met een taille die tot zesentachtig centimeter terugloopt en biceps die zich als boa constrictors onder de mouwen van zijn strakke colbertjasje bewegen.

De Angelo heeft zich via Zeden opgewerkt tot inspecteur en werkte daarvoor als undercover-agent op Narcotica. Hij heeft meer dan tweehonderd moordzaken achter de knopen, variërend van daklozen die in steegjes waren doodgeknuppeld tot de ontvoering van, en moord op, een plaatselijke software-magnaat. Hij heeft met verklikkers gesmoesd om extra informatie over huurmoorden te krijgen en hij heeft in speciale eenheden met de FBI en de politie van de deelstaat samengewerkt. Hij heeft instincten en kan op de tast zijn weg door de harige onderbuik van de misdaad vinden, ook als het te duister is om iets te kunnen zien. De Angelo heeft een groot deel van de bewijsvoering tegen mijn cliënt opgebouwd door op zijn gevoel af te gaan; je zou het politie-intuïtie kunnen noemen.

Deze ochtend heeft Tannery hem in de getuigenbank. Hij maakt veel werk van de gruwelijke details van de moord op

Kalista Jordan en de ontdekking van lichaamsdelen op het Silver Strand. Als je in deze zaak al van een plaats van delict kunt spreken, was het dat strand.

'We denken dat de moordenaar het lichaam in een plastic zak deed, maar het bleef niet heel,' zegt De Angelo. 'De zak ging open door de branding, of door rotsen, of door haaien. Dat kunnen we niet met zekerheid zeggen.'

'Hebt u sporen gevonden die erop wijzen dat haaien aan het bovenlichaam van het slachtoffer hebben gevreten?'

'Nee. Maar er zaten wel wat flarden van zwart plastic onder een koord dat om haar hals was geslagen. Het koord dat gebruikt was om het plastic om het lichaam heen te binden.'

'Om te voorkomen dat we de jury in verwarring brengen: u hebt het nu niet over de nylon kabelband die is gebruikt om het slachtoffer te wurgen?'

'Nee. Die zat onder het plastic waarvan we denken dat het lichaam erin verpakt was. We denken dat er plastic om het lichaam heen is gebonden, waarschijnlijk om het aan het oog te onttrekken tot het in het water werd gedumpt, en dat plastic is weggescheurd.'

'En alleen het bovenlichaam en het hoofd van het slachtoffer zijn gevonden?'

'En één arm,' zegt De Angelo. Hij is in het voordeel ten opzichte van de meeste andere getuigen. Hij zit de hele tijd als gemachtigd vertegenwoordiger van de deelstaat aan de tafel van het openbaar ministerie en heeft alle eerdere getuigenverklaringen gehoord.

'Inspecteur De Angelo, hebt u ooit andere moordzaken meegemaakt waarbij het slachtoffer op deze manier van ledematen was ontdaan?'

'Als u bedoelt of armen en benen waren afgehakt, is het antwoord ja. Als u bedoelt of ze op deze manier waren verwijderd, is het antwoord nee.'

'Er was iets unieks aan deze zaak?'

'Ik protesteer. De getuige is geen medicus.'

'Maar hij heeft ervaring met soortgelijke zaken,' zegt Tannery. 'Hoeveel zaken hebt u onderzocht waarbij armen en benen waren verwijderd, inspecteur?' Hij wacht niet tot de rechter een beslissing neemt, en Coats laat hem zijn gang gaan.

'Acht.'

'Uw korps heeft zelfs zoveel van dat soort zaken meegemaakt, dus zaken waarbij ledematen zijn verwijderd en de lichaamsdelen in de oceaan of de haven zijn gedumpt, dat ze er een naam voor hebben, nietwaar?'

'Ja.'

'En wat is die naam, inspecteur?'

'Jigsaw Jane, of John, afhankelijk van het geslacht,' zegt De Angelo. 'Meestal vind je hoofden die op het water dobberen.'

Een van de oudere leden van de jury, een gepensioneerde explosieven-expert van de marine, grinnikt en houdt zijn hand voor zijn mond. Zijn dicht behaarde onderarm is een mozaïek van tatoeages. De vrouwen in de jury glimlachen niet; in plaats daarvan kijken ze hoe mijn cliënt reageert. Crone vertoont geen enkele reactie. Zoals altijd is hij druk bezig aantekeningen te maken.

'Ik geloof, meneer Tannery, dat er een protest was. Ik wijs dat af en laat de getuige de vraag beantwoorden.' Coats is goed bij de les.

Dat geldt in mindere mate voor De Angelo. 'Wat was de vraag?'

'Was er iets unieks aan de manier waarop Kalista Jordan van haar ledematen was ontdaan, in vergelijking met de andere zaken die u hebt meegemaakt?' vraagt Tannery.

'O ja. Dat klopt. Ja, er was iets unieks.'

'En wat was dat?'

'Eigenlijk twee dingen. De benen en armen waren precies bij

de gewrichten verwijderd. En het hoofd zat nog aan de romp vast.'

'Laten we het eerst over de armen en benen hebben,' zegt Tannery. 'Hebt u conclusies getrokken uit de manier waarop die waren verwijderd?'

'Ja. We hadden sterk de indruk dat het op een chirurgische manier was gebeurd. We concludeerden dat de persoon of de personen die het deden wisten wat ze aan het doen waren. We denken dat ze waarschijnlijk een specifieke opleiding hebben gehad.'

'Protest.'

'Afgewezen,' zegt Coats.

'Wat voor opleiding?' vraagt Tannery.

'Ze wisten iets van de medische wetenschap, vooral anatomie. Misschien hadden ze enige ervaring met het ontleden of opereren van menselijke lichamen.'

'Bedoelt u dat het waarschijnlijk is dat de dader een arts was?'

'Dat is mogelijk,' zegt De Angelo.

Tannery kijkt naar onze tafel, naar professor Crone, die rustig zijn notities blijft maken en niet eens opkijkt.

'U zei dat er iets ongewoons aan deze zaak was, iets dat met het hoofd van het slachtoffer te maken had?'

'Ja. Dat zat nog aan het lichaam vast,' zegt De Angelo. 'We vroegen ons af waarom. Als een dader de moeite neemt om armen en benen te verwijderen, haalt hij meestal ook –'

'Protest. Veronderstelling van feiten die niet vaststaan.' Ik duik erin voordat hij zijn zin kan afmaken.

'Wilt u uw antwoord anders formuleren?' zegt de rechter.

De Angelo kijkt de officier van justitie verbaasd aan. Hij ziet het probleem niet.

'U suggereert dat de dader een man was,' zegt Tannery.

'O.' Hij denkt even na. 'We nemen aan dat als hij of zij al die moeite nam, wie hij of zij ook is' – hij kijkt mij nadrukkelijk aan

– 'hij of zij ook het hoofd van de romp haalt. Maar in dit geval is dat niet gebeurd. Je vraagt je af waarom.'

'Waarom neemt u aan dat de dader ook het hoofd zou verwijderen?'

'Waarom zouden ze al die moeite doen om het lichaam in stukken te snijden?' zegt De Angelo. 'Om het moeilijk te maken het lichaam te identificeren. Als je de handen weghaalt en die handen worden niet gevonden, dan zijn er geen vingerafdrukken. Als je het hoofd weghaalt, maak je het nog veel moeilijker. Maar in dit geval hebben ze dat niet gedaan.'

'Ik begrijp het. En u zou niet weten waarom ze het niet hebben gedaan?'

De Angelo schudt zijn hoofd. 'Het is alleen maar ongewoon. Het voldoet niet aan het normale patroon. Nou ja, als je iets als dit normaal kunt noemen,' zegt hij. 'Dus we dachten dat degene die Kalista Jordan doodde misschien een na-aper was.'

'Kunt u dat aan de jury uitleggen?' vraagt Tannery.

De Angelo draait zich om naar de jury. 'Bijna drie jaar geleden waren er twee moorden. De lichamen van twee vrouwen werden in de haven gedumpt. We vonden de rompen met de hoofden er nog aan vast. Armen en benen waren verwijderd. Het heeft in alle kranten gestaan. Die zaken kregen veel publiciteit omdat het leek of er een seriemoordenaar aan het werk was. De kranten zijn daar altijd gek op,' zegt hij. 'Jammer genoeg fungeert zoiets soms als een uitnodiging voor iemand die op een gunstige gelegenheid wacht. Iemand wil bijvoorbeeld zijn vrouw of zijn vriendin vermoorden. Hij leest in de krant over die moorden en probeert het op dezelfde manier te doen. Dat noemen we een na-aper. Meestal lukt het ze niet.'

'Waarom niet?'

'Kleine details,' zegt De Angelo. 'Dingen die we nooit aan de media vertellen. Neem nou dit geval, die eerdere jigsaw's in de haven. Dat was met een zaag gedaan. Botten waren gewoon doorgezaagd, zoals een slager zou doen. We vonden sporen van zaagtanden. Waarschijnlijk een metaalzaag. Maar niet in het huidige geval.'

'U hebt het over Kalista Jordan?'

'Ja. In dit geval is de amputatie van de armen en benen heel precies uitgevoerd, bij de gewrichten. Ze wisten precies waar ze moesten zijn en ze gebruikten een scherp werktuig om alle banden en pezen door te snijden.'

'En die amputatie bij de gewrichten – gelooft u daardoor dat de dader misschien een medische opleiding heeft gevolgd?'

'Ja.'

'Dus u gelooft niet dat er verband bestaat met die eerdere zaken?' Tannery drijft er een wig in. Hij verwacht dat wij het op de eeuwenoude HWEA-verdediging zullen gooien: Het Was Een Ander. In dit geval een krankzinnige seriemoordenaar. Als we konden aantonen dat Crone een alibi voor die eerdere zaken had, zou dat complicaties voor het openbaar ministerie opleveren.

'Nee. Maar we denken dat de moordenaar daarom het hoofd eraan heeft laten zitten. Omdat de pers daar in die eerdere twee zaken over had geschreven. Het stond ook in de kranten dat de armen en benen niet meer aan de lichamen vast zaten, maar het is nooit bekendgemaakt hoe dat was gebeurd. De moordenaar heeft een fout gemaakt,' zegt De Angelo. 'En het was niet de enige fout die hij of zij maakte.'

'Wat nog meer?'

'We willen niet in te veel details treden. Die andere twee moordzaken zijn nog open.'

'Onopgelost?'

'Ja.'

'Maar er zijn nog meer discrepanties?'

'Eén in het bijzonder,' zegt De Angelo. 'Het gebruik van kabelbanden rond de keel van het slachtoffer. In die eerdere gevallen was bekendgemaakt dat de slachtoffers gewurgd waren met een nylon band en dat een soortgelijke nylon band waarschijnlijk was gebruikt om de handen en voeten te binden. In die gevallen vonden we een stel armen en handen. Ze spoelden op het strand aan. Ze waren samengebonden bij de pols. Het voorwerp dat was gebruikt om ze samen te binden was, en nu citeer ik, in een van de plaatselijke kranten "een nylon band" genoemd. In werkelijkheid was het een nylon koord. De krant gebruikte het woord "band" in de algemene zin. We hebben dat niet verbeterd omdat we niet in details wilden treden. We denken dat degene die Kalista Jordan heeft vermoord dat krantenbericht heeft gelezen en veronderstelde dat er een nylon kabelband werd gebruikt.'

'Met andere woorden, de dader probeert te imiteren en doet het verkeerd?' zegt Tannery.

'Dat lijkt me hier het geval te zijn.'

'Laten we het over die kabelband hebben, de band die u om professor Jordans nek aantrof. Bent u in de gelegenheid geweest die kabelband te bestuderen?'

'Ja.'

'Zat hij nog aan het lichaam vast toen u hem voor het eerst zag?'

'Ja.'

'Hebt u hem verwijderd?'

'Nee, de patholoog-anatoom heeft hem tijdens de sectie verwijderd.'

'Was er iets unieks aan die kabelband?'

'Het was een industriële kabelband, als u dat bedoelt. Hij was bestemd voor zwaar werk. Om dingen te bundelen. Je kunt er bijna alles mee samen binden: oude kranten; stapels vodden. In de industrie worden ze veel toegepast. Elektriciens gebruiken deze banden op grote karweien om dikke bossen draden samen te bundelen voordat ze ze door een buis leiden. Als ik het me goed herinner, had deze specifieke band een grote trekkracht. Honderd of honderdtien kilo.'

'Ik geloof dat dokter Schwimmer zei dat het honderdtien kilo was.'

'Dat zou kunnen kloppen.'

'Dus het was niet iets wat de gemiddelde klant in de gemiddelde bouwmarkt vindt. Bedoelt u dat?'

'Ja. Waarschijnlijk moet je zulke banden bij een industriële materialenhandel bestellen.'

'Weet u waar deze specifieke kabelband is gekocht? De band die om de hals van Kalista Jordan is aangetroffen?'

'Nee.'

'Zijn er nog meer van die banden op het lichaam van het slachtoffer gevonden?'

'Nee.'

'Hebt u in de loop van uw onderzoek naar deze zaak nog meer van deze specifieke kabelbanden gevonden?'

'Ja.'

'En waar hebt u die gevonden?'

'Ik heb nog twee van zulke kabelbanden gevonden. Dezelfde lengte en breedte. Toen we ze onderzochten, stelden we vast dat die twee banden in alle opzichten identiek leken aan de kabelband die om de hals van het slachtoffer, Kalista Jordan, werd aangetroffen. We vonden ze in de zak van een colbertjasje van de verdachte, professor David Crone.'

In het publiek wordt hier en daar gemompeld, en de rechter slaat met zijn hamer.

Tannery loopt naar het bewijsmateriaal en komt met twee doorzichtige plastic zakken terug. Hij laat de getuige in de eerste zak kijken. 'Herkent u de inhoud van deze zak?'

'Ja. Het is de kabelband die tijdens de sectie van Kalista Jordans hals is verwijderd, de band die is gebruikt om haar te wurgen.'

'En de initialen op deze plastic zak zijn van u?'

De Angelo kijkt nog eens goed. 'Ja. En ik heb die datum in het kantoor van de patholoog-anatoom op de zak geschreven en de zak daarna dichtgemaakt.'

'Wilt u eens naar die tweede zak kijken? Zijn dat uw initialen?'

'Ja.'

'En wat zit er in die zak, inspecteur?'

'De kabelbanden die we in de zak van professor Crones colbertje hebben gevonden.'

'En waar was dat jasje toen u die twee banden vond?'

'Het hing in een kast bij de voordeur van het huis van de verdachte.'

De Angelo vertelt de jury over het onderzoek: dat ze het huis binnenstebuiten hadden gekeerd, dat ze de kabelbanden hadden gevonden in de zak van wat, zo hoorden ze later van collega's, het favoriete jasje van Crone was, een visgraat-tweed met grote zakken en leren lapjes op de ellebogen. Tannery pakt het jasje van de bewijsmaterialenwagen, en de getuige identificeert het.

'Toen u dit jasje vond, in welke zak zaten toen de kabelbanden? U hebt dit zelf gevonden, neem ik aan?'

'Ja. De nylon banden zaten in de linker zijzak.'

'Hebt u iets anders in het jasje gevonden?'

'Een stel sleutels. Van de auto van de verdachte.'

'Wat nog meer?'

'Een kassabonnetje.'

Tannery loopt weer naar de bewijsmaterialenwagen, zoekt tussen een paar enveloppen tot hij vindt wat hij zoekt, kijkt in de envelop en vraagt dan aan de rechter of hij naar de getuige toe mag lopen.

Coats geeft hem een teken dat het mag.

'Inspecteur, ik wil u vragen om naar het bonnetje in deze envelop te kijken en ons dan te vertellen of u het herkent.'

De Angelo haalt een wit strookje papier te voorschijn, kijkt ernaar en knikt dan. 'Dit is het bonnetje dat ik in de zak van het jasje van de verdachte heb gevonden.'

'Kunt u de jury vertellen wat voor bonnetje het is?'

'Het is een kassabon van de universiteitkantine. De universiteit van Californië,' zegt hij. 'Gedateerd op 3 april. Het is een bon voor –'

'Wacht even. 3 april. Is dat niet de dag voordat Kalista Jordan verdween?'

'Die avond,' zegt De Angelo. 'Het bonnetje heeft een tijdstempel: 19:56 uur. We zijn het nagegaan, en de klok in het kasregister loopt goed. Hij wordt onderhouden.'

Tannery heeft de lus gesloten. Hij heeft verband gelegd tussen de eerdere getuigenverklaring van Carol Hodges, die Crone in de kantine van de faculteit ruzie zag maken met het slachtoffer op de avond voordat ze verdween. Hij heeft dat op een zodanige manier gedaan dat hij maximale schade toebrengt, met een document dat aantoont dat Crone in die kantine was, voorzien van datum en tijdstip, en door een kledingstuk van hem met de gebruikte kabelband in verband te brengen.

Een aantal juryleden maakt aantekeningen. Tannery heeft punten gescoord alsof hij een duizelingwekkende stoot tegen onze kin heeft gegeven, en hij is zich daarvan bewust. Hij neemt de tijd, laat de getuigenverklaring goed op iedereen inwerken.

'Nou, toen u het huis van de verdachte doorzocht, vond u toen nog iets anders?'

'Ja. We vonden een spanwerktuig.'

Tannery loopt weer naar de wagen met bewijsmateriaal, en als hij naar de getuigenbank terugkeert, heeft hij een metalen werktuig in zijn hand. Het ziet eruit als een groot pistool met een lange trekkerachtige greep voor de kolf. Er zit een label aan vast.

'Herkent u dit voorwerp, inspecteur?'

De Angelo kijkt naar het label. 'Dit is het spanwerktuig dat we in de garage van de verdachte hebben gevonden.'

'Weet u waarvoor het wordt gebruikt?'

'Ja. Om kabelbanden strak te trekken.'

'Zoals die in deze zakken?'

'Dat klopt.'

'Waar precies hebt u dit specifieke spanwerktuig gevonden?'

'Het lag onder een werkbank in de garage, bedekt met een stukje vloerbedekking.'

'Hebt u dit specifieke werktuig onderzocht om vast te stellen of het goed werkte?'

'Ja.'

'En werkte het?'

'Ja. We hebben het in het forensisch lab uitgetest. We gebruikten dezelfde kabelbanden als in die zak daar en stelden vast dat het met dat werktuig mogelijk was om een druk van meer dan veertien kilo per vierkante centimeter uit te oefenen.'

Nu Tannery het werktuig, de kabelbanden en Crones jasje heeft laten identificeren, verzoekt hij die voorwerpen als bewijsmateriaal te mogen indienen. We maken geen bezwaar.

'Hoeveel gevallen van moord door wurging hebt u in uw loopbaan onderzocht?' vraagt Tannery.

'Een flink aantal.'

'Meer dan twintig?'

'O, ja.'

'Meer dan vijftig?'

'Misschien ongeveer vijftig.'

'Dus u hebt enige ervaring.'

'Ja.'

'Zou volgens uw professionele opinie de druk die met dat werktuig, het spanwerktuig in kwestie, werd uitgeoefend voldoende zijn om iemand door verstikking te doden?'

'Gemakkelijk,' zegt De Angelo.

'Zou die druk genoeg zijn om een diepe insnede aan te brengen zoals die in de hals van Kalista Jordan is aangetroffen?'

'Ik zou zeggen van wel. Ja.'

Tannery knikt in zichzelf terwijl hij een beetje heen en weer loopt, tussen zijn eigen tafel en een spreekgestoelte tegenover de rechter, waar hij zijn aantekeningen heeft liggen.

'Uw getuige,' zegt Tannery.

In dit geval houdt het spel in dat ik iets van de scherpe randen probeer af te vijlen. Ik begin met de kwalificaties van De Angelo als deskundige.

'Inspecteur, u zegt dat u misschien wel vijftig zaken hebt onderzocht waarbij iemand door verstikking om het leven kwam. Is dat juist?'

'Ja.'

'Maar dat waren niet allemaal moorden, hè?'

'Wat bedoelt u?'

'Ik bedoel dat het in veel van die gevallen zelfmoord was?'

'O.' Hij denkt daar even over na. 'Ik neem aan van wel.'

'Hebt u ooit een moordzaak onderzocht waarbij het wapen een nylon kabelband was?'

'Nee. Niet voor zover ik me kan herinneren.'

'Dus dit is de eerste keer dat u ooit exact zo'n zaak meemaakt?'

'Elke zaak is anders,' zegt hij.

'Maar u hebt nooit een zaak onderzocht waarbij het slachtoffer met een kabelband was gewurgd. Dat is toch zo?'

'Ja. Dat is zo.'

'Toch wilt u ervan uitgaan dat in deze zaak een spanwerktuig is gebruikt?'

'Er is iets gebruikt om extra kracht te zetten,' zegt De Angelo. 'De moordenaar heeft die kabelband niet alleen met zijn handen aangetrokken. Daarvoor was de spanning te groot.'

'Ja, maar wil dat zeggen dat hij een spanwerktuig heeft gebruikt?'

'Dat lijkt me een goede mogelijkheid,' zegt hij.

'Maar meer is het niet: een mogelijkheid.'

Hij zegt daar niets op.

'Laat me u iets vragen, inspecteur. Weet u zeker dat er een spanwerktuig is gebruikt om de kabelband rond de hals van Kalista Jordan strak te trekken?'

'Zoals ik al zei: het is waarschijnlijk –'

'Ik vroeg u niet wat waarschijnlijk was. Ik vroeg u of u zeker wist of zo'n werktuig is gebruikt.'

'Nee.'

'Dus het is niet meer dan een veronderstelling van uw kant, van de kant van het rechercheteam, dat in deze zaak zo'n werktuig is gebruikt?'

'Er is iets gebruikt om extra kracht te zetten. Het ligt in de lijn der verwachtingen dat het een werktuig was dat voor dat doel bestemd is.'

'Is het niet mogelijk dat het losse eind van de kabelband om een stok, een stuk hout, misschien een korte metalen stang, is gewikkeld en dat op die manier extra kracht is gezet?'

'Dat zou lastig zijn,' zegt De Angelo.

'Maar het is mogelijk, nietwaar?'

'Het is mogelijk. Alles is mogelijk.' Dat is de concessie die ik nodig heb.

'Dus nu u hier vandaag zit, weet u niet zeker of dat werktuig dat als bewijsmateriaal is ingediend, of eventueel een ander spanwerktuig, in dit geval gebruikt is?'

'Er is niet veel in het leven dat we met absolute zekerheid weten,' zegt hij.

'Dat is geen antwoord op mijn vraag. Weet u zeker of dat werktuig of een soortgelijk werktuig is gebruikt om Kalista Jordan te doden?'

'Nee.'

Harry en ik hadden op de voorlopige hoorzitting die aan dit proces vooraf ging de zitting waarop Crone officieel in staat van beschuldiging werd gesteld tegen het spanwerktuig als bewijsmateriaal kunnen protesteren. Dat hebben we niet gedaan. Dat was een tactische beslissing. Nu heeft het openbaar ministerie zich gebaseerd op een bewijsstuk dat ze niet definitief met het misdrijf in verband kunnen brengen. Evenmin kunnen ze bewijzen dat een soortgelijk werktuig is gebruikt. Zulke lacunes kunnen we later, in ons slotpleidooi, gebruiken om twijfel te zaaien.

'U hebt eerder gezegd dat deze specifieke kabelband, de band die van de hals van het slachtoffer is verwijderd, ongewoon is, dat u niet zou verwachten dat zo'n band in een bouwmarkt te koop is. Klopt dat?'

'Ik geloof dat ik zei dat hij voor het zware werk bestemd was,' zegt De Angelo.

'Wilt u dat ik uit het verslag laat voorlezen?' vraag ik hem.

'Ik heb misschien gezegd dat zo'n band moeilijk te vinden is.'

'Om precies te zijn hebt u gezegd dat u niet verwachtte zo'n band in de gemiddelde bouwmarkt aan te treffen, dat je hem waarschijnlijk bij een industriële materialenhandel zou moeten bestellen. Dat zijn uw woorden.' Ik lees van een notitieblok voor. 'Hebt u dat niet gezegd?'

'Ik geloof van wel.'

'Wilt u ons vertellen dat kabelbanden van het soort dat gebruikt is om Kalista Jordan te doden zeldzaam zijn?'

'Ik weet niet wat u onder "zeldzaam" verstaat,' zegt hij. 'Ze komen niet zoveel voor als de lichtere kabelbanden.'

'Zou het u verbazen als ik tegen u zei dat het me gelukt is vierentwintig kabelbanden precies als deze' – ik wijs naar het moordwapen in de tas – 'te kopen bij vijf verschillende winkels hier in San Diego en omgeving?' Terwijl ik dat vraag, wijs ik naar een grote papieren zak die Harry heeft opgepakt en midden op onze tafel heeft gezet.

'Protest,' zegt Tannery. 'De verdediger gaat uit van onbewezen feiten. De verdediger probeert als getuige op te treden.'

'Ik vroeg hem alleen of hij verbaasd zou zijn.'

'Ik sta de vraag toe,' zegt Coats.

'Ik weet het niet.'

'Hebt u in de loop van uw onderzoek niet in de plaatselijke winkels gekeken om na te gaan of dit type kabelband gemakkelijk verkrijgbaar was?'

'We hebben gekeken.'

'In hoeveel winkels bent u geweest?'

'Dat weet ik niet meer.'

'Is het niet zo, inspecteur, dat u niet weet hoeveel van die kabelbanden er per week, of per maand, of per jaar, in San Diego worden verkocht?'

De Angelo geeft geen antwoord.

'Protest. Meervoudige vraag,' zegt Tannery. 'Welke periode?'

'Goed, laten we beginnen met een week. Weet u hoeveel kabelbanden er per week in San Diego worden verkocht?'

'Nee.'

'Wilt u proberen het aantal per maand te geven?' vraag ik.

Ik kan aan zijn gezicht zien dat hij dat niet wil. En dat kunnen de juryleden ook zien. Sommigen van hen kijken nog steeds naar de zak op de tafel van de verdediging.

'Weet u of u thuis misschien een paar kabelbanden zoals deze in de kelder hebt liggen, inspecteur?'

Hij geeft geen antwoord, maar kijkt me aan alsof hij me dood wenst.

'Dus u kunt ons niet vertellen hoe zeldzaam ze zijn?'

'Ik heb nooit gezegd dat ze zeldzaam waren. Dat is uw woord.'

'Goed.' Ik laat het erbij. Die kabelbanden zijn niet zeldzaam. 'Hebt u enig idee waarvoor die banden worden gebruikt? Ik bedoel, behalve voor het wurgen van mensen.'

'Industriële toepassingen.'

'Bijvoorbeeld?'

'Elektrische bedrading. Om grote bundels draden bij elkaar te houden.'

'En?'

'Ik weet het niet. Overal waar je ze maar voor kunt gebruiken.'

'Maakt de politie ooit gebruik van zulke kabelbanden?'

Hij trekt een gezicht, denkt erover na. 'Ja. Dat zou kunnen.'

'Waarvoor?'

'Om grote aantallen mensen in bedwang te houden. In plaats van handboeien. Soms moeten we zulke banden gebruiken.'

'Hetzelfde soort?'

'Waarschijnlijk iets lichter. Ze hoeven niet zo sterk te zijn.'

'Goed. Dus er zijn veel redenen waarom mensen kabelbanden bij de hand kunnen hebben, redenen die niets met moord te maken hebben?'

'Dat zou kunnen.'

'En ook de werktuigen om ze strak te trekken?'

'Ja.'

'Ik bedoel, is het niet mogelijk dat iemand zulke banden en zo'n werktuig als nu voor u ligt in huis heeft om oude kranten samen te binden, of pakjes van rommel te maken, of takken bij elkaar te houden als hij een boom heeft gesnoeid?'

'Dat zou kunnen.'

'Ik bedoel, moeten we veronderstellen dat iedereen die kabelbanden koopt van plan is er iemand mee te wurgen?'

Er zijn zowaar een paar juryleden die om deze vraag kunnen grinniken.

De Angelo geeft geen antwoord.

'Misschien moeten we er vergunningen voor uitgeven, net als voor vuurwapens,' zeg ik.

'Protest.' Tannery is opgestaan.

'Toegewezen, meneer Madriani.'

'Neemt u me niet kwalijk, edelachtbare.' Ik kijk de inspecteur weer aan. 'Dus het is geheel en al mogelijk dat professor Crone het spanwerktuig in zijn huis en de kabelbanden in zijn zak had om er iets volkomen legitiems mee te doen? Om oude kranten of rommel te bundelen?'

'Als u het zegt.'

'Ik vraag het u.'

'Het zou kunnen.'

'Dat is alles.'

'Gaat uw gang,' zegt de rechter tegen Tannery.

Tannery is al opgestaan voordat ik mijn plaats heb verlaten. Blijkbaar heb ik hem kwaad gemaakt. Als hij een zwakheid heeft, dan is het dat hij net iets te opvliegend is voor iemand die in een rechtszaal moet opereren.

'Inspecteur, kunt u de jury vertellen wanneer u de kabelbanden in de zak van het jasje van de verdachte hebt gevonden? De exacte datum?' zegt hij.

'Het was 15 april.' Dat ligt op het puntje van De Angelo's tong.

'Dat was twee dagen nadat het lichaam van het slachtoffer op het strand is gevonden. Is dat juist?'

'Ja, dat is juist.'

'En het spanwerktuig dat u in de garage van de verdachte hebt gevonden. Lag dat in het volle zicht?'

'Nee.'

'Ik bedoel, hing het aan een haak boven de werkbank, samen met ander gereedschap?'

'Nee. Dat hing het niet.'

'Had u de indruk dat het werktuig verborgen was, dat het aan het zicht was onttrokken?'

'Protest.'

'Afgewezen,' zegt Coats.

'Ja. Het leek erop dat iemand het werktuig naar het achterste van een plank onder de werkbank had geschoven en daarna dat stukje vloerbedekking eroverheen had gelegd, opdat je het niet kon zien.'

Dit roept de vraag op waarom iemand die een werktuig en kabelbanden heeft gebruikt om een kille, zorgvuldig voorbereide moord te plegen zulk bewijsmateriaal in zijn garage en in de zak van zijn favoriete jasje zou bewaren. Maar dat zijn vragen die we beter in ons slotpleidooi aan de jury kunnen stellen dan aan De Angelo in de getuigenbank, want hij zou me ongetwijfeld een lezing geven over de domme dingen die daders doen, zelfs daders met een hoge opleiding.

— 7 —

William Epperson is de mysterieuze man in onze zaak. Vanavond nemen Harry en ik onze aantekeningen over dat specifieke mysterie door. Alles wat we van de man weten, ligt op een zwak verlichte tafel in de lounge van het Brigantine uitgespreid. Dat is onze vergaderruimte na werktijd geworden, een klein eindje lopen van kantoor vandaan, over het junglepad.

Het is tien uur geweest, en de dinergasten zijn allang vertrokken. Harry heeft een whisky-soda. Ik drink alleen sodawater, want morgenvroeg moet ik op de rechtbank verschijnen en dan wil ik mijn hoofd helder hebben. De tijden van de stevig drinkende strafpleiters zijn voorbij. Een oudere generatie, met kapotte nieren en levers, heeft de boodschap goed duidelijk gemaakt. De laatste nagel aan die specifieke doodkist werd erin geslagen door de balie van de staat Californië, die tegenwoordig voogden aanstelt om de praktijk over te nemen van eenieder die met glazige ogen en een kegel op de rechtbank verschijnt. Daarom, en ook vanwege Sarah, blijf ik op het rechte pad. Als je een alleenstaande ouder bent, denk je aan zulke dingen.

'Wanneer denk je dat ze hem oproepen?' zegt Harry. Hij heeft het over Epperson als getuige.

'Nog niet. Het is te vroeg.'

Omdat we bijna niets van hem weten, hebben we nog het een en ander in te halen.

'Als je de verhalen mag geloven,' zegt Harry, 'was hij zo ongeveer de enige in het lab die je Kalista Jordans vriend zou kunnen noemen. Hij steunde haar toen ze haar problemen met

Crone had, tenminste, volgens de anderen. En afgezien van de moordenaar was hij een van de laatste mensen die haar in leven hebben gezien.'

Dat trekt mijn aandacht. Ik kijk hem aan.

'Die ruzie van Jordan en Crone op die avond in de kantine van de faculteit,' zegt hij.

'Koos Epperson partij?'

'Niet precies, al ging hij volgens één versie een ogenblik tussen hen in staan en probeerde hij haar over te halen om weg te gaan. Eén ding staat vast. Als iemand kan vertellen wat ze zeiden, is hij het.'

'En hij wil niet met ons praten?'

Harry schudt zijn hoofd. Het strafprocesrecht staat ons niet toe hem te dwingen buiten de rechtszaal onder ede een verklaring af te leggen.

'Wat weten we van hem?'

'Niet veel. Hij schijnt niet veel met zijn collega's om te gaan. Dat wil zeggen, behalve met Jordan.'

'Was dat platonisch?' vraag ik hem.

Harry kijkt me aan in de trant van 'Wie weet?'. 'Misschien doken ze samen de koffer in. Maar in dat geval kusten ze elkaar nooit in het openbaar en praatten ze er ook niet met anderen over. Ik kon geen van de andere mensen op het lab zelfs maar zover krijgen dat ze wilden speculeren. Toen ik ernaar vroeg, deden ze of ik lelijke geruchten aan het verspreiden was. Niemand schijnt hem goed te kennen. Hij is een mysterie. Volgens de laboranten was hij op zijn werk voor iedereen een groot vraagteken. Hij zei niet veel. Was op zichzelf.' Harry leest nu op uit zijn aantekeningen.

'Heeft Crone hem in dienst genomen?'

'Dat is niet helemaal duidelijk,' zegt Harry. 'Sommigen op het lab denken dat Jordan zelf hem misschien heeft binnengehaald.'

We zitten met het probleem dat we niet over verklaringen

beschikken die Epperson bij de politie heeft afgelegd. In ieder geval hebben ze ons daar niets over verteld. Dat betekent dat hij geen verklaring heeft ondertekend. Wat hij aan hen heeft verteld, houden ze voor zich. Daar is vast wel een reden voor.

Harry heeft twee keer geprobeerd met Epperson te praten, en beide keren werd de deur in zijn gezicht dichtgegooid.

Harry kijkt zijn aantekeningen door en neemt een slokje whisky. 'Achtentwintig jaar oud. Hij schijnt alles op alles te hebben gezet om uit Detroit weg te komen. Ging naar scholen in de binnenstad, kwam nooit in aanraking met de politie. Het schijnt dat hij ook goed kon springen,' zegt Harry.

Ik kijk hem verbaasd aan.

'Een volledige beurs op Stanford om te basketballen,' zegt Harry. 'Volgens de persberichten was die jongen een wonderkind. Lew Alcindor op weg om Kareem Abdul-Jabbar te worden.'

'O ja?'

'Als je twee meter vijfentwintig bent, kun je kiezen: basketballen of gloeilampen van straatlantaarns vervangen. Jammer genoeg lukte het hem als basketballer niet goed.'

'Waarom niet?'

Harry las uit zijn aantekeningen voor. 'Ze noemen het hartritmestoornissen. Ze komen veel voor bij erg lange mensen, schijnt het. Volgens de verhalen doen ze er onderzoek naar, vooral bij Afrikaans-Amerikanen van meer dan een meter tachtig. Een vergroot hart,' zegt hij. 'Epperson heeft geen goede rikketik. Omdat hij niet meer aan de voorwaarden van de beurs voldeed, lieten ze hem gaan. Maar daarmee was het niet afgelopen. Het schijnt dat die jongen erg volhardend en ook erg intelligent is. Hij kreeg die beurs niet meer op grond van zijn sportprestaties, maar toen kenden ze hem een academische beurs toe, en dat was niet voor lichamelijke opvoeding of communicatiewetenschappen.'

'Waarvoor dan wel?'

'Wis- en natuurkunde. Zoiets verplettert alle mythen,' zegt Harry. 'Die jongen gaat naar een school in de binnenstad, waar hij op de gangen moet wegduiken voor kogels en ergens buiten moet pissen omdat binnen de toiletten allemaal vernield zijn, en hij haalt toch negens en tienen. En op Stanford flikt hij dat opnieuw. Vier jaar lang negens en tienen op de faculteit Technologie. Hij studeert af als een van de besten van zijn jaar en wordt bijna vertrapt in de stormloop van rekruteerders die hem willen hebben. Alle ondernemingen in de Fortune 500 en meer dan tien universiteiten zitten achter hem aan. Eén ding is volkomen duidelijk.' Harry neemt een slokje van zijn whisky. 'Die jongen gaat niet naar Detroit terug.' Hij slaat een paar bladzijden om en vindt iets. 'Daarna werkt Epperson een jaar voor dit bedrijf hier. Het heet... Cyber – genom, genam, genomics.' Hij kijkt me aan.

Ik haal mijn schouders op.

'Als ik moet afgaan op wat ik over dat bedrijf kon vinden, zit het niet op internet. In ieder geval niet als Cybergenomics Incorporated. Met zo'n naam moet het wel erg hightech zijn. Hoe dan ook, een jaar later werkt Epperson voor Crone. Verder gaat zijn cv niet.'

'Is er iets dat erop wijst dat hij Jordan al kende voordat hij daar ging werken?'

'Daar kom ik zo nog op,' zegt Harry. 'Weet je, ik heb Crone diezelfde vraag gesteld. Hij zei dat hij dacht van niet. Daar komt nog bij dat noch Epperson noch Jordan ooit iets in de geneeskunde, de biowetenschappen of de genetica had gedaan, en toch werken ze in dat geneticalaboratorium. Zij was gespecialiseerd in iets dat moleculaire elektronica heet. Zijn specialiteit is nanorobotica.'

'Wat is dat?'

'Een technologisch terrein,' zegt Harry. 'Het heeft met kleine robots te maken. En dan bedoel ik microscopisch klein. Acrobaten die hun kunstjes doen op een speldenknop.'

'Waar worden die robots voor gebruikt?'

'Weet ik niet. Het schijnt dat ze iets in de geneeskunde kunnen doen.'

'Kijk eens aan. Dat is de schakel,' zeg ik.

'Ja.'

'En wat zegt Crone?'

'Wat hij altijd zegt. Hij viel terug op: "Mijn lippen zijn verzegeld". Alsof het de hoogste roeping van de wetenschapper is om zijn mond stijf dicht te houden. Die klootzak is echt het braafste jongetje van de klas. Met een cliënt als Crone heb je toch geen officier van justitie meer nodig? Hij doet zijn uiterste best om zichzelf op te knopen, en ons erbij. En hij is al een heel eind op weg.' Harry moet even uitrazen.

'Wat zeggen de andere mensen op het lab?'

'Allemaal hetzelfde oude liedje. Je zou bijna denken dat iemand ze onder druk zet,' zegt hij.

'Ja, hè?'

'Het enige dat ik uit ze los heb gekregen, was een verwijzing naar een oude science-fictionfilm, *Fantastic Voyage*. Ooit gezien?'

Ik schud mijn hoofd. 'Die moet ik hebben gemist.'

'Ze schieten een miniatuuronderzeeër in iemands neus of zoiets. Injecteren hem in iemands lichaam. In die onderzeeër zitten mensen die heel klein gemaakt zijn,' zegt Harry.

'Ik wist wel dat ik een reden had om hem niet te gaan zien.'

Harry negeert me. 'Ze maken een reis door het lichaam van die kerel om hem van een of andere ziekte te genezen. En het schijnt dat we zover zijn.'

'Wat bedoel je?'

'Ik bedoel die nanorobotica.'

'Mensen heel klein maken?'

'Nee. Dat niet, denk ik. Alleen de onderzeeër,' zegt Harry.

'Echt waar?'

'Ik weet het niet. Het rare was dat die laboranten steeds over hun schouders keken terwijl ze me dit vertelden. Die hebben zich natuurlijk rot gelachen toen ik weg was. Ik kon er alleen op bepaalde momenten heen gaan, als die Tash er even niet was.'

'Waren ze bang voor hem? Die laboranten?'

'Ik weet niet of "bang" het woord is. Maar hij heeft een verkillend effect op de conversatie,' zegt Harry. 'Het lijkt wel of al die mensen zwijgplicht hebben. En als Tash er is, zeggen ze geen stom woord. Ik kreeg een keer een van die laboranten zover dat hij zijn koffiepauze met me doorbracht. Hij zei dat hij er alleen in algemene termen over kon spreken. En op directe vragen gaf hij geen antwoord. Het enige dat hij over die nanorobotica wilde zeggen, was die verwijzing naar die film.'

'Minuscule onderzeeërs?'

'Ja. Onderzeeërtjes die een wilde tocht maken door de ingewanden van een doodzieke man. Ik wil niet eens weten waar ze er weer uitkomen. Ik heb het gevoel dat ik die reis al met Crone heb gemaakt. Toen ik bij die laboranten aandrong, zongen ze op het eind allemaal hetzelfde liedje. Handelsgeheimen.'

'Nou, in ieder geval vertelde hij ons iets dat waar is.' Ik heb het over Crone.

'Alleen als je je door alle leugens heen wilt werken,' zegt Harry.

'Wat bedoel je?'

'Weet je nog dat ik zei dat ik Crone had gevraagd of Jordan en Epperson elkaar kenden voordat Epperson op het lab kwam werken? En hij zei dat hij dacht van niet?'

Ik knik.

'Daar zou ik maar niet te veel op bouwen,' zegt Harry. 'Dat bedrijf, Cybergenomics, waar Epperson voor werkte voordat hij op het lab kwam? Ik heb ontdekt dat het een van de ondernemingen is die Crones werk op het lab financieren.'

'O ja?'

'Een bedrijfssubsidie,' zegt Harry. 'Een grote. En dat is nog niet alles. Datzelfde bedrijf bood Jordan een baan aan. Dat was ongeveer een maand voordat ze stierf.'

Mijn wenkbrauwen komen omhoog.

'Op het lab zeggen ze dat het een van de dingen was die tot wrijving tussen haar en Crone leidden. Ze boden haar een smak geld. Ik weet de bijzonderheden niet. We zijn nog op zoek naar papieren. Ik heb een dagvaarding naar die onderneming gestuurd om te pakken te krijgen wat ik kan. Volgens een van de laboranten liet Jordan doorschemeren dat ze haar tonnen per jaar hadden geboden om de sprong van het lab naar hun bedrijf te maken.'

'Misschien hebben ze Crone ook benaderd?'

'Dat was het probleem. Dat deden ze niet.'

'Als wij dit weten, kun je ervan op aan dat Tannery het ook weet.'

'Je denkt dat hij het op die manier speelt? Jaloezie om een baan?' vraagt Harry.

'Je hoorde wat hij tegen ons zei toen we bij hem in zijn kantoor waren. Ze onderzoeken een ander motief.'

'En dat zou het dus zijn? Dat Jordan een baan was aangeboden?'

'Ja, en misschien nam ze ook dingen van waarde mee.'

'Wat bijvoorbeeld?'

'Bijvoorbeeld die papieren waarvan Crone zegt dat ze ze heeft gestolen, en het subsidiegeld dat Cybergenomics in Crones centrum stopte.'

'Allemachtig,' zegt Harry. 'Denk je dat echt?'

'Ga maar na. Ze neemt papieren uit zijn kantoor mee. Hij wordt woedend. Ze doet alles om van hem af te komen. Ze heeft hem niet meer nodig. Ze weet net zoveel van het project als hij. Als ze voor Cybergenomics gaat werken, waarom zouden ze dan twee keer voor hetzelfde onderzoek betalen? Zijn geldkraan wordt van de ene op de andere dag dichtgedraaid.'

'Dat is een motief voor moord,' zegt Harry.

Ik knik.

'Je denkt dat Tannery weet wat er in die papieren staat?'

'Ik weet één ding: wij weten het niet.'

'Misschien is het niet meer dan wat Crone de hele tijd al beweert,' zegt Harry. 'Misschien hadden ze inderdaad beroepsmatige verschillen van mening.'

'Welke rol speelt Epperson in dit alles?'

'Dat wilde ik net gaan zeggen,' antwoordt Harry. 'Het zijn maar veronderstellingen, en het komt van een van de assistenten, die man met wie ik in de koffiepauze praatte. Maar volgens hem is Epperson misschien in het kader van die subsidie van Cybergenomics voor Crones groep komen werken. Niemand schijnt het zeker te weten, maar hij kwam ongeveer in diezelfde tijd aan boord.'

'Als consultant?'

'Niet voor zover ik kan nagaan. Hij schijnt vanaf het moment dat hij daar kwam werken een salaris van de universiteit te hebben ontvangen. Hij lijkt me eerder een soort spion, als degene met wie ik praatte het goed ziet.'

'Weten we hoeveel Epperson bij de universiteit verdient?'

Harry kijkt van zijn papieren op en begrijpt meteen wat ik bedoel. 'Als hij een grote salarisverlaging accepteerde om naar de universiteit te gaan, zou daar dan een reden voor zijn?'

'Misschien. Misschien aandelenopties. Als Crones team iets sensationeels ontwikkelt, en als die onderneming, Cybergenomics, daar een groot belang in heeft, zou het logisch zijn dat ze Epperson sturen om op de winkel te passen. Om ervoor te zorgen dat de research in de juiste richting gaat.'

'En om ervoor te zorgen dat niemand anders de resultaten inpikt,' zeg Harry.

'Als hij hun man in Crones lab is, zouden aandelenopties een salarisverlaging compenseren en er tegelijk voor zorgen dat hij Cybergenomics trouw blijft.'

Harry denkt daarover na. 'Interessant dat je dat zegt.'

'Waarom?'

'Epperson heeft een hartstocht. Het enige dat iedereen van hem schijnt te weten. Hij heeft een verslaving.'

'Wat dan?'

'Hij blijft 's nachts op om onderzoek te doen. Komt met roodomrande ogen op zijn werk en neemt vaak pauze om naar zijn laptop te gaan. Het schijnt dat de on line-aandelenhandel zijn lust en zijn leven is.'

Zaterdagmorgen, en het is helder en zonnig. Ik kan wel duizend plaatsen bedenken waar ik liever zou zijn. In plaats daarvan zitten Harry en ik naast een muf stel boeken over recht in onze bibliotheek op kantoor. We zijn hier om met Robert Tucci te praten, die uit San Jose in Silicon Valley is komen overvliegen.

Maandenlang was Tucci alleen maar een stem door de telefoon. Vandaag krijg ik voor het eerst zijn gezicht te zien en kan ik enigszins inschatten wat voor indruk hij zal maken wanneer we hem als getuige oproepen.

Hij is kaal. Een rafelig randje zwart haar hangt over zijn oren. Tucci ziet eruit als een hoogwaardigheidsbekleder uit de zeventiende eeuw, klein en dik en met worstvingertjes. Net onder het oppervlak van zijn gezicht zie je de schaduw van donkere baardgroei. Zijn gezicht krijgt daardoor het soort blauwige bleekheid die je vaak op oude olieverfportretten in Europese musea ziet. Dat is passend, want sommigen beschouwen Tucci als de Galilei van de moderne elektronica. Hij zit tegenover me, aan de andere kant van de bibliotheektafel. Achter hem vormen planken met juridische boeken de achtergrond, en als hij spreekt, is het net of een schilderij tot leven komt.

Ik heb hem ingehuurd om ons door het niemandsland van

de wetenschap te leiden, door het labyrint van de moleculaire elektronica, genetica en nanorobotica waarover Crone en Tash niet willen praten.

Harry vraagt hem of hij ooit iets heeft geschreven over de specifieke onderwerpen waarmee we te maken hebben.

'Niet voor publicatie,' zegt Tucci. 'Ik heb een aantal memoranda voor intern gebruik door O&O-afdelingen van ondernemingen opgesteld. Maar dat is een andere zaak.'

Tucci is een van de vooraanstaande figuren in de wereld van de hightech, een auteur en theoreticus die een belangrijke rol bij de ontwikkeling van de siliciumchip schijnt te hebben gespeeld. Hij heeft in alle belangrijke vakbladen in het land gepubliceerd en is gepromoveerd in zowel de fysica als de biologie. En wat nog het allerbeste is: hij heeft een aantal artikelen in de gewone pers voor het gewone volk geschreven. Die artikelen zijn in grote landelijke tijdschriften en kranten verschenen. Hij verstaat de zeldzame kunst dat hij wetenschappelijke dingen kan uitleggen aan Harry en mij, die zelfs nog worstelen met het mysterie van het vuur.

'Dit memorandum dat u voor afdelingen Onderzoek en Ontwikkeling van ondernemingen hebt geschreven,' zegt Harry. 'Zouden wij daar iets aan hebben?'

'Misschien. Maar ik kan het niet aan u geven. Het is beschermde informatie.' Hij bedoelt daarmee dat die informatie ook een handelsgeheim is. Dat schijnt een soort stopwoord te zijn in die kringen. Ik vraag me af of die kerels met computerfloppy's tussen hun knieën slapen om die dingen te beschermen.

'Dat kennen we,' zegt Harry.

Harry heeft twee weken op internet gezocht, op de sites van universiteitsbibliotheken. Hij zocht naar wetenschappelijke artikelen of nieuwsberichten die iets duidelijk konden maken over het project waaraan Crone en zijn kornuiten werkten. Hij heeft niets gevonden.

Tucci vertelt ons dat we waarschijnlijk nergens iets zullen vinden. 'Dit is pionierswerk. Daar lees je in de populaire pers pas iets over als er een grote doorbraak is. Tegen die tijd geeft het bedrijf dat het proces in handen heeft het ene patentfeestje na het andere. Dan hebben ze alles helemaal afgeschermd.'

'Om wat voor proces gaat het precies?' vraag ik.

'Een grote wetenschappelijke fusie,' zegt hij. 'Een soort synergie.'

'Waarvan?' vraagt Harry.

'Op het wetenschappelijke vlak heb je nanotechnologie en moleculaire elektronica, waarbij de genetica de software is die wordt gebruikt om de hele zaak te programmeren. Op het commerciële vlak heb je het over "schop- en houweel"-bedrijven, de nieuwe bedrijfjes die middelen verkopen waarmee je genetische data kunt genereren. Softwarebedrijven die zich specialiseren in het verhandelen van enorme hoeveelheden genetische informatie aan de geneesmiddelenfabrikanten. En tenslotte heb je de gigantische farmaceutische bedrijven die winst proberen te maken met nieuwe manieren om ziekten te behandelen. Sommige mensen spreken van een genetische goudkoorts. Er staan honderden miljarden dollars op het spel, en dat is waarschijnlijk nog maar een voorzichtige schatting,' zegt Tucci.

Dat trekt Harry's aandacht; ik zie dat zijn ogen beginnen te glinsteren. Hij vraagt zich af hoe hij daarin kan investeren.

'Het begon allemaal met genensequentie, het in kaart brengen van de menselijke genen. Het genoomproject?' Hij kijkt ons aan alsof we daar misschien niet van hebben gehoord. 'Ze hebben het menselijk genoom in kaart gebracht. Op dit moment moeten ze alleen nog wat plooitjes gladstrijken. De vraag is nu: hoe kunnen ze de kennis gebruiken? Welke genen op welke chromosomen veroorzaken borstkanker, of lupus?'

'Of chorea van Huntington,' zeg ik.

'Precies,' zegt Tucci. 'Volgens de theorie – en het is inmiddels al meer dan een theorie – kan de elektronica daar een rol bij spelen. Het is bewezen dat elektronische circuits tot het moleculaire niveau kunnen worden teruggebracht. Je hebt dan submicroscopische elektronische circuits die in levende organismen kunnen worden ingebracht. Een soort cellulaire computerchips. Aangenomen wordt dat dit een manier is om genetische informatie te coderen en over te brengen.'

'Moleculaire elektronica,' zegt Harry.

Tucci wijst met zijn vinger naar hem alsof hij duidelijk wil maken dat hij het goed heeft begrepen.

'De nanorobotica is het andere terrein. Microscopische robots die de geprogrammeerde circuits binnen het organisme kunnen vervoeren. Je zou dat het afleveringssysteem kunnen noemen,' zegt Tucci. 'In plaats van een geneesmiddel in te spuiten en te wachten tot het zijn weg door de bloedsomloop heeft afgelegd of door het weefsel wordt geabsorbeerd, kun je microscopisch kleine, geprogrammeerde robots inbrengen die de geprogrammeerde genetische informatie naar een exacte locatie brengen, bijvoorbeeld een orgaanstelsel of een afzonderlijke tumor in het lichaam, en dan op genetisch niveau hun werk doen. Je kunt chemische schakelaars aan- en uitzetten, enzymen die het menselijk immuunstelsel in staat stellen tegen ziekten te vechten. Op die manier kun je aandoeningen behandelen die nu nog terminaal zijn.'

'Ze denken dat zoiets mogelijk is?'

Tucci kijkt hem aan en knikt ernstig. 'Het is maar een theorie, maar de wetenschap om die dingen tot stand te brengen is er al.'

'Een magische kogel,' zeg ik.

'Precies. Dat heeft allerlei implicaties,' zegt hij. 'Gunstige en ongunstige. Je krijgt te maken met de gebruikelijke ethische problemen die op alle genetische onderzoek volgen. Het gaat om de elementaire bouwblokken van het leven. Er is het probleem dat we misschien uit de bron van de jeugd tappen.'

Harry kijkt hem vragend aan.

'Het probleem van de overbevolking,' zegt Tucci. 'Als het ons echt lukt ernstige ziekten te overwinnen en als daardoor plotseling de levensverwachting verdubbelt, wat doen we dan met al die mensen? Hoe geven we ze te eten? Wie krijgen de nieuwe behandelingen en wie niet? Wie krijgen de sleutels tot een langer leven en wie gaan er dood? Dat zijn grote vraagstukken.

Maar er is nog een ander probleem dat de andere misschien in de schaduw stelt. We hebben het over de creatie van een technologisch gemanipuleerde levensvorm, een organisme op zichzelf. Dat organisme zou zich kunnen voortplanten. Een virus bijvoorbeeld, gecodeerd in een genetische reeks en overgedragen door moleculaire elektronica en nanotechnologie, kan zich in het lichaam reproduceren. Dat is trouwens ook de bedoeling, want het maakt de behandeling effectiever. Maar als dit alles nu eens voor vernietiging in plaats van genezing wordt gebruikt? Het zou het wapen kunnen zijn dat de hele wereld te gronde richt. Microscopische nanorobotica, ontworpen om een virus over te dragen dat zich in korte tijd kan reproduceren en in levensvormen kan binnendringen, of dat de plantengroei op aarde vernietigt en daardoor grote hongersnood veroorzaakt.

Ze hebben er al een naam voor: de GNR-dreiging. Genetica, nanotechnologie en robotica. Volgens theoretici kan die dreiging de NBC-dreiging van de vorige eeuw vervangen – nucleair, biologisch en chemisch. Op zijn eigen manier is het gevaar veel verraderlijker. Er is altijd een keerzijde; de keerzijde van de munt van de vooruitgang. Sommige mensen willen het risico niet nemen. Heel begrijpelijk. De vraag is: hoe houd je het tegen? Hoe stop je de geest van de kennis weer in de fles?'

'En u denkt dat Crone daaraan werkt?' vraag ik.

'Het is een duidelijke mogelijkheid. Aangenomen wordt dat we nog vijf of zes jaar van een doorbraak verwijderd zijn. Maar wie weet?' Tucci kijkt ons met behoedzame kleine oogjes aan, als twee olijven die op het wit van een ei drijven. 'Eén ding staat vast. Wie er het eerst mee komt, wordt schatrijk. Het bedrijf dat het proces beheerst, laat zijn grootaandeelhouders waarschijnlijk van de ene op de andere dag naar de top van de Forbes-lijst stijgen. Ze worden de rijkste mensen op de wereld.' Hij zegt dit zonder enige twijfel.

'En de wetenschapper die het ontwikkelt?' vraag ik.

'Die kan zijn Nobelprijs gaan ophalen,' zegt Tucci. 'Hij of zij hoeft zich dan van niemand meer iets aan te trekken. En de doorbraak komt waarschijnlijk uit een lab als dat van Crone.'

'Waarom?' vraagt Harry.

'Het is een kleine organisatie. Voor de faciliteiten en subsidie verbonden aan een universiteit, maar wel zo onafhankelijk dat niemand, behalve misschien de directeur, precies weet hoe alle stukjes in elkaar passen. Op een dag komt er een persbericht en dan gaan de sluisdeuren open – de deuren die nu nog de bron van de jeugd verbergen.'

— 8 —

Doctor Gabriel Warnake is een zelfstandige consultant die momenteel onder contract staat bij het forensisch lab van San Diego. Hij verhuurt zijn deskundigheid en werkt bijna uitsluitend voor politiekorpsen in het hele land. Hij is gepromoveerd in de scheikunde en kan griezelig goed overweg met spectrografische analyse: warmte gebruiken om moleculen van elkaar te onderscheiden, zodat je ze als een soort vingerafdrukken kunt gebruiken. In de loop van de jaren heeft hij al heel wat verdedigers de grond in gestampt. Warnake is ook deskundig op het gebied van forensische microscopie, het gebruik van een microscoop om haren, vezels en andere fysieke sporen te identificeren en te analyseren. Deze middag heeft Tannery hem in de getuigenbank zitten om hem te ondervragen over de witte nylon kabelband die is gebruikt om Kalista Jordan te doden.

'Kunt u de jury vertellen waar die kabelband van gemaakt is?' Tannery houdt de doorgesneden band in zijn plastic zak omhoog. Op de band zijn nog kleine roestbruine vlekjes te zien. De juryleden zullen ongetwijfeld denken dat het bloed is. In werkelijkheid is het inkt van een onuitwisbare markeerstift, op de band aangebracht om hem in het forensisch lab te identificeren.

'Het is een kunsthars op basis van polymeren,' zegt Warnake. 'In de industrie bekend als nylon 66. Het is een oude verbinding, in de jaren dertig ontwikkeld door Du Pont.'

'Is dit nylon altijd wit van kleur?'

'Nou, het is in feite een kleurloze, ondoorzichtige materie. Maar je kunt er verfstoffen of pigmenten aan toevoegen. In feite kun je het elke kleur geven die je maar wilt. Sommige fabrikanten geven hun banden een kleurencode om de trekkracht aan te geven, of om elektrische draden die worden gebundeld te identificeren.'

'Daar worden ze meestal voor gebruikt? Om elektrische draden te bundelen?'

'Ze worden voor veel dingen gebruikt, maar dat is een belangrijke toepassing. Een grote markt,' zegt Warnake.

'Kunt u de jury vertellen hoe deze kabelbanden worden gemaakt?'

'Deze specifieke polymeerkunstharsen worden in een gietvorm geïnjecteerd. Dat gebeurt bij grote hitte en onder hoge druk. In die vorm vloeien ze uit, niet als water, meer als honing, nogal stroperig.'

'Over wat voor hitte hebben we het?'

'Nylon 66 smelt bij ongeveer tweehonderdveertig graden Celsius. Ze gaan tot ongeveer tweehonderdtachtig graden. Op die manier maken ze het heet genoeg om ermee te kunnen werken. De temperatuur van de gietvorm is meestal lager. Als het spul eenmaal begint te vloeien, wordt het snel onder hoge druk geïnjecteerd. Een druk van tachtig tot tweehonderdveertig kilo per vierkante centimeter, afhankelijk van de gietvorm en de toegepaste hitte.'

'Kunt u ons iets vertellen over de gietvormen die worden gebruikt om de banden te vormen? Wat zijn dat voor gietvormen?'

'Ze zijn van staal. Ze kunnen grote druk weerstaan en ze zijn aan de binnenkant erg glad.'

Tannery glimlacht. Hij komt nu waar hij wil zijn. Harry en ik hebben daarover gespeculeerd, de twee kanten waar hun getuige heen kan gaan. Omdat Warnake geen formeel schriftelijk rapport heeft ingediend, kunnen we alleen maar gissen. We denken in de richting van werktuigsporen, hetzij tijdens de fabricage hetzij daarna. Het een vormt een erg groot probleem; het ander is misschien minder problematisch, afhankelijk van wat onze geleerde te zeggen heeft.

'U hebt die gietvormen zelf gezien?' vraagt Tannery. 'U hebt ze in het productieproces waargenomen?'

'Ja.'

'Hebt u de binnenkant van zo'n gietvorm bestudeerd?'

'Een dwarsdoorsnede,' zegt Warnake. 'Ja.'

'En hebt u die dwarsdoorsnede vandaag meegebracht?'

Warnake knikt en pakt zijn aktetas.

'Vermeldt in het rapport,' zegt de rechter, 'dat de getuige een voorwerp uit zijn aktetas haalt. Laat me dat zien.'

Warnake overhandigt het aan de rechter, en even later zijn wij ook naar de rechter toe gekomen om te overleggen. Ik zeg tegen Coats dat we dat ding voor het eerst zien.

'Waarom is het niet eerder genoemd?' vraagt de rechter.

'We presenteren het alleen maar als voorbeeld, edelachtbare. Om het productieproces te demonstreren,' zegt Tannery. 'We zijn niet van plan het als bewijsmateriaal in te dienen.'

De rechter denkt daarover na en kijkt mij dan aan. 'U hebt daar geen bezwaar tegen, meneer Madriani?'

'Zolang maar duidelijk wordt gemaakt dat dit niet de gietvorm is die is gebruikt om een van de kabelbanden in kwestie te maken. En als onze eigen experts maar in de gelegenheid worden gesteld om hem later te onderzoeken.'

Tannery knikt. 'Geen probleem.'

'U mag er gebruik van maken voor dat beperkte doel,' zegt de rechter. 'En later onderzoek moet mogelijk zijn.'

Even later is de aanklager bij de getuige terug en vraagt hij hem de gietvorm te beschrijven terwijl Warnake het ding voor de jury omhoog houdt. 'Ik weet niet of u het op die afstand kunt zien, maar er is een kleine holte, deze lijn hier.' De glanzende randen, en de kleine tandjes van de sluiting, zijn uitgespaard in staal en glinsteren als facetten van een diamant in het licht van de felle plafondlampen.

'Dit is een halve sectie van een volledige gietvorm. Normaal gesproken zit er nog een helft aan vast en bevindt de holte zich in een stalen blok. U kunt zien hoe glad de binnenkant van de holte is. Het nylon wordt hier in deze opening geïnjecteerd, totdat de hele holte is opgevuld. Dat gebeurt onder erg hoge druk, en in een fractie van een seconde. Die snelheid zorgt voor wat ze uniforme smeltaflevering noemen en voorkomt premature verstijving. Als de nylon hard wordt voordat hij volledig zijn vorm heeft kunnen aannemen, krijg je een kabelband die niet goed werkt. Na afkoeling – daar gebruiken ze water voor – wordt de gietvorm geopend en de voltooide kabelband uitgeworpen. Het hele proces duurt maar een paar seconden. Dan begint het opnieuw.'

'Ik neem aan dat ze die kabelbanden in grote aantallen kunnen maken?'

'Eén afdruk,' zegt Warnake, 'strekt zich over twintig tot dertig individuele gietvormen uit. Ze kunnen enkele duizenden kabelbanden per uur maken.'

'Zijn die allemaal hetzelfde?'

'Alleen voor het blote oog,' zegt de getuige. 'Ze zien er hetzelfde uit.'

'Maar ze zijn het niet?'

'Niet onder een microscoop.'

'Misschien kunt u dat de jury uitleggen?' zegt Tannery.

'Door de individuele banden onder een microscoop te bekijken kunnen we werktuigsporen identificeren,' zegt Warnake. 'Als je iets met behulp van gietvormen maakt, waarbij uniforme druk wordt uitgeoefend en metaal in contact komt met het voorwerp dat wordt gemaakt, zal het oppervlak van het metaal microscopische sporen op het oppervlak van het product achterlaten. Geen twee gietvormen zijn exact hetzelfde. Hoe glad of hoe uniform ze ook zijn, het oppervlak van het metaal zal zijn eigen individuele karakteristieken op het voorwerp in kwestie overdragen.'

'Zoals vingerafdrukken?' vraagt Tannery.

'Dat is een goede vergelijking.'

'In dit geval op de nylon kabelband?'

'Dat klopt.'

'Doctor Warnake, hebt u de kabelband in die plastic zak daar onderzocht, de band die is gebruikt om Kalista Jordan te doden?'

'Ja.'

'En vond u individuele werktuigsporen op het oppervlak van die kabelband?'

'Ja.'

'En kon u de gietvorm vinden die gebruikt is om die kabelband te maken?'

'Ja, door een eliminatieproces en enig onderzoek.'

'Kunt u de jury vertellen waar die kabelband is gemaakt?'

'Hij is gemaakt door Qualitex Plastics, een firma in New Jersey.'

'Weet u wanneer hij is gemaakt?'

'Nee. Dat kan ik u niet vertellen.'

'Maar u bent er zeker van dat hij door dat bedrijf, Qualitex, is gemaakt?'

'Ja. Door andere kabelbanden uit die fabriek te onderzoeken kon ik banden vinden die hetzelfde patroon van werktuigsporen vertoonden als de band in kwestie.'

'En dat zou erop wijzen dat de banden die u hebt onderzocht afkomstig waren uit dezelfde gietvorm als de kabelband waarmee Kalista Jordan is gedood?'

'Dat is juist.'

'En u bent daar zeker van? U bent er – met uitsluiting van alle andere gietvormen die hiervoor worden gebruikt – zeker van dat deze specifieke gietvorm bij Qualitex de band heeft voortgebracht die gebruikt is om het slachtoffer in deze zaak te wurgen?'

'Ja.'

'Dank u.' Tannery loopt naar de bewijsmaterialenwagen en zoekt in een paar kartonnen dozen tot hij vindt wat hij zoekt. Hij vraagt toestemming om naar de getuige toe te gaan.

'Doctor Warnake, mag ik u vragen de kabelbanden in deze zak te onderzoeken?'

Warnake neemt de zak aan en kijkt naar de banden die erin zitten.

'Herkent u ze?'

'Ik herken het label dat eraan is bevestigd.'

'Zijn die initialen op het label van u?'

'Ja.'

'En hebt u de banden in die zak onderzocht?'

'Ja.'

'Edelachtbare, voor de goede orde: de banden in kwestie zijn de kabelbanden die door inspecteur De Angelo in het huis van de verdachte zijn gevonden. De inspecteur heeft ze als zodanig geïdentificeerd,' zegt Tannery. 'Ze zijn gemarkeerd voor identificatie, en uit het verslag zal blijken dat ze ontdekt zijn in de zak van professor Crones jasje, dat in de kast in de hal hing.'

Coats kijkt niet eens op. In plaats daarvan knikt hij instemmend en maakt een aantekening op het schrijfblok dat voor hem op de rechterstafel ligt.

'Doctor Warnake, kunt u de jury vertellen wat u deed om de kabelbanden in deze zak te onderzoeken, de kabelbanden die in het jasje van de verdachte waren aangetroffen?'

'Ik onderzocht ze afzonderlijk, legde ze elk onder een stereomicroscoop. Ik zocht op specifieke locaties op elk van de banden naar werktuigsporen.'

'En wat ontdekte u?'

'Ik stelde vast dat ze gemaakt zijn door dezelfde fabrikant als die van de kabelband die gebruikt is om het slachtoffer, Kalista Jordan, te wurgen.'

Er ging een gemompel door de rechtszaal. Mensen op de tribune fluisterden, mensen van de pers en de media, die aan hun water voelden dat er bloed ging vloeien.

'Zijn die banden geproduceerd met dezelfde gietvormen waarmee ook die kabelband is geproduceerd? De band die gebruikt is om Kalista Jordan te doden?'

'Nee. Ze komen uit andere gietvormen in dezelfde productielijn. Gietvormen die in het bezit zijn van dezelfde producent.'

'Even voor alle duidelijkheid.' Tannery maakt bewegingen met zijn handen alsof hij de jury een beeld schetst. 'Er is een groot aantal van deze gietvormen in de fabriek waar de banden worden gemaakt? Meer dan één?'

'Dat is juist.'

'En elk van die gietvormen maakt andere werktuigsporen wanneer ze met gesmolten plastic worden geïnjecteerd?'

'Ja.'

'En als de banden zijn geïnjecteerd en afgekoeld, wat gebeurt er dan mee?'

'Ze worden verpakt en naar distributiepunten in het hele land verstuurd. In sommige gevallen zijn dat groothandels, in andere gevallen detailhandels.'

'Dus als je naar de winkel ging en een van die pakjes kabelbanden kocht, zou je banden krijgen die terug te voeren zijn tot een hele lijn van productiegietvormen, waarschijnlijk in dezelfde fabriek?'

'Ja. Ik denk van wel.'

'En dat hebt u hier aangetroffen?'

'Ja.'

'U kon de productielijn vinden waar de band is gemaakt die gebruikt is om Kalista Jordan te doden?'

'Ja.'

'En in diezelfde fabriek kon u gietvormen identificeren die de twee kabelbanden hadden voortgebracht die in het jasje van de verdachte waren aangetroffen, het jasje dat eigendom was van professor David Crone?'

'Dat klopt.'

Coats zit nu rechtop. Hij kijkt voor het eerst naar de getuige. Zijn donkere toga en glanzende kale hoofd zijn net een omgekeerd rechterlijk uitroepteken achter Warnakes woorden.

'Kon u hieruit afleiden dat de band die gebruikt is om het slachtoffer, Kalista Jordan, te doden, en de kabelbanden die in het jasje van de verdachte zijn aangetroffen, gekocht zijn op hetzelfde tijdstip, op dezelfde locatie?'

'Protest.' Ik ben opgestaan. 'De aanklager vraagt om speculatie.'

'Ik vraag alleen naar de waarschijnlijkheid,' zegt Tannery. 'De getuige heeft zich in fabrieken en verkooppunten verdiept. Hij dient in de gelegenheid te worden gesteld daarover een verklaring af te leggen.'

Coats is daar niet zo zeker van. Hij wil met ons praten. Hij roept mij en Tannery naar zich toe.

'Meneer Madriani, ik zou denken dat de getuige daar al over heeft gesproken.'

'Dan is het al gevraagd en beantwoord, edelachtbare. Dan hoeft de vraag niet meer te worden gesteld.'

'Nee, het is niet helemaal hetzelfde,' zegt Tannery. 'Ik vroeg hem naar productielijnen en vervoerspraktijken. Ik probeer de dingen alleen maar met elkaar in verband te brengen,' zegt hij.

'Deze getuige kan niet weten of de band die is gebruikt om het slachtoffer te doden en de banden die in het jasje van de verdachte zijn aangetroffen uit dezelfde winkel komen.' Ik ben rood tot aan de puntjes van mijn oren. 'Dit gaat iedere deskundigheid te boven. Het is een kwestie van feitelijke kennis.'

'Het is een kwestie van waarschijnlijkheid,' zegt Tannery. 'We weten dat alle banden uit dezelfde fabriek komen. Ze kwamen uit dezelfde productielijn. Is het niet waarschijnlijk dat ze in dezelfde winkel zijn gekocht?'

'Dat is een kwestie van speculatie.'

De rechter schudt zijn hoofd. Ik kan het niet geloven. 'U krijgt straks uw kans om hem aan een kruisverhoor te onderwerpen, meneer Madriani. Dat zal ik toestaan.'

We gaan terug naar onze plaatsen. Harry kijkt me vragend aan. Ik schud alleen mijn hoofd. Zo voel je je als je hebt verloren terwijl je weet dat je in je gelijk staat.

'Is het niet erg waarschijnlijk, doctor Warnake, dat de kabelband die is gebruikt om Kalista Jordan te doden en de kabelbanden die in de zak van de verdachte, David Crone, zijn aangetroffen op hetzelfde verkooppunt zijn aangeschaft?'

'Ik denk van wel.' Warnake glimlacht nu. Hij weet dat hij het niet kan bewijzen. Tannery is te ver gegaan. Dit is precies het soort fout dat in hoger beroep door ons gebruikt kan worden.

'Misschien maakten ze deel uit van hetzelfde pakket?' zegt Tannery.

'Edelachtbare, ik moet bezwaar maken.'

'Toegewezen.' Ik zie het aan het gezicht van de rechter. Hij heeft een fout gemaakt en is zich daarvan bewust.

'Laat me u dit vragen, doctor Warnake,' zegt Tannery. 'Kunt u, op grond van wat u weet, de mogelijkheid uitsluiten dat al deze kabelbanden uit hetzelfde pakket en uit dezelfde winkel kwamen?'

Hij heeft het zo gedraaid dat ik eigenlijk niet kan protesteren, al doe ik dat toch.

'Ik sta dit toe,' zegt Coats.

'Nee, ik kan die mogelijkheid niet uitsluiten,' antwoordt Warnake.

Crone kijkt van achter de verdedigingstafel naar me op. Hij legt zijn hand op mijn arm alsof hij me wil troosten. Aan zijn gezicht zie ik dat hij niet verbaasd is. De man van de wetenschap accepteert de conclusies van de wetenschap.

Harry trekt een ander gezicht: *zei ik het niet?*

Binnen enkele seconden nadat de hamer van de rechter is neergekomen, komt er een hele slagorde van bewaarders naar voren om Crone naar de cel terug te brengen. Daar zal hij zijn pak en das voor een overall en rubberen slippers verwisselen en geboeid over de brug lopen die het gerechtsgebouw met het huis van bewaring verbindt.

Terwijl de rechtszaal leegloopt, pakken Harry en ik onze papieren bij elkaar. Enkele omstanders, nieuwsgierigen die naar de rechtbank komen, praten nog wat na over de gebeurtenissen van deze dag. De meeste verslaggevers zijn teruggegaan naar de perskamer, waar ze hun verhalen per e-mail opsturen, opnieuw een staak in de reputatie van onze cliënt drijven en opnieuw een baksteen aan de kant van het openbaar ministerie op de weegschaal leggen.

Tannery's bewijsvoering begint duidelijke vormen aan te nemen, zo duidelijk als een polaroidfoto die zich voor onze ogen ontwikkelt. Juristen kunnen het voelen wanneer hun tegenstander op dreef komt. Het is een gevoel dat je hart in paniek laat bonken, al trek je in de rechtszaal alle registers open, al ben je nog zo zelfverzekerd en spin je een web van leugens voor de media.

Zoals altijd gaat het er vooral om dat je tegen jezelf liegt, en dat je dat ook nog overtuigend doet. Dat is de kunst van de ware gelovige, die elk bedrog, ook dat van hemzelf, zonder meer als waarheid accepteert. Noch Harry noch ik behoort tot die religie. Wij zijn cynische pessimisten. Ik heb mijn eigen onuitgesproken twijfels. Ik ben ervan overtuigd dat in de kern van deze zaak een diepgaand bedrog schuilgaat, al kan ik nog steeds niet accepteren dat mijn cliënt Kalista Jordan zou hebben vermoord.

Pas wanneer ik mijn exemplaar van Wests editie van het Wetboek van Strafrecht in mijn doos met papieren leg, zie ik hem in zijn eentje achter in de rechtszaal zitten. Frank Boyd heeft vanaf de achterste rij gezien dat we steeds zwakker komen te staan.

Hij draagt een witte schildersoverall met op zijn schouder nog wat zaagsel dat hem is ontgaan toen hij zich afklopte. Op zijn ene broekspijp zitten vlekken van wat zo te zien opgedroogde lijm is.

Frank is timmerman. Hij is een kunstenaar met hout. Hij heeft schouders als een footballer en onderarmen als Popeye. De man kan balken zo groot als boomstammen versjouwen en ze eigenhandig op hun plaats zetten en bewerken, met niets dan een eenvoudig takeltje om het gewicht te dragen terwijl hij op een ladder balanceert. Hij is het soort man dat je aan je kant zou willen hebben als je oorlog ging voeren.

In zijn vroegere leven was hij leraar geweest, maar op een gegeven moment waren de muren van het klaslokaal op hem afgekomen. Frank werd leerling-houtbewerker op een scheepswerf en leerde in zes jaar tijd het vak van scheepstimmerman. Hij werkte interieurs van jachten af, totdat de federale weeldebelasting die bedrijfstak vernietigde en hij zonder werk kwam te zitten. Hij gaf de moed niet op, begon voor zichzelf en verhuurt zich nu al veertien jaar aan bouwers van grote huizen, waaraan een kunstenaar te pas moet komen om het hout af te werken.

Het zit in zijn bloed, onafhankelijkheid en kunst. Ik heb houtskool- en potloodportretten van zijn kinderen ingelijst in de gang van hun bescheiden huis zien hangen. Doris zegt dat Frank ze heeft gemaakt. Hij heeft anatomielessen gevolgd om beter te begrijpen hoe het menselijk lichaam in elkaar zit, hoe het beweegt en functioneert. Hij maakt nu tekeningen – tekeningen met zoveel zelfvertrouwen gemaakt dat je zou denken dat ze uit een schetsboek van Da Vinci zijn gescheurd. Ik vraag me af wat er zou zijn gebeurd als hij olieverfschilderijen of zoiets was gaan maken. Ongetwijfeld zou hij dan net zo min rijk zijn geworden als nu. Het is Franks pech dat hij net als veel andere kunstenaars gehinderd wordt door een volslagen gebrek aan commercieel gevoel. Hij heeft geen besef van zijn eigen waarde.

Als een vagebond rijdt hij in zijn gehavende Volkswagenbusje uit de jaren zestig, dat al zijn derde motor heeft en waarvoor hij alleen bij sloperijen nog onderdelen kan vinden. De achtervering dreigt onder de last te bezwijken, het gereedschap dat hij in de loop van dertig jaar heeft verzameld. Beitels en grote zagen, verstekbakken voor hoeken en kleine gekromde handzaagjes van Japans staal die van een postorderbedrijf uit Azië zijn gekomen. Hij gebruikt ze voor zaagwerk met microscopische precisie. Ik heb gehoord dat hij complete trappen maakt in huizen die je ook kastelen zou kunnen noemen, om die complete constructie, de stootborden, de treden en leuningen vervolgens weer te ontmantelen, alleen om nog een klein beetje hout weg te schaven totdat de onderdelen als stukjes van een puzzel in elkaar passen. Het kenmerk van Franks houtbewerking is perfectie.

Als het op zijn werk aankomt, is hij een verslaafde. Hij rijdt tweeduizend kilometer met zijn oude busje, ladders op het dak, om een maand aan een houten buitenhuis in de wildernis van Montana te werken, in opdracht van een beleggingsmakelaar van de oostkust die van zijn blokhut een paleis in de stijl van de Medici wil maken. Voor Frank staat het werk centraal, niet de cliënt. Een man als hij komt gauw in de situatie dat hij hard moet werken voor geen of weinig geld. Het feit dat bouwers graag willen dat Frank zijn gespecialiseerde werk bij hen komt doen, zegt iets over zijn grote vakbekwaamheid, maar het geld dat hij ervoor krijgt, is soms nauwelijks genoeg om voor zijn benzine te betalen. Hij is het hedendaagse equivalent van de metaalsmid die het goud op het masker van een farao bewerkte. Niemand zal ooit zijn naam weten, al staat iedereen versteld van zijn kunst.

Vandaag heeft het stof op zijn werkkleren ongeveer dezelfde

doffe bleekheid als zijn gezicht, dat diep doorgroefd is alsof een dwerg een ploegschaar door de wallen onder zijn ogen heeft getrokken. Ik wed dat hij zich in drie dagen niet heeft geschoren, want de woeste stoppels staan op zijn wangen. In de maanden sinds we elkaar voor het laatst hebben ontmoet, is hij twintig kilo afgevallen, zodat ik nog eens goed in mijn geheugen moet graven voordat ik er zeker van ben dat ik de juiste persoon tegenover me heb.

Wat tegenwoordig voor een glimlach doorgaat, glijdt over zijn gezicht en is dan ook meteen weer verdwenen. Hij staat op en komt langzaam naar voren door het middenpad, om vervolgens langs de voorste rij stoelen opzij te schuifelen tot hij aan de andere kant van het hek bij de verdedigingstafel staat.

'Frank. Ik heb je een tijdje niet gezien.'

We schudden elkaar een beetje verlegen de hand. Zijn grote hand omvat de mijne helemaal, zodat ik het gevoel krijg dat ik een handschoen van schuurpapier draag. De huid van zijn handen is ruw genoeg om glas te vermalen.

Er is altijd een zekere maatschappelijke afstand tussen ons gebleven; Frank de arbeider en Paul de advocaat. Hij legt zichzelf de sociale beperkingen van een andere tijd op. Ik vermoed dat hij het nog veel moeilijker vindt om met een arts om te gaan, alsof hij met God praat. Voor Frank zal dat het extra moeilijk maken om de ziekte van zijn dochter te verwerken.

'Lang geleden,' zegt hij.

'De omstandigheden hadden beter kunnen zijn.' Ik wijs met mijn hoofd naar de rechtersstoel en glimlach.

'Zware dag?' vraagt hij.

'Alle dagen zijn zwaar. Je kent mijn collega, Harry Hinds?'

'Ik geloof niet dat we elkaar hebben ontmoet,' zegt Frank.

Harry kijkt hem nieuwsgierig aan en steekt zijn hand uit.

'Frank Boyd, Harry Hinds.'

Ze schudden elkaar de hand, en dan herinnert Harry zich de

naam. 'O, u bent de vader van...' Hij houdt zich in.

'Ja. Haar vader.' Boyd heeft iets dat aan de acteur William Devane doet denken. Dat komt door die trieste ogen met die wallen eronder, en zijn gezicht dat zelden van uitdrukking verandert, alsof de last van het leven gewoon te zwaar is voor elke vorm van opgewektheid. Het is de uitdrukking van een man die in emotioneel opzicht nooit boven water komt, die stilletjes aan het verdrinken is.

'Hoe gaat het met Doris?' vraag ik.

'O, goed. Goed. Ze is een taaie.'

En dan het onvermijdelijke. 'Penny?'

Hij kijkt me even aan en wendt zich dan af. 'Niet zo slecht,' zegt hij – de grote leugen. Wat hij bedoelt is: niet zo slecht voor een kind dat stervende is.

'Ik moet je spreken,' zegt hij. 'Als je even tijd hebt.'

'Goed. Zullen we het hier doen? Ik ben klaar voor vandaag.'

Hij kijkt naar de rechtszaal om hem heen, naar de ontzagwekkende formaliteit, de walnoothouten hekken en de verankerde theaterstoelen. 'Misschien kunnen we iets gaan drinken,' zegt hij. 'Ik trakteer.'

Harry biedt aan om alles op te ruimen en onze dossiers naar het kantoor terug te brengen. Hij heeft voor 's morgens en 's middags een ondernemende tiener met een steekwagentje en een bestelauto ingehuurd om ons te helpen de dozen met papieren heen en weer te brengen. Nu het proces aan de gang is, lijken die papieren zich voort te planten als ratten.

Harry en ik spreken af wat we de volgende ochtend gaan doen, en dan gaan Boyd en ik weg. Het is duidelijk dat Frank het vanmiddag nog moeilijker heeft dan anders. Als je iemand kent zoals ik hem heb gekend, niet heel intens maar wel langdurig, in rustige en moeilijke tijden, merk je wanneer hij je om een gunst wil vragen en daar moeite mee heeft.

Hij blijft een halve pas achter me lopen. We steken State

Street over naar de Grill op de Wyndham Emerald Plaza. Frank voelt zich hier niet op zijn gemak en laat dat blijken.

'Ik ben hier niet op gekleed,' zegt hij tegen me.

'Maak je daar maar niet druk om.'

Waarschijnlijk vraagt hij zich af of hij genoeg geld op zak heeft om te kunnen trakteren, zoals hij heeft aangeboden. Hoewel Frank zoveel werk heeft als hij maar aankan, vermoed ik dat hij en Doris nooit meer dan vijftigduizend dollar per jaar hebben verdiend.

Doris had een tijdlang een parttime seizoensbaan bij een klein bedrijf, maar dat moest ze opgeven toen Penny te ziek werd om naar de kinderopvang te gaan.

We lopen tussen tafels door. Het is het drukke uur na werktijd. Mensen komen iets drinken en vertellen elkaar de oorlogsverhalen van de afgelopen dag: flirtende secretaresses, jonge juristen op weg naar de top. De enigen die je hier niet zult aantreffen, zijn de borgtochtverstrekkers, die ongeveer een blok verderop zitten. Die hebben het te druk met geld verdienen, met het jagen op de cliënten van morgen.

We vinden een tafel achterin, met schemerige verlichting en reliëfhout. Ik bestel een glas wijn, de chablis van het huis, en geef de serveerster mijn creditcard. Frank protesteert daartegen, maar hij doet dat halfslachtig. Hij legt zich erbij neer, bestelt een biertje van het merk Bud en bedankt me. Hij is een grote man, pezig en sterk als een stier. Hij is een paar centimeter langer dan ik, ook nu hij hier over de tafel gebogen zit.

Hij kijkt alsof hij al twee dagen geen goede maaltijd heeft gehad. Ik bestel wat hapjes, kippenvleugels en gevulde champignons.

Frank doodt de tijd met conversatie, zijn nieuwste karwei, een villa voor een softwaretycoon. Hij heeft balken van duizend kilo, bestemd voor een mammoethaard, in zijn eentje naar de kelder gesjouwd. Met behulp van hefbomen verplaatst hij dat honderd jaar oude hout dat hij uit een gesloten fabriek in Colorado heeft gered. Iemand die zich afvraagt hoe de piramiden zijn gebouwd, zou eens met Frank moeten praten.

Ik merk dat hij wacht tot de serveerster terug is geweest en we ongestoord kunnen praten. De drankjes komen eerst. Vijf minuten later het eten, en dan aarzelt Frank niet meer. Hij valt op de champignons en kippenvleugels aan. 'Dit is lekker,' zegt hij, en dan merkt hij dat ik niet eet. Hij legt de kippenvleugel op het bordje voor hem neer en kijkt onzeker om zich heen.

'Jij neemt toch ook?' zegt hij.

'Ja.' Ik pak een vleugel om hem gezelschap te houden.

'Je vraagt je af waarom ik je wilde spreken?' zegt hij.

Ik glimlach.

'Het ging me niet om eten. Of een gratis biertje.'

'Dat dacht ik niet, Frank. Waarschijnlijk wil je hebben wat we je nog schuldig zijn voor je werk in het kantoor,' zeg ik. Frank heeft op plaatsen waar weinig ruimte was een aantal boekenkasten voor ons gemaakt en ons vijfhonderd dollar in rekening gebracht voor werk dat tweeduizend dollar waard is. Toen ik hem meer probeerde te betalen, wilde hij het niet aannemen. Hij zei dat het al meer dan genoeg was wat ik voor Penny had gedaan.

'Ik moet scheiden.' Hij zegt dat heel nonchalant. Op de toon van: 'Geef het zout eens door.'

Ik zeg niets, maar hij ziet me verbaasd kijken.

'Het gaat om de ziektekostenverzekering,' zegt hij. 'Ik moet scheiden vanwege de verzekeringen. Idioot, hè?'

'Als je nou eens bij het begin begint,' stel ik voor.

'Goed. Maar ik ga niet eten als jij niet ook eet.'

Om hem op zijn gemak te stellen prik ik een champignon aan een cocktailprikker.

'Het gaat om Penny,' zegt hij. Hij pakt de kippenvleugel op en begint ervan te eten, maar ik kan zien dat hij eigenlijk geen trek meer heeft. Hij legt de vleugel op het bord terug. In plaats daarvan pakt hij het bier, iets om de zinnen te verdoven. Hij negeert het glas dat de serveerster heeft ingeschonken en dat half vol is, met een slinkende schuimkraag, en neemt een slok uit de fles.

'Haar medische onkosten zijn gigantisch.'

'Dat kan ik me voorstellen.'

'Ik weet niet of je dat kunt. Vorige maand was het vijfentwintigduizend dollar.'

Hij heeft gelijk. Ik had geen flauw idee.

Hij kijkt me aan over de fles die hij met zijn grote hand bij de hals vasthoudt. 'Je vraagt je af hoe ik aan dat soort bedragen kom? Tot afgelopen dinsdag van de verzekeringsmaatschappij. Maar daar komt binnenkort een eind aan. Een levenslange limiet van een miljoen dollar,' zegt hij. 'Die hebben we met Penny bereikt. Daarom moeten we scheiden.' Hij zet het flesje op de tafel en buigt zich naar voren als een verkoper die zijn waren aanprijst.

'Doris en ik hebben erover gepraat. Ze wil het ook niet, maar weet je, het is echt de enige manier. We hebben tot drie uur vanmorgen zitten praten.'

Ik kan het aan Franks bloeddoorlopen ogen zien. 'Ze wil van je scheiden?'

'God mag weten waarom ze dat niet jaren geleden heeft gedaan,' zegt hij. 'Ik ben geen geweldige kostwinner geweest. Ik heb veel kansen verknoeid. Als ik leraar was gebleven, zouden ze op z'n minst een ziektekostenverzekering hebben gehad. Doris en de kinderen. Het meeste van het hout waarmee ik werk heeft meer hersenen dan ik. Ik heb een heleboel verkeerde beslissingen genomen.'

Ik zeg tegen hem dat hij te hard over zichzelf oordeelt.

Op dit moment zou ik willen dat ik een paar miljoen op de bank had staan die ik hem kon lenen. Maar ik ben net een nieuwe praktijk in een nieuwe stad begonnen en heb geen cent achter de hand.

'Ik ben op zoek geweest naar een baan. Maar wie neemt nou een afgebrand karkas als ik in dienst? Trouwens, zodra ze over Penny horen, komen ze altijd met een reden om me niet aan te nemen. Plotseling hebben ze dan al iemand anders.'

'Je hebt je eigen onderneming.'

'Ja. Dat is zo.' Hij lacht. 'Kijk, hier zie je mijn hele onderneming.' Hij houdt zijn verweerde handen omhoog. 'Mijn enige activa. Volgens de bank,' zegt hij. 'En ik kan ze niet verkopen of er een hypotheek op nemen. Dus wat kan ik beginnen? Wat kunnen Doris en de kinderen beginnen?' Hij kijkt me nu aan, gebogen over de tafel. Hij fluistert alsof we een geheime bijeenkomst hebben. 'Die man van de verzekering zegt dat hij niets voor ons kan doen. Als ik die polis niet al jaren had gehad toen Penny ziek werd, zouden ze ons er allang uitgegooid hebben. In feite zijn we onverzekerbaar. Dat betekent dat het huis en alles wat we hebben op het spel staat. Ze zullen het ons allemaal afnemen, tot op de laatste cent. Mijn kinderen komen op straat terecht. Ik had beter dood kunnen zijn.'

'Dat moet je niet zeggen.'

'Het is waar,' zegt hij. 'In ieder geval zouden ze dan een dak boven hun hoofd hebben. Ik heb een levensverzekering van een miljoen dollar. Helemaal afbetaald.' Hij zegt dat zijn ouders die verzekering jaren geleden voor hem hebben gekocht, voor het geval hem op een van zijn karweien iets overkwam.

'Neem een lening met die verzekering als onderpand,' zeg ik.

'Dat kan niet volgens de voorwaarden.'

Ik zeg tegen hem dat hij zich moet ontspannen, tot rust moet komen. Maar mijn woorden klinken als wat ze zijn, alleen maar bravoure. Ik heb makkelijk praten.

'Laten we eens naar de mogelijkheden kijken,' zeg ik.

'Welke mogelijkheden? Die zijn er niet.' Hij drinkt zijn glas leeg en heft zijn flesje naar de serveerster. 'Deze is voor mijn rekening.'

De serveerster komt. Ik bestel een biertje. Frank heeft behoefte aan het gebaar, al is het alleen maar om iets van zijn trots terug te kopen.

'Wanneer heb je dat van die limiet op je ziektekostenverzekering gehoord?'

'Ik wist al van die limiet van een miljoen, maar ik wist pas vorige week dat we daar al aan toe waren. Ik denk dat ik er gewoon niet over heb nagedacht. De ziekenhuisrekeningen gingen naar de verzekeringsmaatschappij. Wij kregen kopieën en stopten ze in een la. Dat ging een hele tijd zo door, ik weet niet hoe lang. Twee jaar misschien.'

'Kun je een beroep doen op iets? Bij de verzekeringsmaatschappij, bedoel ik.'

'Ik weet het niet. Kijk maar.' Hij grijpt onder zijn jas, in zijn binnenzak, en geeft me een envelop. Die is aan de bovenkant slordig opengescheurd, alsof iemand hem haastig met een vinger heeft geopend. 'Hij brandt al twee dagen een gat in mijn zak,' zegt hij. 'Hou hem maar. Alsjeblieft.'

Ik lees de brief. De maatschappij zegt de verzekering op omdat het maximaal uit te keren totaalbedrag binnenkort is bereikt.

Zijn tweede flesje komt, en hij begint eraan.

'Heb je een exemplaar van de polis?'

'Thuis,' zegt hij. 'Ergens.'

'We moeten die bekijken.'

'Waarom? Misschien kan ik ruzie met ze maken over de cijfers. Maar ik denk niet dat ik het zou winnen.'

'Denk je dat ze al zoveel voor je hebben uitgegeven? Een miljoen dollar?' vraag ik.

Hij knikt. 'Ja. Al die experimentele dingen. De behandeling in het medisch centrum van de universiteit. Ze is vorig jaar vier keer met ademhalingsproblemen in het ziekenhuis opgenomen, en drie keer in het jaar daarvoor. Ze kan haar speeksel niet beheersen. Het gaat haar luchtpijp in en komt in haar longen. Dan krijgt ze longontsteking en moet ze daar een maand, soms anderhalve maand, liggen.'

'En een echtscheiding is de oplossing?'

Zijn ogen stralen als die van een zwendelaar met een goed idee. Hij gaat rechtop zitten en buigt zich over de tafel naar me toe, als een verkoper die met zijn aanbod komt.

'We hebben het volgende uitgedacht. Die ziekenhuisrekeningen worden ons te veel. Over twee maanden is ons spaargeld op. Dan zijn we platzak. We hebben de andere kinderen om ons zorgen over te maken. Ik heb met Doris gepraat, en ze is het met me eens. Als we gaan scheiden, krijgt zij het huis, mijn pensioen en de voogdij over de andere twee kinderen. Ik ga daarmee akkoord. Boedelscheiding. Zo noemen ze dat toch?'

'Vooropgesteld dat een rechter het accepteert,' zeg ik.

'Waarom zouden ze niet? Als ik ermee akkoord ga.'

'Rechters zijn vreemde lui,' zeg ik. 'Vooral wanneer ze denken dat je dit doet om crediteuren te slim af te zijn.'

Hij negeert me. 'Ik zal alimentatie moeten betalen van mijn salaris, van wat ik verdien. Daar kunnen ze niet aankomen. Dat is toch zo?'

Ik trek een sceptisch gezicht. 'Wie zijn "ze"?'

'De staat,' zegt hij. 'Het zit als volgt in elkaar. Ik neem Penny en alle rekeningen. Daardoor zou ze voor gratis medische hulp in aanmerking komen, omdat ik blut zou zijn.' Hij glimlacht bij het idee dat hij armlastig zou zijn.

Ik begin met mijn hoofd te schudden.

'Er is geen andere manier,' zegt hij.

'Zelfs wanneer je het deed, zou het niet lukken,' zeg ik tegen hem. 'De overheid zou het meteen doorzien. De accountants van Medicaid zouden jullie al op de huid zitten voordat je de eerste cheque kon innen.'

Het is nu eenmaal een feit dat een sluwe oplichter die graag risico's neemt zoiets zou kunnen doen, in een Mercedes rijden en een luxe leventje leiden van andermans witgewassen cheques en elke dag een andere naam gebruiken, steeds onderweg, van staat naar staat, de autoriteiten altijd net een stap voor. Maar Frank en Doris Boyd zijn niet geschikt voor zo'n leven. Ik zie ze al in een gevangenisoverall, met hun kinderen op sleeptouw.

Ik zeg dat tegen Frank. Aan de wanhopige blik in zijn ogen zie ik meteen dat het onverstandig van me is. Hij ziet me nu als een vijand.

'Dat geeft niet,' zegt hij. 'Als ze ons in de gevangenis stoppen, kan de overheid voor Penny en de andere kinderen zorgen, terwijl Doris en ik onze straf uitzitten.' Hij meent het. Het is typisch het soort absurde idee dat brave burgers, mensen die nooit de binnenkant van een gevangeniscel hebben gezien, zich in hun hoofd halen als ze ten einde raad zijn. Frank heeft zijn vrouw dit aangepraat.

Ik voer tegenargumenten aan, maar hij wil niet luisteren. Frank heeft het gevoel dat hij de enige uitweg uit een wanhopige situatie heeft gevonden. Als ik nee zeg, verkoopt hij zijn busje en zijn gereedschap om een voorschot te kunnen betalen aan een derderangs advocaat die zijn geld aanpakt om die heilloze scheiding aan te vragen. Als ik hem onder mijn hoede kan krijgen, kan ik het hem en Doris misschien uit hun hoofd praten. Frank is in dat gezin degene die de beslissingen neemt. Doris zou hem naar de hel volgen als hij zei dat het de enige weg was. Ze heeft het te druk met haar pogingen om drie kinderen groot te brengen en een van hen in leven te houden.

We praten nog wat meer. Ik zeg tegen hem dat ik erover zal moeten nadenken en dat ik eerst naar de verzekeringspolis wil kijken. Misschien is er nog een andere oplossing.

'Verzekeringsmaatschappijen gaan moeilijk doen als je met processen dreigt, vooral processen wegens kwade trouw. Er is een kans dat je nog niet aan de limiet zit. Ze staan erom bekend dat ze de kosten opjagen. Misschien heb je nog wat tijd.'

Zijn ogen beginnen meteen te stralen. 'Denk je?'

'Het is mogelijk. En als je geen tijd hebt, kunnen we misschien wat tijd voor je winnen.'

Hij steekt zijn arm over de tafel uit, zijn hand koud en nat van het bierflesje, en pakt mijn onderarm vast. 'Je zou dat voor ons doen?'

Ik knik, en voor het eerst leunt hij in zijn stoel achterover en haalt hij diep adem, een moment van opluchting, zijn blik op het plafond gericht.

— 9 —

We zijn over de Interstate 5 op weg naar het noorden. Harry zit achter het stuur van zijn nieuwe Camry en de airconditioning zoemt. Mijn collega voelt er zo langzamerhand niets meer voor om in 'Leaping Lena' te zitten, mijn aftandse jeep met zijn bekraste ruiten, die ik wegklap als het mooi weer is.

Het zachte gonzen van de banden over de weg doet geruststellend aan, maar toch heb ik sterk het gevoel dat Harry ontevreden is. Warnakes getuigenverklaring heeft een gat in onze boot geslagen. De enige vraag is: zit dat gat onder de waterlijn?

Terwijl we onze weg naar La Jolla en de universiteit vervolgen, verbreekt Harry tenslotte de stilte.

'Je beseft zeker wel dat we met dat spanwerktuig door het oog van de naald zijn gekropen? We mogen de goden van de voorzienigheid wel op onze blote knieën danken.'

Als Warnake het werktuig uit Crones garage met de kabelband rond Jordans hals in verband had kunnen brengen, had Crone volgens Harry net zo goed meteen zijn koffers voor de trip naar de Folsom-gevangenis kunnen pakken.

'Het is zo onlogisch,' zeg ik. 'Als hij het heeft gedaan, waarom liet hij de kabelbanden dan in zijn jasje zitten, waar de politie ze vast en zeker zou vinden?'

'Misschien was hij ze vergeten. Mensen raken weleens in paniek,' zegt Harry. 'Vooral wanneer ze armen en benen hebben afgehakt. En hij is vergeetachtig. Bedenk wel, hij is degene die zich niet kon herinneren dat hij ruzie met het slachtoffer had gehad op de avond waarop ze verdween.' Dat zit Harry nog steeds dwars. 'Voeg die kabelbanden in zijn zak maar toe aan al die andere dingen die hij is vergeten.'

Volgens Crone waren die kabelbanden in zijn zak daar waarschijnlijk achtergebleven toen hij een week eerder een rommelavond had gehad. Dat was een ritueel. Hij kwam dan thuis van zijn werk, trok een paar werkhandschoenen aan die hij in de garage had liggen, verzamelde alle afval uit het huis, gooide het in de vuilnisbak en zette de bak aan de weg. Daarna zocht hij papier en karton bij elkaar en maakte er pakjes van met de kabelbanden en het spanwerktuig dat hij onder de werkbank had liggen. Volgens Crone was het niet zijn bedoeling het werktuig te verbergen. Het moest onder een oud stuk vloerbedekking zijn geschoven toen hij het weglegde. Dat was een geloofwaardig verhaal. Of de jury het accepteert of niet, hangt misschien af van het aantal juryleden dat zelf de vuilnisbak buiten zet.

'Ik geef toe dat het niet erg logisch is,' zegt Harry. 'Maar de man is in het algemeen een beetje wazig. Een typische professor. Je weet wat ik bedoel. Verstrooid. Veel begaafdheid en weinig gezond verstand.' Harry werpt me van achter het stuur een zijdelingse blik toe. 'Hij kan niet om het bewijsmateriaal heen. En wij ook niet.'

'Toch vraag ik me af waarom de politie zijn vingerafdrukken niet op de kabelbanden of het werktuig heeft gevonden,' zeg ik.

Harry heeft daarover nagedacht. 'De banden waren te klein, te smal voor een bruikbare vingerafdruk. En vergeet niet, ze hebben wel vegen gevonden.'

'En het werktuig?'

'Hij had misschien handschoenen aan.'

'Heb je ooit geprobeerd zo'n kabelband in de sluiting te krijgen met handschoenen aan?'

Harry schudt zijn hoofd.

'Ik wel. Het is niet makkelijk. Als hij zijn handschoenen uittrok om met die band te werken, waarom deed hij ze dan weer aan toen hij het werktuig ging gebruiken om de band strak te trekken?'

'Omdat hij een beetje raar is? Ik weet het niet. Dat is een gat dat we moeten dichtstoppen,' zegt Harry.

'Misschien veegde hij het werktuig schoon nadat hij het had gebruikt om Jordan te doden. Maar als hij dat deed, en als hij eraan had gedacht om vingerafdrukken weg te vegen, kon hij toch ook een stapje verder gaan en het ding wegdoen? Hij kon het ergens in het water gooien, of nog beter, bij het lichaam in de zak doen en die zak verzwaren en het hele pakket naar de bodem laten verdwijnen?'

'Misschien had hij geen tijd,' zegt Harry.

'Misschien heeft hij het niet gedaan,' zeg ik.

Hij glimlacht. Hij wil zich nooit vastleggen.

Voordat Tannery klaar was met getuige Warnake, liet hij hem nog iets vertellen over het spanwerktuig dat in Crones garage was gevonden. Maar het was daarbij niet zijn bedoeling Crone met het werktuig in verband te brengen. In plaats daarvan wilde hij iets aan een zwak punt in zijn bewijsvoering doen. Tannery kon de voor de moord gebruikte kabelband niet aan de hand van de werktuigsporen in verband brengen met het spanwerktuig dat in de garage was gevonden. Hij wilde de jury vertellen waarom hij dat niet kon.

Het schijnt dat degene die Jordan doodde zo hard aan het werktuig trok dat de kabelband verwrongen werd. De randen werden vervormd en het nylon werd uitgerekt voordat het werd doorgeknipt. Warnake deed een aantal tests, maar slaagde er niet in de exacte werktuigsporen op de rand van de doorgeknipte band te repliceren. Tannery legde dat aan de jury uit en lichtte op die manier die onvolkomenheid in zijn eigen bewijsvoering toe voordat wij er gebruik van konden maken.

Hij liet maar één onderwerp over dat ik tijdens het kruisverhoor kon aansnijden: het feit dat de sterkte van deze kabelbanden ze min of meer uniek maakte. Hij had onderzoek naar de producenten van deze banden gedaan en dat bleken er nog geen zes in het hele land te zijn. Als gevolg daarvan zou iemand die deze specifieke soorten banden wilde kopen zich tot diezelfde bronnen moeten beperken.

Mijn argument: er was een goede kans dat iedereen die de banden in San Diego kocht ze van dezelfde productielocatie had, met dezelfde werktuigsporen als de banden die in Crones zak waren gevonden. Nadat ik hem een aantal keren met die redenering om de oren had geslagen, hief Warnake tenslotte zijn handen ten hemel en sprak hij die geweldige woorden uit: '*Alles is mogelijk*.' Het was het beste waarop we mochten hopen, maar volgens Harry was het niet goed genoeg.

'Ik keek naar hun gezichten,' zegt hij tegen me.

'De gezichten van wie?'

'De twaalf gezworenen. Wie anders? De jury,' zegt Harry. 'En ze accepteerden het niet. Er was maar één ding dat indruk op ze maakte: Tannery's vraag over de band waarmee Jordan is gedood. Zijn suggestie dat die band afkomstig was uit hetzelfde pakket als de banden in Crones jasje.'

Harry heeft gelijk. De rechter mag Warnake dan hebben belet die vraag te beantwoorden, het feit dat de getuige met zijn antwoord begon, dat hij ermee wílde beginnen, hing tastbaar in de rechtszaal. De jury kon het voelen.

'Daar kan Tannery blij mee zijn,' zegt Harry.

En vanmorgen, nu we naar het geneticalaboratorium van de universiteit gaan om met Aaron Tash te praten, voel ik me terneergeslagen. We moeten kostbare tijd gebruiken om ons in onze eigen zaak te verdiepen, om de feiten te ontdekken die onze cliënt ons niet wil vertellen, vooral over relaties tussen mensen en in het bijzonder de relatie tussen hemzelf en Kalista Jordan.

Er zijn hier in de buurt genoeg academische ziekenhuizen. Er zijn twee medische centra die allebei ook opleidingsinstituut zijn, en we hebben hier zoveel onderzoeks- en opleidingsprojecten dat elke grote stad in het land er jaloers op zou zijn. Maar in tegenstelling tot het Salk Institute en Scripps wordt het Universitair Genetisch Centrum, dat bij iedereen die er vaak komt bekend staat als 'het centrum', niet gefinancierd door een rijke stichting. Het is gevestigd in gehuurd vastgoed, een kantoorgebouw van vier verdiepingen naast de campus. Dat gebouw staat symbool voor het precaire bestaan van het centrum, dat in financieel opzicht als het ware van jaar tot jaar leeft.

Het centrum moet zelf voor zijn financiering zorgen. We hebben gehoord dat Crone in aanvaring is gekomen met universiteitsbestuurders en een paar regenten die toezicht wilden houden op zijn geldinzamelingsacties, die zich grotendeels in kringen van het bedrijfsleven afspelen. De angst bestaat dat de universiteit vanwege de banden van het centrum met het bedrijfsleven in een kwade reuk komt te staan als Crone geld aanneemt van de verkeerde mensen, bijvoorbeeld van bedrijven of organisaties die in politiek opzicht verdacht zijn. Crone was kwaad omdat er aan zijn beoordelingsvermogen werd getwijfeld. Volgens waarnemers waakt Crone angstvallig over zijn onafhankelijkheid, over de vrijheid om onderzoek te doen en naar eigen goeddunken financiering voor het centrum te zoeken. Dat was een voortdurende bron van wrijving tussen Crone en de universiteit. Misschien verklaart het waarom andere universiteiten Kalista Jordan aanbiedingen met enorme salarisverhogingen deden maar geen belangstelling voor David Crone hadden. Hij heeft de reputatie dat hij lastig in de omgang is. Er gaan zelfs geruchten dat sommige universitaire autoriteiten Jordan zagen als iemand die Crones plaats als directeur van het centrum zou kunnen innemen. We hebben al het mogelijke gedaan om dat verhaal op te sporen en onschadelijk te maken. Als het waar is, kan het een duidelijk motief voor moord lijken.

Harry parkeert in de straat, bij een van de meters waar je twee uur mag staan. Wat de zwijgzame Tash ons ook te zeggen heeft, het zal vast niet langer duren.

Sinds Tash op onze getuigenlijst staat, mag hij niet meer in de rechtszaal komen, en hoewel we hem al twee keer hebben ondervraagd, hebben Harry en ik allebei het gevoel dat hij iets achterhoudt. Het is net zo moeilijk om informatie uit Tash te krijgen als om midden in een sneeuwstorm water uit een ijsberg te distilleren. Hij is erg behoedzaam. Als je met je tong te dichtbij komt, blijft die misschien plakken, als de tong van een kind dat in de winter water uit een fonteintje likt. Als ik hem op een getuigenverklaring op de rechtbank moest voorbereiden, zou ik één ding tegen hem zeggen: gedraag je normaal. Als Crones nummer twee waakt hij nu over het heilig vuur van het centrum. Waarschijnlijk is hij nu degene die alle geheimen kent.

We nemen de lift naar de derde verdieping. Als de deuren opengaan, komen we in een kleine receptieruimte zonder pretenties, met antiseptische witte muren en projectvloerbedekking om het geluid te absorberen van de hakken die anders over het beton zouden klikken. Er zijn zes zitplaatsen, functionele stoelen van zwart plastic met chromen poten en armleuningen. Die stoelen staan langs de lege muren, drie aan elke kant van de ruimte. Naast een van de lege stoelen staat een lage tafel met een stapel oude tijdschriften, zo te zien wetenschappelijke vakbladen. Recht tegenover ons zien we een balie, een schoon oppervlak met niets erachter, behalve een open deur naar het binnenste heiligdom. Er is geen receptioniste, alleen die barricade in de vorm van de balie. Instinctief wil Harry eromheen lopen en gewoon naar binnen gaan.

'Je hebt toch een afspraak?' zegt hij.

'Ja, om tien uur.'

Harry kijkt op zijn horloge. 'Precies tien uur.' Hij loopt naar de balie. 'Hallo? Iemand thuis?' Harry klopt op het formica oppervlak. Alsof we in een graftombe zijn, hoor ik alleen de echo van Harry's stem. We wachten een paar seconden en Harry doet het opnieuw. Niets.

'Zullen we naar binnen gaan?' zegt hij.

Maar voordat we kunnen doorlopen, zien we een langzame schaduw op de gang, meteen gevolgd door een lange, slanke gestalte. Tash verschijnt in de deuropening achter de balie. Hij is slank en kaal en heeft een map in zijn armen. Hij kijkt ons met een volstrekt onbewogen gezicht aan. Ik kan niet zien of hij ons verwacht of dat hij vergeten is dat we een afspraak hebben. Bij Tash kun je nooit veel zien. Hij heeft een ijzig gezicht waarvan de uitdrukking nooit lijkt te veranderen. Je vraagt je af of het academische terughoudendheid of arrogantie is, of dat Harry gelijk heeft en die twee dingen hetzelfde zijn.

Tash draagt een zwarte katoenen coltrui onder een donker visgraatcolbertje en een donkere broek, zodat hij net iemand uit een tweederangs science-fictionfilm lijkt. 'Slank' is het woord niet. De coltrui hangt met plooien over zijn lichaam, als ribben op een skelet.

Hij kijkt op zijn horloge. 'U bent op tijd.'

'Dat zal wel komen doordat we advocaten en professoren zijn,' zegt Harry.

Tash werpt hem een zijdelingse blik toe. Alles op zijn gezicht is dood, van zijn ogen tot zijn mond, net John Malkovich.

'Kom binnen,' zegt hij. Geen begroeting of handdruk. Hij is geen sociaal dier. Tash zou er niet aan denken om koffie aan te bieden of een praatje te maken. Het ontbreekt hem aan de sociale vaardigheden van zijn baas. Er gaat geen enkele warmte van de man uit. Als ik op onze weinige ontmoetingen kan afgaan, is loyaliteit zijn beste eigenschap. Hij brengt minstens eens per week plichtsgetrouw verslag uit aan Crone. Hij blijft dus trouw aan een man die van moord wordt beschuldigd en door de universiteit zonder doorbetaling van salaris op non-actief is gesteld.

Als Tash daar problemen mee heeft, laat hij daar niets van blijken.

Sinds onze eerdere ontmoeting heeft hij gemakkelijk toegang tot Crone. Hij is nog twee keer in de gevangenis geweest, een keer met Harry en een keer met mij. Beide keren zei Tash geen woord tegen ons. Zwijgend stond hij in de lift en liep hij naar het kleine kamertje met zijn dikke scheidingswand van acryl, het kamertje dat ze gebruiken voor overleg tussen advocaat en cliënt. Ik moest Tash verzekeren dat het veilig was om in de telefoon te praten die aan de muur hing, dat niemand meeluisterde wanneer een gedetineerde zijn advocaat op bezoek had.

Tash behandelde Harry en mij elke keer alsof we meubilair waren. Hoe Harry zijn oren ook spitste, hij kon niets van het gesprek volgen. Hij vertelde me dat Crone en Tash nog meer cijfers doornamen; wetenschappelijke abracadabra, noemde Harry dat. Tash hield een vel papier tegen het acryl om het aan Crone te laten lezen. Dan schreef Crone een paar formules op een vel papier aan de andere kant en hield dat omhoog terwijl Tash aantekeningen maakte. Er gebeurde dus ongeveer hetzelfde als een week eerder, toen ik er zelf bij was. Daarna ging Tash weg, zo zwijgzaam als een muis van een meter tachtig. Harry of ik sprak nog even met onze cliënt.

We volgen Tash nu door de lange, smalle gang, langs een deur met een spiegelglazen ruit. Achter die deur zie ik roestvrij stalen tafels, bekerglazen en elektronische apparatuur. Dat is een van de laboratoria, neem ik aan.

'We zullen de kamer van professor Crone gebruiken,' zegt hij tegen ons.

De universiteit heeft nog niet geprobeerd Crone te vervangen. De bestuurders weten niet goed wat ze met de situatie aan moeten en nemen een afwachtende houding aan. De officiële reactie is 'geen commentaar zolang de zaak nog voor de rechter is', al hebben ze wel iets over Jordans aanklacht wegens seksuele intimidatie gezegd. 'Misschien hadden we daar eerder naar moeten kijken.' Dat was een van de commentaren die in de pers kwamen, afkomstig van een niet nader genoemde bron uit kringen van het universiteitsbestuur. De universiteit verdedigt Crone nog, al zijn daar duidelijke nadelen aan verbonden. Als ze hem publiekelijk laten vallen, wordt de kans op een veroordeling groter, en dan kan de universiteit een schadeclaim wegens dood door schuld verwachten of kan er een andere crisis uitbreken. Ze weten absoluut niet wat ze met hem aan moeten.

Tash haalt een sleutel uit zijn zak, maakt de deur van de kamer open en doet het licht aan. Crones kamer ziet eruit als een museum. De laag stof op het bureau is dik genoeg om er aardappels op te verbouwen, en hier en daar liggen vellen papier die niet meer van hun plaats zijn gekomen sinds de dag dat de politie de kamer doorzocht. Eigenlijk hadden ze alles in plastic vuilniszakken willen doen en alle archiefkasten naar een wachtende vrachtwagen willen rijden, maar ik en twee advocaten van de universiteit hielden de wacht en dwongen hen zich strikt aan de voorwaarden van hun huiszoekingsbevel te houden. Het doorzoeken van de kamer nam vier uur in beslag en was geen aangename affaire. Er vielen harde woorden. Ik herken de aantekeningen op een geel schrijfblok op het midden van het bureau, hetzelfde schrijfblok dat daar die middag lag. Nu is het bedekt met stof.

Tash ziet me naar het schrijfblok op het bureau kijken en leest mijn gedachten. 'We hebben opdracht van het universiteitsbestuur om niets aan te raken. Voor het geval dat de politie terugkomt om nog eens te kijken. De universiteit schijnt deze kamer als de plaats van een misdrijf te behandelen. Je zou verwachten dat ze meer vertrouwen in hun eigen mensen hadden.'

'Ja, dat zou je verwachten, hè?' zegt Harry. 'Toch is het misschien niet goed dat we hier zijn.' Terwijl hij dat zegt, begint Harry tussen wat boeken te zoeken die op een plank aan de andere kant van de kamer staan.

'Wat kan mij de politie schelen?' zegt Tash. 'Als ze de eerste keer niet goed kunnen zoeken, deugen ze niet voor hun werk.'

Zodra die woorden over Tash' lippen komen, zie ik Harry glimlachen. Eindelijk een universiteitsman met wie hij het eens kan zijn.

'De advocaten van het universiteitsbestuur kunnen met de officier van justitie praten, als ze dat willen. Daar maak ik me niet druk om,' zegt Tash. 'Trouwens, mijn eigen kamer is veel te klein voor dit soort besprekingen.'

Hij haalt een zakdoek te voorschijn en veegt het stof van de luxe draaistoel achter het bureau. Vervolgens gaat hij zitten en leunt achterover. De hoge leuning met zwart leer staat in sterk contrast met Tash' witte kale hoofd, dat net de punt van een omgekeerd uitroepteken is.

Harry neemt een van de stoelen tegenover hem en ik ga in een andere stoel zitten.

'Nou, wat wilt u weten?' vraagt Tash. 'U begrijpt dat als het met ons werk hier te maken heeft ik u niets kan vertellen.'

'Wat is dat hier toch?' vraagt Harry. 'Vroeg of laat wordt u als getuige opgeroepen. Als wij het niet doen, doet Tannery, de officier van justitie, het wel. Wat zegt u tegen hem als hij u vraagt wat u hier de hele dag doet?'

'We doen genetisch onderzoek,' zegt Tash.

'En als hij bijzonderheden wil weten?'

'Dan krijgt hij te maken met een legertje advocaten van de universiteit. Dat zal dan wel overleg in de raadkamer van de rechter worden. Zo noemen ze dat toch? Raadkamer?' Tash kijkt mij aan.

Ik knik.

'Als het moet, zijn ze bereid om naar andere rechters te stappen en via gerechtelijke bevelen gedaan te krijgen dat de inhoud van ons werk beschermd blijft. Ik denk dat meneer Tannery uiteindelijk wel zal inzien dat de specifieke aard van ons werk niets met het proces te maken heeft. Als hij voet bij stuk houdt, bereikt hij daar alleen maar mee dat het proces vertraging oploopt.'

'Als ik u zo hoor, gelooft u blijkbaar niet dat professor Crone wordt vrijgesproken,' zeg ik.

'Integendeel. Ik denk dat ze hem niets kunnen maken.'

'U bent niet op de rechtbank geweest,' zegt Harry.

'Zo te horen hebt u niet zoveel vertrouwen in de zaak,' zegt Tash.

'Wat cliënten betreft,' zegt Harry, 'is mijn vertrouwen in de zaak recht evenredig aan het waarheidsgehalte van hun mededelingen.'

'En u denkt dat professor Crone tegen u liegt?'

Harry geeft geen antwoord, maar zijn gezicht spreekt boekdelen.

'Als u ons nu eerst eens iets over Kalista Jordan en uw baas vertelde? Wat voor werkverhouding hadden ze?' vraag ik.

'Bent u daarvoor gekomen?' zegt Tash. 'Dan had u zich de reis kunnen besparen. Dat zou ik u ook door de telefoon hebben kunnen vertellen. Wat denkt u dat er aan de hand was?'

'Als u het ons nu eens vertelt?' zeg ik.

'Eigenlijk is het een erg saai verhaal. Het waren typisch de problemen die je in elke organisatie hebt. David Crone is briljant. Kalista was ambitieus.' Hij grijpt in de zak van zijn jasje, haalt er een appel uit, wrijft hem over de mouw van zijn jasje en haalt een klein padvindersmesje uit de zak aan de andere kant.

'En die klacht?' vraag ik.

'U bedoelt dat van die seksuele intimidatie?'

Ik knik.

'Die heb ik gelezen. Het leest als een sprookje. Die vrouw was bereid de hele boel bij elkaar te liegen om hogerop te komen. Ze beweerde dat de werkomgeving vijandig was. Als we hier vijandigheid hadden, dan heeft ze die zelf meegebracht toen ze hier kwam werken. Maar misschien denkt u dat ze een verhouding hadden.' Hij kijkt naar me op en glimlacht al bij de gedachte. 'Gelooft u me, het enige van haar dat David ooit naakt heeft gezien, was haar ambitie, en die zag hij pas toen het te laat was.'

'Had ze het op zijn baan voorzien?' vraag ik.

'Onder andere.'

'Op wat nog meer?'

'Het product van zijn werk. De vruchten van zijn arbeid.' Hij schilt de appel zo dun dat als de lange kronkelende slierten schil op zijn bureaublad belanden je de weerspiegeling van het licht erdoorheen kunt zien.

'Die papieren die ze uit zijn kamer wegnam?' vraag ik.

'Dat speelde ook mee. En vraag me niet wat dat voor papieren waren, want dat zal ik u niet vertellen.' Hij concentreert zich op de appel en heeft ons al meer dan een minuut niet aangekeken.

'Natuurlijk niet. Het zou niet in ons opkomen.'

'Niet dat ze zich te goed voelde om met behulp van seks vooruit te komen,' zegt Tash. 'Maar ze was een ijspegel. Als ze je aanraakte, kreeg je bevriezingsverschijnselen.' Terwijl ik Tash die beschrijving van haar hoor geven, is het net of ik een ijsberg een ijsblokje hoor beschrijven. 'En ze wist hoe ze het systeem kon manipuleren.'

'Welk systeem?' vraagt Harry.

'Het proces van gedachtenbeheersing dat in universitaire kringen tegenwoordig voor vooruitstrevendheid doorgaat. En nu heb ik het niet over ruimdenkendheid,' zegt Tash. 'Op de universiteit leef je in een politieke bunker. Je moet je woorden altijd op een goudschaaltje wegen, want voor je het weet heb je een of andere politieke blasfemie uitgesproken en is het afgelopen met je carrière. Colleges voor studenten zijn het ergste. Gelukkig voor ons geven wij geen college. Sommige studenten zijn net de Rode Garde. Ze staan klaar om je bij de autoriteiten aan te geven zodra je maar enigszins de indruk wekt dat je manier van denken niet helemaal aan de dogma's voldoet. Voor je het weet moet je een verplichte cursus "correct denken" volgen om je baan te houden. Natuurlijk noemen ze het "voorlichting seksuele intimidatie" of "sensitivity-training ten aanzien van minderheden". En ze hebben ook nooit genoeg vrouwenstudies. Als je biologie wilt studeren, heb je als verplichte vakken tegenwoordig ook "Politieke Gedachten van Vrouwen" en "Marxistische Ideologie". Jordan was gek op al die onzin. Ze gebruikte het wanneer het haar uitkwam. Toen David haar na haar eerste zes maanden op het centrum een evaluatie gaf, liet ze het vaste team van feministes naar het universiteitsbestuur bellen om te klagen. Ze bespeelde dat hele gedoe van de vrouwendiscriminatie als een harp, en als die een beetje vals begon te klinken, probeerde ze het met seksuele intimidatie. Volgens mij stond ze net op het punt om op rassendiscriminatie over te schakelen toen iemand ons allemaal een dienst bewees door haar uit de weg te ruimen.'

'Zo te horen mocht u haar niet graag,' zegt Harry.

'Zo is het. Dat heb ik ook tegen de politie gezegd toen ze het me vroegen.'

Harry en ik hebben dat in de politierapporten gelezen, Tash' verklaring op de dag nadat ze Crone hadden gearresteerd.

'In sommige opzichten was ze net als veel andere jonge vrouwen in deze tijd. Helemaal gespitst op wat ze wilde.'

'Dat geldt ook voor veel mannen die ik ken,' merk ik op.

'Nee,' zegt Tash. 'De jonge mannen die we hier hebben, zelfs de besten, worden steeds afgeleid door hun verlangen naar seks. De meeste vrouwen van mevrouw Jordans generatie daarentegen zien seks gewoon als een extra gave, naast intelligentie of hoge cijfers of een diploma van een prestigieuze universiteit. Het is gewoon een van de vele pijlen in hun koker. En ze weten er een goed gebruik van te maken.'

'Bedoelt u dat Jordan het gemakkelijk met collega's aanlegde?' vraagt Harry.

'Ik zeg dat ze een en al ambitie was.'

'Heeft ze ooit geprobeerd u te versieren?'

Tash kijkt Harry aan alsof die vraag geen antwoord verdient. 'Nee. Ze was egocentrisch, arrogant en oneerlijk en absoluut schaamteloos in haar jacht op publiciteit. De universiteit hield haar in publicaties als lichtend voorbeeld aan de studenten voor. Professor Crone werd nooit genoemd, en verder ook niemand op het centrum. Je zou bijna denken dat zij hier in haar eentje werkte. Ik kan me de vette koppen boven die artikelen nog herinneren. PROFESSOR KALISTA JORDAN, PIONIER VAN DE MENSELIJKE CEL. Haar portret op het omslag. Ze geneerde zich daar helemaal niet voor. Voor haar gevoel kwam het haar allemaal toe. Ze liet die omslagfoto inlijsten en hing hem in haar kantoor. Je zou hebben gedacht dat het een omslag van *Time* was.'

'We willen dat u openhartig bent,' zegt Harry. 'We willen niet dat u de pil verguldt.'

Tash trekt een grimas. 'U wilt weten wat ik dacht, dus dat heb ik verteld. Ik heb trouwens tegen David, professor Crone, gezegd dat hij haar niet in dienst moest nemen. Hij wilde niet naar me luisteren.'

'Waarom niet?'

'Dat weet ik niet. Dat zou u hem moeten vragen.'

'Nee, ik bedoel, waarom zei u tegen hem dat hij haar niet in dienst moest nemen?'

'Je zou het instinct kunnen noemen. Ik was bij het sollicitatiegesprek aanwezig. Er klopte iets niet aan haar. Trouwens, ik had het gevoel dat we iemand met betere kwalificaties konden krijgen.'

'Op haar terrein?'

'Ja.'

'En wat was haar terrein?' vraag ik.

'Dat weet u heel goed.' Tash kijkt me voor het eerst aan. 'Moleculaire elektronica.'

'En dat is?' wil Harry weten.

'Als ik al uw huiswerk moet doen, ga ik daar een honorarium voor vragen,' zegt Tash.

'Als we u nu eens als getuige oproepen en het u vragen?'

Tash kijkt hem allesbehalve vriendelijk aan. 'Het is een nieuw terrein. Het komt erop neer dat je in de elektronica gebruik maakt van atomen en moleculen in plaats van de meer conventionele transistoren.'

'En welke rol speelt dat in de genetica?'

'Het biedt perspectieven voor de medische wetenschap,' zegt Tash. 'En meer wil ik er niet over zeggen.'

'Goed. Vertelt u ons dan over Jordan en professor Crone,' zeg ik.

'Wat wilt u weten?'

'Wat was ze voor iemand toen ze hier kwam werken?'

'Ze was sympathiek. Ze wilde blijkbaar graag in het team passen. Maakte lange uren. Ze was hier vaak nog als ik wegging.'

'In haar eentje?'

'Soms.'

'Hoe goed kent u David Crone?' vraagt Harry.

'Zo goed als iedereen hier op het centrum. We werken nu hoe lang samen...' Hij kijkt naar het systeemplafond. 'Ik denk dat het een jaar of vijftien is.'

'Gingen hij en Jordan buiten werktijd met elkaar om?'

'Nee.'

'Zo te horen bent u daar zeker van,' zegt Harry.

'Dat ben ik. Buiten het werk hadden ze niets met elkaar gemeen. Het waren volslagen verschillende types.'

'In welk opzicht?' vraag ik.

'Zij was iemand die carrière wilde maken. Ze kweekte vriendschappen waar ze iets aan had om hogerop te komen. David had de pest aan dat soort dingen. Je kon hem niet overhalen om naar een receptie, diner of feest van het universiteitsbestuur te gaan. Daar ging hij niet heen, al hing zijn leven ervan af.'

'Misschien had hij een geheime kant? Een leven waarvan u niets wist?'

'In dat geval had het niets met Kalista Jordan te maken. Voor zover ik weet, hadden ze alleen hier op het centrum contact met elkaar. Volgens mij wisten ze niet eens van elkaar waar ze woonden.'

'Toch moeten er wel wat persoonlijke contacten zijn tussen de mensen die hier werken,' zegt Harry. 'Ik bedoel, een drankje na werktijd? Kerstfeest? Bier en pizza? Iets te vieren, een verjaardagsfeest, een doorbraak in een onderzoek?'

'Ja, dat wel.'

'Maar u hebt nooit gezien dat Jordan en Crone met elkaar omgingen?' vraag ik.

'Niet zoals u het bedoelt,' zegt Tash. 'Ze gingen vriendelijk met elkaar om, in elk geval in het begin. Wat je van professioneel ingestelde mensen zou verwachten. Ze praatten met elkaar.'

'Waarover?'

'Wie weet waar mensen over praten? Hobby's. Werk.'

'Wat voor hobby's?'

'Weet ik niet. Ik heb er niet goed naar geluisterd. David tenniste. Zij niet, geloof ik.'

'Maar op een gegeven moment ging hun onderlinge verstandhouding achteruit?'

'Ja.'

'Wanneer was dat?'

Tash denkt even na, tuurt naar het plafond alsof het antwoord daar staat afgedrukt. 'Ik denk dat het ongeveer een jaar geleden was. In mei.' Hij knaagt aan de geschilde en in vieren gesneden appel. 'David zei dat hij een probleem met Kali had. Hij noemde haar Kali.'

'Was dat gebruikelijk? Noemde hij andere mensen bij hun voornaam of bijnaam?'

'Soms.'

'Wie?' zegt Harry.

Tash denkt even na. Hij kan zo gauw niemand bedenken. Het is iets waarover we niet moeten beginnen als hij in de getuigenbank zit.

'En het probleem?' zegt Harry.

'Ze had papieren uit Davids kamer meegenomen, zonder dat hij het wist. Hij wist dat ze ze had meegenomen, want iemand had haar dat zien doen.'

'Wie?'

'Dat weet ik niet meer, maar het maakt ook niet uit, want Jordan gaf het toe. Ze zei tegen David dat ze de papieren nodig had om iets van haar werk af te maken. Hij was woedend. Hij zei tegen haar dat als ze iets uit zijn kamer wilde hebben ze hem daarom moest vragen. Ze hadden ruzie, hier in zijn kamer.'

'Was u daarbij?' vraagt Harry.

'Nee.'

'Heeft iemand anders die ruzie gezien of gehoord?'

'Gezien niet. Horen is iets anders,' zegt Tash.

Ik kijk vanuit mijn ooghoek naar hem.

'Stemmen zijn op afstand te horen,' zegt hij. 'De muren zijn dun.'

'En wat hoorde u?'

'Stukjes en beetjes,' zegt hij. 'Ze snauwden en grauwden. Vooral Kalista. Professor Jordan. We wisten allemaal dat het niet goed tussen die twee zat, maar ik wist pas wat er aan de hand was toen professor Crone het me vertelde.'

'En wat vertelde hij u?' vraag ik.

'Dat ze papieren uit zijn kamer had meegenomen.' We zijn weer bij het begin terug. Tash kijkt tevreden. Blijkbaar doet het hem goed dat hij ons niets heeft verteld wat we nog niet wisten.

'Bedreigde hij haar?' zegt Harry.

'Sorry?'

'Toen ze die ruzie hadden. Heeft professor Crone haar toen bedreigd?'

'Heeft iemand dat tegen u gezegd?'

'Wilt u gewoon de vraag beantwoorden?' zegt Harry.

'U bedoelt, met geweld bedreigd?'

Harry knikt.

Tash vindt die vraag wel grappig. 'O, ze zal zich vast wel vaak bedreigd hebben gevoeld, maar dan ging het niet om geweld.'

'Wat bedoelt u daarmee?'

'Laten we het zo stellen: als er ergens twee mensen waren en Kalista was een van die twee, dan was ze meestal niet de competentste persoon in de kamer. Haar probleem met professor Crone kwam erop neer dat ze zich onzeker voelde.'

'Hoe bedoelt u?'

'David wilde zich van haar ontdoen. Hij wilde haar ontslaan. Hij deed er ongeveer een maand over om te beseffen dat ze haar werk niet aankon. Dat wist ze zelf ook. Daarom diende ze die klacht wegens seksuele intimidatie in. Ze dacht dat het daardoor moeilijker voor hem werd om haar te ontslaan. Maar het is een feit dat haar baan te hoog gegrepen voor haar was. Bijna vanaf de dag dat ze voor ons kwam werken, was haar werk onder de maat. Ze kwam laat op het lab en ging vroeg naar huis. Wilde niet naar besprekingen komen. Voor mij staat vast dat ze zich bedreigd voelde door de mensen om haar heen. Door hun superieure intelligentie en andere capaciteiten. Ze paste er gewoon niet bij.'

Dat komt niet overeen met wat we van anderen over haar houding ten opzichte van haar werk hebben gehoord.

'Nou, één ding staat vast,' zeg ik tegen hem.

'Wat dan?' vraagt Tash.

'Er was geen briljant brein of een indringend intellect nodig omKalista Jordans armen van haar romp te scheiden.'

Dat levert me alleen een ijskoude blik op.

'Hij zou haar nooit hebben bedreigd. Zo zit David niet in elkaar. Hij is erg beheerst. Dat zal iedereen u vertellen. Ik heb hem nog nooit zijn zelfbeheersing zien verliezen. Misschien maakte hij zich wel eens kwaad. Maar ook als hij zich kwaad maakt, weet David zich te beheersen.'

'En u kon door die dichte deur horen dat hij zich beheerste?' vraagt Harry.

'Ik hoorde vooral haar stem,' zegt Tash. 'Sommige mensen hebben zo'n irritante nasale stem. Weet u wat ik bedoel? Ze had een stem die op nogal grote afstand te horen was.'

'Dus u hoorde maar één kant van de woordenwisseling?' zegt Harry.

Tash geeft dat toe.

'Zonder dat u de inhoud of de aard van die papieren prijsgeeft – hoe belangrijk waren ze?' vraag ik.

Tash denkt even na voordat hij antwoord geeft. 'Ik kan u vertellen dat ons werk hier in stukjes is verdeeld. Verschillende mensen werken aan verschillende aspecten van de projecten. Dat is zo geregeld om hun kennis en verantwoordelijkheid te beperken. Alleen de projectdirecteur weet hoe alle elementen op elkaar aansluiten.'

'En dat is professor Crone?'

'Ja.'

'U vertelt ons dus dat toen ze die papieren uit professor Crones kamer had weggenomen ze meer over de samenhang van al die stukjes van het project te weten kwam dan ze eigenlijk mocht weten?'

Tash knipt met zijn vingers, die nog vochtig zijn van de appel. 'Zo is het.'

'En dat leverde een groot probleem op?' vraag ik.

'Jazeker. Ik zou zelf niet kunnen inschatten hoe groot precies, maar het was een groot probleem. U moet begrijpen dat in ons werk geheimhouding van het grootste belang is. Er is veel concurrentie. Er staan patentrechten en grote hoeveelheden geld op het spel. Daarom hebben we hier zoveel beveiliging.'

'Ja, dat merkten we bij de deur,' zegt Harry.

'Eerste indrukken kunnen misleidend zijn,' zegt Tash. 'Als u in een van onze computers probeerde te komen, zou dat moeilijker zijn dan wanneer u in het Pentagon probeerde binnen te dringen. Er zijn wachtwoorden voor ieder toegangsniveau en een firewall om het hele systeem tegen de buitenwereld te beschermen.'

'En toch kon Kalista Jordan vertrouwelijk materiaal uit professor Crones kamer meenemen.'

'Hij dacht niet dat ze dingen zou stelen.'

'Weet u of professor Jordan die papieren of de informatie die erin stond aan iemand anders heeft doorgegeven?'

'Hoe kan ik dat weten? Weet ik veel, misschien heeft ze de informatie wel aan een concurrerend lab verkocht.'

'Hebt u reden om aan te nemen dat er zoiets is gebeurd?'

'Zoals ik al zei: ik weet het niet. En eigenlijk zou ik deze dingen niet met u moeten bespreken.' Hij heeft het over het werkproduct van het centrum.

'Nog één vraag,' zeg ik. 'Als professor Crone de genetica-expert was en professor Jordan de leiding van de moleculaire elektronica had, wie was dan verantwoordelijk voor de andere aspecten van het project?'

Hij denkt even na, vraagt zich blijkbaar af of hij een antwoord zal geven. We kunnen deze informatie ook op een informatieschema vinden. Tash is zich daarvan bewust en geeft dus antwoord. 'Dat zou dan Bill Epperson zijn.'

'Nanorobotica, nietwaar?'

Tash zegt geen woord.

— 10 —

Harry en ik zijn alleen. Vanaf het moment dat de liftdeuren zich achter ons sluiten, geven we ieder onze mening over Tash en zijn verhaal.

Het is moeilijk om een duidelijk beeld van Kalista Jordan te krijgen. Iedereen schijnt anders over haar te denken, en op zich is dat natuurlijk niet zo bijzonder. Volgens Tash was ze een egoïstische adder die altijd op de loer lag.

Harry denkt dat Tash misschien nog van pas kan komen. 'Het zou weleens onze beste verdediging kunnen zijn. Op die manier laat je de vrouw zelf terechtstaan.'

Dit is geen nieuwe aanpak in de strafrechtpraktijk, waar belastering van de doden aan de orde van de dag is. Als je voor elkaar krijgt dat genoeg juryleden hun wenkbrauwen fronsen, kan een moord in een misdrijf zonder slachtoffer veranderen.

'De vraag is: heeft Tash een juist beeld van haar? Een Afrikaans-Amerikaanse vrouw die een geweldige carrière heeft gemaakt, iemand die zich professor mag noemen. Op papier ziet haar achtergrond er erg goed uit,' merk ik op.

'Je denkt dat Tash jaloers op haar was?'

'Dat is een mogelijkheid. Misschien was ze ambitieus, maar dat is geen misdaad. Als we negatieve dingen over haar gaan zeggen, vervreemden we alle vrouwelijke juryleden van ons. En dat is nog niet alles. Er is ook nog het aspect van haar ras.'

'Je denkt dat onze vriend Tash moeite had met de kleur van haar huid?'

'Ik weet het niet. Maar als je hoort hoe hij over haar praat, kun je je voorstellen dat Tannery het gemakkelijk over die boeg kan gooien. Volgens Tash was Jordan een roofzuchtig type, maar uiteindelijk was zij het die werd vermoord. Hij zegt dat ze onbekwaam was maar geeft ons geen bijzonderheden. Als we hem in de getuigenbank zetten, zal Tannery het doen voorkomen alsof Tash zich bedreigd voelde, alsof hij jaloers was omdat ze zo'n hoge positie had en toegang tot Crone had.'

'Misschien is dat niet zo erg,' zegt Harry.

Ik kijk hem vragend aan.

'We kunnen Tash in de getuigenbank zetten en het hem moeilijk maken. De andere man,' zegt Harry.

'Je denkt dat Tash iets met haar had?'

'Het doet er niet toe wat ik denk,' zegt Harry. 'De vraag is: kunnen we het aan de jury verkopen?'

'De man heeft de uitstraling van een reptiel,' merk ik op.

'Misschien was er toch wat tussen die twee.'

'Wat? En toen kwam Crone ertussen? En Tash werd jaloers?'

'Misschien,' zegt Harry. 'En misschien zette hij zijn giftanden in haar. Dat is beter dan wat we op dit moment hebben. Luister, Tash is een man met veel woede. Hij is kwaad op alles en iedereen. Kwaad op Kalista Jordan. Die woede moet nog een andere oorzaak hebben dan zijn loyaliteit ten opzichte van zijn baas.'

'En wat wil je daarmee zeggen?'

'Misschien is hij de spreekwoordelijke woedende blanke man. Misschien kan hij niet met vrouwen omgaan. Zeker niet met zwarte vrouwen. Hij ziet dat ze hem bedriegt met Crone.'

'En dus vermoordt hij haar.'

'Er zijn wel vreemdere dingen gebeurd,' zegt Harry. 'En wie zou gemakkelijker toegang tot Crones garage hebben om bij dat spanwerktuig te komen, of tot zijn jaszak voor die kabelbanden?'

'Dat is allemaal heel mooi, op één ding na: Tash heeft een ijzersterk alibi voor de avond waarop Jordan verdween.' Volgens de politierapporten was Tash naar een bijeenkomst van huiseigenaren. Dat duurde tot kort voor middernacht. Daarna ging hij met twee buren naar een plaatselijke koffieshop, en daar zaten ze tot bijna één uur in de nacht te praten.

'Dat is het nou juist,' zegt Harry. 'We weten niet precies wanneer ze is vermoord. We weten alleen wanneer ze voor het laatst is gezien.'

'Als dat het enige is wat we hebben, is het niet makkelijk om de jury te overtuigen.'

Ik zie aan Harry's gezicht dat hij daar in stilte over nadenkt. Intussen komt de lift langzaam tot stilstand. Hij doet al een stap in de richting van de deur voordat ik hem bij zijn arm kan pakken. Het lichtje boven de deur is bij het cijfer 1 blijven staan.

De deuren schuiven open en Harry's weg wordt versperd door een lange gestalte die in de hal op de lift staat te wachten. Harry kijkt tegen de man op met een gezicht alsof hij de hoogte van een berg probeert in te schatten. Dan glimlacht hij en gaat hij voor de man opzij. De man moet zijn hoofd een beetje schuin houden om door de deuropening te kunnen gaan. Als hij opkijkt, glimlacht hij in het licht van de lift. Zwijgend kijkt hij ons beiden aan, eerst Harry en dan mij. Zijn gezicht is vriendelijk, belangstellend. Als ik een gok moest doen, zou ik zeggen dat William Epperson ons niet kan thuisbrengen.

We zitten al meer dan zes weken achter hem aan, vooral Harry. We willen weten wat hij gaat zeggen als hij in de getuigenbank zit. Nu heeft het lot hem bij ons in de lift gezet, en ik zie het in Harry's ogen: deze kans laat hij zich niet ontgaan.

Omdat Epperson op Tannery's getuigenlijst voorkomt, mag hij niet in de rechtszaal komen. In de weken voor het proces heeft Harry verschillende pogingen gedaan om met de man te praten, een keer bij hem thuis en twee keer bij het parket, maar dat leverde niets op. Epperson werd afgeschermd door opsporingsambtenaren van het openbaar ministerie, en hoewel ze hem niet konden verbieden met ons te praten, maakten ze hem goed duidelijk dat hij absoluut niet verplicht was dat te doen.

Onder zulke omstandigheden vinden de meeste getuigen het verstandig om hun mond te houden. Epperson vindt dat ook. Er is nu een aantal maanden verstreken. Als hij zich ons herinnert, laat hij daar niets van blijken.

Eenmaal in de lift, gaat Epperson aan de linkerkant staan en leunt tegen de wand. Zijn hoofd komt bijna tegen het plafond. Wanneer de liftdeuren dichtgaan, danst zijn spiegelbeeld over de glanzende koperen platen die de binnenkant van die deuren bedekken. Harry en ik staan daar in stilte. Dat is liftetiquette; we doen alsof we de reus die naast ons staat helemaal niet opmerken.

Tenslotte kijk ik naar hem op en bestudeer hem in het licht van de plafondlamp. Hij kijkt via de spiegelende deuren naar mij. We gaan naar beneden.

Epperson ziet er niet uit als een typische basketballer. Hij is groot, heeft een lenig atletisch lichaam, en zijn haar is gemillimeterd. Maar dat zijn dan ook de enige dingen die aan een typische basketballer doen denken. Hij draagt zijn kleren, een overhemd, een das, een keurig geperst pak, met een kalme waardigheid. Je kunt je hem niet gemakkelijk op het basketbalveld voorstellen, duwend en dringend met de rotzakken van de NBA.

Het lijkt of de delicate lijnen van zijn gezicht en hoge jukbeenderen met een beeldhouwersmesje in leemkleurige klei zijn uitgesneden. Hij heeft een geprononceerde kin die onder volle, opvallende lippen zijn kracht vindt. Die lippen zijn nu gesloten, en onwillekeurig vraag je je af wat voor klank de stem heeft die erin besloten ligt. Het is het soort gezicht dat je ertoe brengt om te luisteren; het heeft de trekken van een eeuwenoud masker. Je kunt je gemakkelijk voorstellen dat er adellijk bloed door William Eppersons aderen vloeit, het koninklijke bloed van een tijdloze Afrikaanse stam. Hij heeft de houding en het postuur van een Toetsi-krijger. Misschien heeft hij niet alleen zijn houding en postuur aan de versmallende genetische basis van aristocratische achtergrond te danken, maar komt zijn aangeboren hartaandoening er ook uit voort.

'Lekker weertje, hè?' Harry kan zich niet inhouden. Hij denkt dat Epperson ons niet heeft herkend en verbreekt de stilte.

De lange man kijkt op hem neer. Hij is niet arrogant of gebiedend. Hij kijkt met vriendelijke ogen en heeft het soort zelfvertrouwen dat je hebt als je weet dat je waarschijnlijk de langste man in dit deel van Californië bent.

'Het is de laatste dagen inderdaad mooi weer geweest, hè?' Zijn stem past bij het beeld dat ik van hem heb, een diep resonerende stem zonder overbodige spanning.

Het wordt weer stil. Harry is er nog niet. 'Een mooie nazomer,' zegt hij.

'Ja.' Epperson glimlacht. Hij drukt zijn lippen op elkaar en kijkt Harry aan.

Ik begin bang te worden dat mijn collega straks op de rode knop zal drukken om ons een noodstop te laten maken en Epperson ter plekke aan een derdegraadsverhoor te onderwerpen. Hartkwaal of niet, de man zou ons als kromme spijkers door de vloer kunnen slaan.

Harry kijkt recht in de ogen van de grotere man. 'Hebben we elkaar al eens ontmoet?'

Epperson kijkt Harry even aan. 'Ik geloof van niet.'

'Jij bent toch Bill Epperson?'

Hij geeft hem geen antwoord maar kijkt Harry nu aan met een gezicht van: *En wie ben jij dan wel?*

'Ik heb je een paar jaar geleden zien spelen. Een high-schoolwedstrijd in Detroit. Je scoorde veertig punten, als ik het goed heb.'

'Vierendertig,' zegt Epperson.

Dat kun je gerust aan Harry overlaten. Hij zit boordevol

feitjes en weetjes. Hij heeft alle papieren doorgenomen, ook de krantenberichten die Epperson zijn beurs in Stanford opleverden. Hij noemt met opzet een verkeerd getal om het geloofwaardig te maken.

'Je was erbij?' Epperson buigt zich van de muur vandaan. Je ziet de glans in zijn ogen. Misschien staan zijn voeten nog op de vloer, maar zijn geest is ergens in die etherische wereld van roem en vergane glorie, de goeie ouwe tijd, zijn jeugd in Detroit.

'Ik zal het nooit vergeten,' zegt Harry.

'Je ziet er niet uit alsof je uit Detroit komt.'

'Ik was alleen maar op bezoek,' zegt Harry. 'Ik heb daar een zuster wonen. In Ann Arbor.' Harry verzint dat ter plekke. 'We kwamen toevallig in het stadion verzeild waar de wedstrijd werd gehouden. Dat was geluk hebben,' zegt Harry.

'O ja?'

De lift komt langzaam tot stilstand en de deuren beginnen open te gaan.

Epperson glimlacht nog steeds. Hij gaat een stap naar de opening toe. 'Nou, ik vond het prettig om met je te praten.' Epperson gaat de lift uit.

'Weet je, mijn zoon zou een moord begaan voor een handtekening.' Harry staat niet toe dat er zo gemakkelijk een eind aan het gesprek komt. 'Zou je dat willen doen?'

We gaan de lift uit en komen in de hal van het gebouw. Epperson voelt zich in verlegenheid gebracht. Voor het eerst zie ik dat hij onzeker is. Hij weet niet of hij een pen moet pakken, weet niet wat hij moet doen. Hij houdt zijn handen met open palmen naar voren alsof hij iemand afweert die met een mes zwaait, en hij schudt zijn hoofd. Hij weet zich geen raad. 'Nee. Nee. Dat doe ik echt niet.'

'Waarom niet? Je hoeft me niets in rekening te brengen,' zegt Harry.

Ze lachen allebei.

'Nou, eh, het is me nooit eerder gevraagd.'

'Dan is dit de eerste keer.'

Omdat hij niet weet wat hij anders moet doen, en omdat hij niet onbeschoft wil overkomen, kijkt Epperson even naar mij en neemt dan Harry's grote Mont Blanc van hem aan.

Plotseling lijkt het of hij alleen maar duimen heeft. Hij kan de dop er niet af krijgen. Harry legt uit dat het een vulpen is en laat hem zien hoe je de dop eraf schroeft. Ze hebben niets waarop hij zijn handtekening kan zetten. Tenslotte geeft Harry hem een van de zaakdossiers, een bruine map. Gelukkig heeft hij de tegenwoordigheid van geest om hem om te draaien, zodat het etiket aan de andere kant zit, het etiket met STRAFZAAK DAVID CRONE.

'Hoe heet je zoon?' Epperson heeft zich eindelijk weer onder controle. Hij wil iets persoonlijks aan zijn handtekening toevoegen. Daarmee verrast hij Harry. 'Wat wil je dat ik schrijf?'

'Alleen een handtekening zou al geweldig zijn.' Als Harry nog even de tijd krijgt om na te denken, sleept hij Epperson mee naar een kantoorboekhandel, koopt hij daar een leeg vel papier en laat hij de man zijn handtekening daarop zetten, zodat we daarboven een alibi voor Crone kunnen typen.

'Mijn zoon zal niet geloven dat ik je echt heb ontmoet,' zegt Harry.

'Hoe oud is hij?'

'Zesentwintig,' zegt Harry.

Nu deinst Epperson letterlijk terug. Midden in zijn handtekening slaat hij zijn blik op naar Harry, gewoon om te kijken of die ze wel allemaal op een rijtje heeft. Epperson mag dan gevleid zijn, zijn ego is niet zo groot als zijn postuur. Wat moet een man van zesentwintig nou met een handtekening van een high-school-basketballer uit vroeger tijden, ook al is die basketballer houder van een record?

'High-school-helden waren alles voor hem. Hij heeft een hele verzameling handtekeningen.' Ik wacht tot Harry zegt, *mensen die het nooit helemaal gemaakt hebben – een erg zeldzame collectie*, maar hij bijt op zijn lip. 'Hij is die wedstrijd nooit vergeten.' Harry probeert zich eruit te redden. 'Hij heeft zelfs zijn zoon over jou verteld.'

'Zelf ook al een kind? Echt waar?'

'Ja. Je kunt soms niet verklaren waarom iets grote indruk maakt. Sportmomenten,' zegt Harry. 'Je vergeet ze nooit. Net als die vangbal van Clark op het eind. De Forty Niner-playoff, toen ze Dallas versloegen. Die vangbal waardoor ze naar de eerste Super Bowl gingen. Zoiets vergeet je nooit, hè?'

Epperson trekt een gezicht. Knikt. Hij herinnert het zich.

'Nou, die wedstrijd waarin jij veertig punten scoorde...' Harry blaast het cijfer weer op. 'Dat is hetzelfde.'

Epperson geeft Harry de map met de handtekening en zijn pen. 'Leuk je te hebben ontmoet,' zegt hij. Hij schudt Harry's hand en loopt naar de deur.

'Weet je, ik vraag me af... Omdat hij het me vast en zeker zal vragen...'

'Hmm?' Epperson blijft weer staan en draait zich om.

'Waarom speelde je niet op college?' Als ze maar aan de praat blijven.

'Blessures,' zei Epperson.

Plotseling kijkt Harry mij aan. 'Ik zei toch dat het zoiets moest zijn?'

Epperson kijkt nu mij aan. Hij vraagt zich af wie ik nou weer ben.

'We hadden een weddenschap. Ik zei tegen hem dat je in de NBA zou hebben gezeten, tenzij je blessures had opgelopen. Hij wilde me niet geloven. O, sorry. Jullie hebben elkaar nog niet ontmoet.'

Het feit dat Harry zichzelf niet heeft voorgesteld, schijnt Epperson niet dwars te zitten.

'Paul Madriani. Bill Epperson.'

O, shit. Ik doe mijn best om te glimlachen.

Epperson kijkt mij aan en laat mijn naam even op zich inwerken. Dan weet hij het weer. Hij aarzelt met het uitsteken van zijn hand.

'Jij bent de...'

'De advocaat,' zeg ik.

'Ja. Zeg, ik moet ervandoor. Ik ben al laat. Echt waar.'

'Ik zei tegen Paul dat je een grote ster zou zijn geworden,' zegt Harry. 'Dat je ergens een blessure moet hebben opgelopen. Wat was het, je knieën?'

'Mijn hart,' zegt Epperson. Hij kijkt nog steeds naar mij.

'Weet je, het komt goed uit dat we je tegenkwamen. We wilden je toch al bellen. Over het proces,' zegt Harry. 'Je vindt het toch niet erg als we tegen je praten? Ik bedoel, in alle redelijkheid.'

Aan de doffe blik in Eppersons ogen is te zien dat hij niet weet wat hij moet zeggen.

Harry neemt niet eens de tijd om adem te halen. 'De mensen van het openbaar ministerie hebben niet tegen je gezegd dat je niet met ons mocht praten, hè? Want als ze dat hebben gezegd, krijgen ze grote problemen met de rechter.'

'Nee. Nee. Niets van dien aard,' zegt Epperson. 'Ze zeiden alleen dat ik niet verplicht ben met jullie te praten.'

'Nou, in dat geval, omwille van de redelijkheid...' Harry kijkt hem aan met een van zijn beste gezichten, zijn wenkbrauwen opgetrokken over de rand van zijn bril met halve glazen, en last een heel korte pauze in. 'Je wilt redelijk zijn?'

'Ja. Dat wel.'

'Goed. Zullen we dan een kop koffie gaan drinken?'

'Ik kan nu niet. Ik heb een afspraak.'

Harry en ik denken hetzelfde – *Ja, met een telefooncel of zijn mobiele telefoon, om naar het parket te bellen.*

'Nou, we kunnen hier ook wel een paar minuten praten,' zegt Harry. Hij is niet van plan Epperson uit zijn klauwen te laten ontsnappen. Hij kijkt nog eens naar de handtekening op die bruine map. 'Weet je, mijn zoon zal hier heel blij mee zijn.'

Epperson kijkt hem met een zuur glimlachje aan. Hij heeft er nu natuurlijk spijt van dat hij niet de trap heeft genomen.

Harry slaat de map open, vindt een blocnote en schroeft de dop weer van de pen.

'Je was bevriend met Kalista Jordan?'

Epperson kijkt ons aarzelend aan. Hij weet niet of hij antwoord moet geven en zegt dan: 'Ja.'

'Hoe lang kende je haar al?'

Epperson denkt even na. 'Dat weet ik niet.'

'Je weet niet hoe lang je haar al kende?'

'Vijf jaar. Misschien zes. We hebben elkaar op de universiteit ontmoet.'

'Goed,' zegt Harry. Een beetje aanmoediging.

'Volgden jullie dezelfde studie of hebben jullie elkaar in jullie vrije tijd ontmoet?'

'In onze vrije tijd.'

'Hadden jullie een relatie?'

'Ik weet niet of ik het zo zou noemen. We gingen een paar keer uit.'

Harry tikt met de pen in het dossier. 'Relatie,' zegt hij.

'Dat heb ik niet gezegd. We hadden wederzijdse vrienden. We gingen altijd met vrienden uit. Ik was een paar jaar jonger dan zij.'

'Ja, ik viel ook altijd op oudere vrouwen,' zegt Harry. 'Misschien doen ze ons aan onze moeder denken.'

Als een zwarte man rood kan worden, zou ik zeggen dat Epperson dat nu wordt.

Harry is druk bezig notities te maken. 'Zullen we hierheen gaan?' Op zoek naar een harder oppervlak vindt hij een richel van glanzend graniet die als een stenen lambrisering langs de muur van de foyer loopt, en legt de blocnote daarop neer.

'Ik moet nu echt gaan,' zegt Epperson. 'Ik zal jullie mijn kaartje geven. Jullie kunnen me op mijn werk bellen.'

Harry kijkt me aan met een blik van 'morgen brengen' en negeert hem. Epperson wil niet onbeschoft zijn. Alleen dat weerhoudt hem ervan om van ons weg te lopen.

'Die avond waarop Kalista Jordan verdween.' Ik neem het even van Harry over. 'Kun je je die avond herinneren?'

'Moeilijk te vergeten,' zegt hij. Epperson kijkt mij nu aan.

'Je hebt met haar gegeten in de faculteitskantine op de campus?'

'Dat klopt.'

'Heb je die avond het gesprek tussen professor Jordan en professor Crone gehoord?'

Epperson vraagt zich nu echt af of hij antwoord moet geven. 'Zeg, ik vind dat we hier niet over moeten praten.'

'Waarom niet?' zegt Harry. 'Je wilt toch niet onredelijk zijn ten opzichte van de verdachte?'

'Nee, maar ik wil ook niet in moeilijkheden komen.'

'Hoe kun je nou in moeilijkheden komen?' vraagt Harry. 'Toch niet door ons de waarheid te vertellen?'

'Goed,' zegt hij. 'Ze praatten met elkaar.'

'Heb je daar iets van gehoord?'

Hij schudt zijn hoofd.

'Is dat nee?' vraag ik.

'Crone pakte haar bij haar arm vast. Leidde haar van de tafel vandaan. Ik kon er niets van verstaan.'

'Maar je kon het zien?'

Hij knikt.

'Was het een vriendschappelijk gesprek?'

'Dat hangt ervan af wat je onder "vriendschappelijk" verstaat. Hij sloeg haar niet, als je dat bedoelt. Ze hadden woorden.'

'Onenigheid?'

'Waarschijnlijk. Zoals ik al zei, ik kon het niet horen. Ze dempten hun stemmen. Tenminste, dat deed Crone.'

'Dus hij schreeuwde niet tegen haar?'

'Niet dat ik heb gehoord.'

'Maar Kalista, wat deed zij? Verhief ze haar stem?'

'Misschien,' zegt hij. 'Ik kan het me niet herinneren.'

Harry kan zijn geluk niet op.

'Professor Crone pakte dus haar arm vast om haar weg te leiden, opdat niemand hen kon horen. Maar heeft hij Kalista Jordan verder nog aangeraakt? Heeft hij zijn handen op haar gelegd?' vraag ik.

Zo zou ik in de rechtszaal de vraag inkleden. Ik zou er een afzwakkende context aan laten voorafgaan.

'Nee. Niet dat ik me kan herinneren.'

Ik kijk Harry aan om er zeker van te zijn dat hij ieder woord van mijn vraag en Eppersons antwoord heeft genoteerd. Harry zou als getuige kunnen fungeren wanneer Epperson in de getuigenbank iets anders zegt. Hij zou alleen maar hoeven te verklaren dat zijn aantekeningen correct waren.

'Zou je ons een getekende verklaring met die strekking willen geven?' Harry slaat meteen toe.

'Ik weet niet of ik dat kan doen,' zegt Epperson.

'Waarom niet? We zouden het erg kort kunnen houden. Alleen de vragen die we je hier hebben gesteld. Als we nog iets meer hebben, kunnen we daar via de telefoon naar vragen.'

'Ja. Goed. Bel maar,' zegt hij. 'Nu moet ik gaan.'

'Er is nog één ding,' zeg ik.

'Wat dan?'

'Die papieren. Die papieren die Kali...' Ik merk plotseling dat hij me niet meer aankijkt. In plaats daarvan is zijn blik gericht op iets in de verte, iets achter mij.

Ik draai me om en zie dat de liftdeuren open zijn. Voor die

deuren staat Aaron Tash. Hij stelt erg veel belang in ons drieën aan de andere kant van de hal, maar hij maakt geen aanstalten om naar ons toe te komen.

'Zeg, ik heb een afspraak en ik ben al laat. Ik moet gaan,' zegt Epperson.

'Je geeft ons een getekende verklaring? Onder ede?' vraagt Harry.

Epperson is al halverwege de deur. 'Bel me,' zegt hij. En dan is hij weg, de deur uit. Hij verdwijnt met zulke grote passen dat Harry en ik hem nog niet hadden kunnen bijhouden al zouden we zijn gaan rennen.

'Het lijkt wel of we opeens een besmettelijke ziekte hebben,' zegt Harry.

'Ja.' Ik kijk naar Tash. 'Ik zou er niet op willen wedden dat we hem op kantoor treffen.'

— 11 —

Een goede procesvoerder is een tovenaar, iemand die uitblinkt in de kunst van de misleiding. Tannery is zo iemand. Hij heeft steeds weer onze aandacht op William Epperson gevestigd om ons af te leiden. En vanmorgen haalt hij, in de kamer van de rechter, een verrassing uit zijn andere mouw.

Het is Tannery's mysterieuze getuige, Tanya Jordan, Kalista's moeder. Ze staat al maanden op de getuigenlijst van de aanklager, maar wij dachten dat hij daar andere bedoelingen mee had.

Harry brengt naar voren dat hoewel de getuige op de lijst staat, haar verklaring, die nu erg schadelijk is, daar niet op is vermeld. 'De staat is verplicht die verklaring beschikbaar te stellen,' zegt hij tegen de rechter.

'Ik ken de weg, meneer Hinds.' Coats is niet onder de indruk.

We vragen hem de getuigenverklaring te schrappen en ik zie meteen aan zijn gezicht dat we nog een moeilijke strijd te leveren hebben.

'Ze stond op onze getuigenlijst,' zegt Tannery. 'De verdediging heeft alle gelegenheid gehad om haar te benaderen en een verklaring van haar te krijgen. Als ze daarin niet zijn geslaagd...'

'Hoe konden we een verklaring krijgen? Volgens uw eigen professor loog ze minstens drie keer tegen uw opsporingsambtenaren voordat ze eindelijk met dit verhaal op de proppen kwam.'

'Daar zit wat in,' zegt Coats.

Harry scoort eindelijk een punt.

'We bleven aandringen, en tenslotte vertelde ze ons de waarheid,' zegt Tannery.

'Ja. Jullie zetten haar onder druk tot ze een leugen verzon waarmee jullie konden leven.' Harry wendt zich weer tot de rechter. 'Trouwens, we hebben geprobeerd met een aantal van hun andere getuigen te praten en kregen niets van ze gedaan.'

'Bedoelt u dat we hen hebben geïnstrueerd niet met u te praten?'

Harry kijkt Tannery een ogenblik aan, zijn gezicht doorgroefd van frustratie. 'Ja.'

'Hebt u daar bewijzen voor?' vraagt Coats.

'Nee.'

Tannery glimlacht.

'Zo komen we weer op de tegenstrijdige verhalen die de getuige heeft verteld,' zegt de rechter. 'Hoe zit het daarmee?'

'Het is een kwestie van geloofwaardigheid,' zegt Tannery. 'Het staat de verdedigers vrij om haar verhaal in twijfel te trekken waar de jury bij is. Ze kunnen de getuige vragen waarom ze haar verhaal heeft veranderd.'

'Wat hebt u haar verteld dat ze moet zeggen?' wil Harry weten.

'Ik maak bezwaar tegen die woorden.'

'Heren, alstublieft.' Coats begint zich te ergeren. 'Meneer Madriani, we hebben nog niets van u gehoord.'

Ik schud mijn hoofd. 'Wat kan ik zeggen? Dit is typisch een verrassing op het laatste moment. Een donderslag bij heldere hemel.'

'Hebt u voorstellen?'

'U kunt die getuigenverklaring schrappen.'

'Ja,' zegt Tannery. 'Wat verwacht u anders dat hij zegt?'

Harry en ik hadden een simpele reden om Tanya Jordan niet te benaderen. We gingen ervan uit dat ze zonder veel reden op de getuigenlijst van het openbaar ministerie was gezet, misschien als getuige om iets over het slachtoffer te vertellen, iemand die ze konden gebruiken als Crone al schuldig was bevonden en er nog over zijn straf beslist moest worden.

Volgens de politierapporten had ze in de maand voor de moord geen contact met haar dochter gehad, afgezien van twee korte telefoongesprekken. Ik heb haar maar één keer gezien, en dat was bij de rechtbank. Een aantrekkelijke vrouw van achter in de veertig. De familiegelijkenis was opvallend. Je kon je gemakkelijk voorstellen dat deze rijzige vrouw familie van het slachtoffer was. Een hals als van een zwaan, hoge jukbeenderen – zelfs nu ze van middelbare leeftijd is, ziet ze er nog uit als iemand die op het omslag van een tijdschrift kan staan. En net als haar dochter heeft ze voor andere dingen gekozen. Ze is lerares op een middelbare school in Michigan, een alleenstaande vrouw die haar enig kind door haar studie heen hielp en nu alleen nog maar herinneringen heeft. We kunnen alleen maar gissen waarom ze dit doet, maar het zou ons niet verbazen als het uit rancune is.

'We hadden de hele tijd al gelijk,' zegt Tannery. 'Het was een *crime passionnel.* Zeker, niet van romantische aard, maar hartstocht was het wel.'

'Wat bedoel je?' vraagt Harry.

'Nou, dat emotie – je kunt het ook woede noemen – het motief achter de moord op Kalista Jordan was. In dit geval had het met haar ras te maken.'

'Nu is het dus opeens een misdrijf dat begaan is uit haat!' Harry is buiten zichzelf. 'Edelachtbare, u kunt dit niet toestaan.'

'Ik geef toe dat we hier eerder mee hadden moeten komen. Dan hadden we om de doodstraf kunnen vragen. Maar we kenden alle feiten niet,' zegt Tannery. 'Wij zijn bereid de gevolgen te aanvaarden.' Dit is het bot dat hij Coats probeert toe te werpen om de getuigenverklaring toegelaten te krijgen.

'Jullie kunnen er geen haatmisdrijf van maken, want dat mag niet,' zegt Harry. 'De wet is duidelijk op dat punt. Tenzij jullie deze zaak willen opgeven om opnieuw te beginnen. En in dat geval zullen wij in het geweer komen.'

'Zoals ik al zei, zijn we niet geïnteresseerd in een verandering van de tenlastelegging. Maar we willen dat dit bewijsmateriaal wordt toegelaten.' Tannery negeert Harry en pleit bij de rechter.

'Welk bewijsmateriaal? Het geraaskal van een bedroefde moeder die bereid is alles te zeggen om de man veroordeeld te krijgen van wie het openbaar ministerie zegt dat hij haar dochter heeft vermoord?'

'Nogmaals, u kunt dat tegen de jury zeggen,' zegt Tannery.

'Meneer Madriani.' De rechter zoekt naar een uitweg. 'Hebt u naar het materiaal van het openbaar ministerie gekeken?'

'Ik heb het snel doorgenomen. Het is pas vanmorgen bij ons afgeleverd.'

'Begrepen. Dat is niet veel tijd. En het hof heeft er begrip voor dat de verdediging zich moet voorbereiden.' Dat is geen goed teken. Coats probeert het probleem te repareren. Hij wil het oplappen en dan doorgaan.

'We hebben de informatie zelf pas gisteravond kunnen bevestigen,' zegt Tannery.

De rechter steekt zijn hand op. Hij wil niets meer van het openbaar ministerie horen. De rechter zit met het probleem van de fundamentele eerlijkheid. Kan de verdachte in het licht van het nieuwe bewijsmateriaal een eerlijk proces krijgen? Zo niet, dan kan hij twee dingen doen: het bewijsmateriaal uitsluiten of het proces ongeldig verklaren.

'Hoeveel schade brengt dit aan uw positie toe?'

Ik ga geen theorieën over onze verdediging uiteenzetten waar de aanklager bij is. Coats weet dat. Hij vraagt alleen maar naar een ruwe schatting van de schade.

'Zoiets als een torpedo onder de waterlijn,' zegt Harry.

'Bent u het daarmee eens?' Coats kijkt mij aan.

'Het is ernstig. Ik zou zeggen dat het uiterst schadelijk is.'

Coats richt zijn aandacht weer op Tannery. Hij loopt op dun ijs. Een hof in hoger beroep is erg precies als het op dat soort dingen aankomt. 'Hoe lang weet u hier al van?'

'Zoals ik al zei, konden we het pas gisteravond bevestigen.'

'Dat vroeg ik niet. Hoe lang hebt u al reden om aan te nemen dat er nieuw belastend bewijsmateriaal is?'

'De getuige loog tegen ons. Het staat er allemaal in,' zegt Tannery. 'We zijn zorgvuldig te werk gegaan, maar je weet nooit of een getuige iets achterhoudt.'

Tannery heeft een getuigenverklaring, een afschrift, meegebracht. De rechter heeft een exemplaar en Harry en ik hebben ook exemplaren ontvangen. We kijken ze door en intussen praat Tannery op de rechter in.

'De eerste keer dat we met haar praatten, wist ze niets. We hebben haar drie keer ondervraagd, en iedere keer vertelde ze ons hetzelfde. Pas toen we een tip kregen,' zegt Tannery, 'van een andere vrouw die haar in haar studietijd had gekend, kwamen we achter deze informatie. Dat was twee dagen geleden.'

'Je vertelde het ons een week geleden,' zegt Harry.

'We vertelden jullie dat we een aanwijzing hadden, maar nog niets definitiefs,' werpt Tannery tegen.

'Wat was die aanwijzing?' vraagt Coats.

'Er was iets in het verleden van mevrouw Jordan, de moeder van het slachtoffer. Het schijnt dat ze in Michigan heeft gestudeerd, aan de universiteit daar. Dat was in dezelfde tijd dat de verdachte daar docent was.'

'En wanneer hebt u dat ontdekt?'

'Ongeveer tien dagen geleden. We deden er een dag over om een ontmoeting met de verdediging te regelen.'

'Wanneer werd u ingelicht?' Coats vraagt dat aan Harry.

'Ik denk niet dat een hof van beroep het zo zou noemen.'

De rechter houdt de vraag in beraad en kijkt Tannery weer aan.

‘Indertijd, in de jaren tachtig, stond het werk van professor Crone nogal ter discussie. Publicaties van hem veroorzaakten veel onrust op de campus. Studentendemonstraties,’ zegt Tannery.

‘Dit is toch geen nieuws?’ zegt Coats. Hij kijk mij nu aan. ‘Die informatie stond in het dossier. Ik geloof dat ik krantenberichten uit die tijd heb gezien. Waarom bent u dat niet nagegaan?’

‘We wisten van professor Crones achtergronden,’ antwoord ik. ‘We wisten niet dat de moeder van het slachtoffer aan diezelfde universiteit studeerde.’

‘Gaat u verder.’ Coats tegen Tannery.

‘Hoe dan ook, onze bron...’

‘Wie was dat?’ De rechter wil alle bijzonderheden.

‘Haar naam staat in onze stukken. Jeanette Cummings. Ze studeerde tegelijk met mevrouw Jordan in Michigan. Ze waren beiden actief in de burgerrechtenbeweging. Ze namen deel aan studentendemonstraties tegen Crones onderzoek. En het draait om dat onderzoek,’ zegt Tannery. ‘Een soort genetische profilering op grond van rasverschillen. Crone was een pionier op een bepaald onderzoeksterrein...’

‘Hij heeft dat later schriftelijk afgezworen,’ zeg ik tegen de rechter.

Coats onderbreekt me door zijn hand op te steken.

‘Of hij het heeft afgezworen of niet, het gaat nu om het motief,’ zegt Tannery. ‘Een motief dat Kalista kan hebben gehad om voor professor Crone te gaan werken, een motief dat iemand kan hebben gehad om haar te vermoorden.’

Dat trekt de aandacht van de rechter. Hij wil meer over dat onderzoek weten.

‘Edelachtbare, als u me toestaat.’ Ik onderbreek hen liever dan dat ik Tannery de lege vakjes laat invullen. ‘De gegevens van dat onderzoek klopten niet. Degenen die ze verzamelden, vooral studenten en uitzendkrachten, hielden zich niet aan het protocol. Als gevolg daarvan baseerde mijn cliënt, professor Crone, zijn bevindingen op onjuiste gegevens. Hij heeft dat erkend.'

'Dan is het toch nog de vraag waarom hij eigenlijk aan dat onderzoek begonnen was. Maar daar zullen we nu niet op ingaan.' Tannery glimlacht naar me.

Dit is precies waar het openbaar ministerie heen wil, iets om de jury mee te vergiftigen.

'Het onderzoek van de verdachte richtte zich op cognitieve vaardigheden van verschillende raciale groepen,' zegt Tannery. 'Toen was dat dynamiet, en dat is het nu nog.'

'Dat was meer dan een kwart eeuw geleden,' argumenteer ik. 'Hij heeft daarna niets meer op dat terrein gedaan.'

'Hoe weet u dat?' vraagt Tannery. 'Veel mensen dachten dat er ernstige ethische kwesties in het geding waren.'

'Mijn cliënt is een man van de wetenschap. Hij gaat waar de wetenschap hem heen leidt.'

'Bedoelt u dat hij nog steeds met zo'n onderzoek bezig is?' wil Coats nu weten.

'Nee, dat bedoel ik niet.' Ik wil hem niet de waarheid vertellen: dat ik geen flauw idee heb waar Crone mee bezig is. 'Hij heeft twee artikelen over een erg gevoelig onderzoek gepubliceerd en heel wat woede over zich heen gekregen. Het betekende bijna het eind van zijn carrière. Hij heeft zijn fout erkend. Hij heeft dat in de loop van de jaren meermalen gedaan. En het zou een grove dwaling zijn om die kwestie nu, meer dan twintig jaar later, tegen hem te gebruiken om het raciale element in dit proces te introduceren.'

'Ik begrijp uw standpunt,' zegt Coats. 'Toch moet ik kijken naar wat nu voor me ligt.' Hij geeft Tannery een teken dat hij verder moet gaan.

'We beweren niet dat professor Crone een racist is.'

'Nee, jullie suggereren dat alleen maar,' zegt Harry.

'Het bewijsmateriaal heeft betrekking op het motief. Volgens onze informatie ging Kalista Jordan vooral op aandrang van haar moeder voor professor Crone werken. Dat wordt door ander, onafhankelijk bewijsmateriaal ondersteund. We weten bijvoorbeeld dat het slachtoffer een aantal banen met een veel hoger salaris kreeg aangeboden. Toch ging ze voor het genetisch centrum hier werken. Ze wees al die andere aanbiedingen af om deze slechter betaalde baan te nemen. Sommigen zouden zeggen dat het ook een baan met minder perspectieven was. Waarom deed ze dat?

We weten waarom. Mevrouw Jordan zal verklaren dat ze indertijd gesprekken met haar dochter heeft gevoerd. Ze zal verklaren dat Kalista Jordan zich door sociale motieven liet leiden. Net als indertijd haar moeder interesseerde ze zich voor burgerrechten. Moeder en dochter waren ervan overtuigd dat David Crone weer aan theorieën over genetische raciale profilering werkte.

Harry kijkt me aan. Ik kan zien wat hij denkt. Dit is misschien de reden waarom Crone en Tash ons niets over hun werk willen vertellen.

'Kalista Jordan ging voor professor Crone werken om deze feiten boven tafel te halen en ze aan de kaak te stellen,' zegt Tannery. 'Daarom is ze vermoord. Om haar het zwijgen op te leggen.'

'Waarom? Dat begrijp ik niet,' zegt Harry. 'Als hij onderzoek deed, moet hij toch van plan zijn geweest de resultaten te publiceren?'

'Als zijn financiering werd afgesneden, zouden die resultaten er misschien nooit komen,' zegt Tannery. 'Hij wist dat hij met dynamiet te maken had. Hij wist dat de universiteit er niets mee te maken zou willen hebben.'

'Dat zijn nogal veel gissingen,' zegt Harry.

'Wat is de bewijskracht van dit nieuwe materiaal?' vraag ik de rechter.

'Waar zijn de papieren die het slachtoffer uit professor Crones kamer wegnam?' Tannery draait het om. 'Die papieren zijn verdwenen. Waarom wilde de verdachte ze zo graag terug hebben? Waarom was hij zo kwaad op Kalista Jordan omdat ze ze had weggenomen? Wij denken dat de moordenaar die papieren in zijn bezit heeft en dat die papieren zullen bevestigen dat David Crone aan theorieën over raciale intelligentie werkte.'

'Jullie hebben die papieren?' vraagt Harry aan hem.

Tannery aarzelt heel even. 'Mmm. Nee.'

De manier waarop hij dat zegt, brengt me aan het twijfelen.

'Maar ik geloof niet dat we die documenten nodig hebben. We hebben getuigen,' zegt Tannery.

'Wie?'

'Tanya Jordan.'

'Niet als het hof niet toestaat dat ze een getuigenverklaring aflegt. Ze proberen zich aan hun eigen haren uit het moeras te trekken,' zegt Harry.

'En dan is Aaron Tash er ook nog.'

Nu kijkt Harry met een ruk naar Tannery. Plotseling is Harry stil.

'Tash werkt al een hele tijd met de verdachte samen. Ze kennen elkaar nog uit de tijd van dat eerdere onderzoek. Ze zijn collega's geweest.' Tannery spreekt dat 'collega's' uit alsof het een vies woord is. 'We willen hem als getuige oproepen om na te kunnen gaan waar ze aan werkten. Per slot van rekening kunnen ze hier in deze rechtszaal geen beroep doen op verschoningsrecht.'

'We hebben gehoord dat er belangrijke handelsgeheimen in het geding zijn,' zegt Harry.

'We zijn bereid daarmee af te rekenen,' zegt Tannery. 'Het recht gaat boven commerciële belangen. Het hof kan daarover oordelen en beslissen of de getuige antwoord moet geven.'

Tannery weet het resultaat al: een strafrechter die te maken krijgt met vraagstukken waarin een mogelijk doodvonnis meespeelt. Dat is een duidelijke zaak: hij zal Tash bevelen de vraag te beantwoorden.

Het is een mooie strategie, want Tannery weet dat de papieren die door Kalista Jordan uit Crones kantoor zijn weggenomen waarschijnlijk voorgoed onvindbaar blijven. Hij weet ook dat Tash heel duidelijk naar voren heeft gebracht dat hij niets over zijn werk wil vertellen. Tash gaat waarschijnlijk nog liever naar de gevangenis wegens belediging van het hof dan dat hij vragen over het onderzoek van het centrum beantwoordt. Als het openbaar ministerie Tash voor de jury zet, zal hij ongetwijfeld weigeren vragen over zijn werk te beantwoorden, en dan vraagt iedereen zich natuurlijk af wat hij te verbergen heeft. Wat hij ook zegt, het hele proces zal waarschijnlijk in het teken van mogelijk racisme komen te staan. Al ontkent Tash ronduit dat het onderzoek iets met rassen te maken heeft, dan nog zal de jury dat niet bevredigend vinden, niet zolang hij geen enkele indicatie van de werkelijke aard van het onderzoek heeft gegeven. En het spookbeeld dat Tash, Crones nummer twee, met handboeien uit de rechtszaal wordt weggeleid om een gevangenisstraf uit te zitten wegens belediging van het hof, zou ook al niet veel goeds voorspellen voor onze kant van de zaak. We worden nu aangesproken op precies datgene dat Crone vanaf het begin met alle geweld buiten beschouwing had willen laten: de aard van het werk dat hij samen met Kalista Jordan deed.

'Het wordt tijd om het op te hoesten,' zegt Harry.

We hebben geen tijd verspild. Het is vroeg in de middag, en we zitten met Crone in de kleine cel naast de rechtszaal. Coats is op zoek naar een uitweg uit de impasse. Hij heeft de beslissing of Tanya Jordan een getuigenverklaring mag afleggen tot morgen uitgesteld. Morgen zal hij ons toestaan haar te ondervragen zonder dat de jury erbij is. Ze zal de eed afleggen en in de getuigenbank plaatsnemen en dan zullen we zien wat ze te zeggen heeft. Harry en ik zijn nu een soort blinden die door een mijnenveld dwalen.

Tannery neemt het standpunt in dat het er niet toe doet of er onderzoek met een raciaal karakter werd gedaan of niet. Alleen al het feit dat Kalista Jordan geloofde dat Crone weer op dat terrein actief was, motiveerde haar om die baan te nemen. Moeilijker zal de aanklager het krijgen met het tweede punt dat ter discussie staat. Was dit het motief voor de moord? Als Tannery nu eens niet kan aantonen dat onze cliënt echt betrokken was bij wat als politiek gevoelig onderzoek bekend stond – waarom zou Crone haar dan doden? Op dat punt zal Tannery zich misschien gedwongen zien met iets concreets naar voren te komen, zijn vermoedens hard te maken.

Het is nu van het allergrootste belang dat Crone ons vertelt waar hij aan werkte, want dan kunnen we het hele raciale aspect wellicht van tafel vegen.

'Dat kan ik niet doen. Ik heb al meermalen tegen jullie gezegd –'

'Waarom? Bedoel je dat jullie daaraan werkten?' Harry brengt zijn gezicht heel dicht naar dat van hem toe.

'Nee. Ik bedoel dat mijn werk niet in de openbaarheid mag worden gebracht.'

'Handelsgeheimen?' vraagt Harry.

'Zoals je wilt.'

'Ik wil niet.'

Ik zeg tegen Crone dat de regels veranderd zijn. Er is een nieuwe horde die we moeten nemen.

'Niet wat mij betreft.'

Hij kan zich achter het Vijfde Amendement verschuilen en weigeren in de getuigenbank plaats te nemen. Tash heeft die luxe niet. 'Als hij weigert te getuigen, gaat hij de bak in,' zegt Harry. 'En zijn weigering zou in jouw nadeel werken. De jury zou conclusies trekken waar wij niet blij mee zijn. Geloof me.'

Hier kijkt Crone van op. Hij denkt even na en kijkt Harry dan aan. 'Het had niets met raciale kenmerken te maken,' zegt hij. 'Niet rechtstreeks. Niet zoals jullie denken.'

'Wat bedoel je?'

'Ik kan er niet meer over zeggen. Jullie zullen me gewoon moeten vertrouwen,' zegt Crone.

Harry is buiten zichzelf. 'Kom nou!' Hij loopt door het kleine kamertje heen en weer. 'We krijgen iedere minuut een nieuwe verrassing te verwerken en jij verwacht van ons dat we je vertrouwen? We hadden ons moeten terugtrekken.' Dat laatste zegt Harry tegen mij. 'De eerste keer dat hij tegen ons loog.'

'Ik heb nooit tegen jullie gelogen.'

'Die ruzie met Kalista op de avond voordat ze verdween?'

'Ik was dat vergeten. Dat heb ik jullie verteld. Trouwens, de politie maakt er meer van dan het was.'

'Fantastisch,' zegt Harry. 'Schitterend. Dat zullen we tegen de jury zeggen. Wat weet je van Tanya Jordan?' Hij schakelt op een andere versnelling over.

Plotseling begint Crone nerveus te kijken. Wie zegt dat je niets van iemands gezicht kunt aflezen?

'Niets.'

'Nou, ze weet wel veel van jou,' zegt Harry. 'Volgens Tannery zorgde zij voor de pek met veren toen ze jou van de universiteit van Michigan wegjoegen.'

'Niemand heeft mij ooit ergens weggejaagd. Ik kon hier komen werken, ik kreeg een beter aanbod. Meer vrijheid om mijn werk te doen. Dus ging ik hierheen. Dat is de waarheid.'

'Er waren studentenrelletjes,' zegt Harry. 'De politie gebruikte traangas om te voorkomen dat ze de muren van jouw gebouw bestormden. Die studenten waren het helemaal niet eens met wat je deed.'

'Ze begrepen het niet. Ze hadden geen flauw benul van academische vrijheid, van de behoefte om vrij en onafhankelijk onderzoek te doen. Een wetenschapper gaat waar de wetenschap hem heen leidt.'

'Als je dat vanuit de getuigenbank verkondigt,' zegt Harry, 'hangen ze een groot bord met RACIST om je nek.'

'Daar zal ik dan mee moeten leven,' zegt Crone.

'Misschien de rest van je leven in een cel van tweeëneenhalf bij drie meter.' Ik meng me nu eindelijk in het gesprek, en Crone kijkt me aan.

'Denk je?'

Ik kijk hem aan met een blik van: wie weet? Het zou me niet verbazen.

'Vijfhonderd jaar geleden hebben mensen met precies zo'n mentaliteit Galilei naar de inquisitie gesleept,' zegt Crone.

'Jij bent geen Galilei,' zegt Harry.

'Of je het nu leuk vindt of niet, we leven in een politieke wereld,' zeg ik tegen hem. 'Als je mensen op een feestje beledigt, kijken ze je vuil aan en lopen weg. Als je mensen in een jury beledigt, zetten ze je misschien voor de rest van je leven achter de tralies, of erger.'

Crone denkt daar even over na. Het is stil, en dan staart hij wazig voor zich uit, naar een punt halverwege deze cel en de hel. 'Dat is de prijs die we voor de waarheid moeten betalen,' zegt hij.

Als we buiten het gerechtsgebouw staan, krijg ik een weeïg gevoel in mijn maag. Ik vraag me af van wie ik de advocaat ben: van de Dr. Jekyll die alles op het spel zette om Penny Boyd te redden, of van de Mr. Hyde die zich met raciaal getint onderzoek bezighield.

Crone is met zijn boeien aan een rij van andere gedetineerden bevestigd om de wandeling naar het huis van bewaring te maken. Wat het ook is dat hij ons niet wil vertellen, het kan als een bom in de getuigenbank exploderen. In de strafrechtspraktijk is je grootste vijand vaak je eigen cliënt. Dat komt dan door de leugens die ze vertellen of de waarheden die ze achterhouden.

Het begint al donker te worden; het zijn de steeds kortere dagen aan het begin van de winter. Harry en ik vragen ons af wat we nu moeten doen. We hebben niet veel mogelijkheden. Morgen zal het openbaar ministerie Tanya Jordan als getuige presenteren zonder dat de jury erbij is. Omdat we ons niet op haar getuigenverklaring kunnen voorbereiden, kunnen we niets anders doen dan aantekeningen maken en dan met onze eigen vragen komen.

Harry is moe en neerslachtig. Het is lang geleden dat hij zo'n onbuigzame cliënt als David Crone had. Meestal zien verdachten uiteindelijk wel het licht, zelfs de meest geharde leugenaars. Op een gegeven moment zien ze de realiteit van een lange gevangenisstraf onder ogen, plus het feit dat geen advocaat hen kan helpen zolang ze geen open kaart spelen. Meestal gooien ze het er dan allemaal uit. Maar Crone niet. Desnoods gaat hij met geheim en al de gevangenis in.

Harry vind het allemaal maar niks. Hij denkt dat we worden gebruikt. 'Er zijn een heleboel manieren om een zaak te verliezen,' zegt hij. 'Onze naam staat op het spel. Nieuwe jongens in een nieuwe stad met een reputatie die nog niet duidelijk is. Deze zaak krijgt veel publiciteit. En denk nu niet dat ik me geen zorgen maak om de cliënt. Maar hij doet het zichzelf aan.' Harry begint zich op te winden. Hij is op weg naar zijn gebruikelijke thema: dat we ons misschien moeten terugtrekken. 'Je weet dat we Coats kunnen vertellen dat hij niet met zijn verdedigers wil meewerken.'

Ik luister in het gele schijnsel van de straatlantaarns. Een blok verderop staat een blauw busje tegenover de stalen garagedeur van het huis van bewaring. Waarschijnlijk wacht het tot het zijn geketende passagiers kan uitladen.

Harry begint eindelijk tot bedaren te komen. Hij heeft lucht gegeven aan zijn gevoelens. Daar is niets concreets uit voortgekomen, maar hij voelt zich nu beter. Hij wenst me goedenavond en loopt naar zijn auto. Ik sta in de andere richting geparkeerd. Als ik vijf minuten later achter het stuur van Leaping Lena zit, ga ik verloren in een zee van koplampen, het spitsverkeer op de Interstate 5. Traag ga ik met de stroom mee naar de Coronadobrug en naar huis.

Net als de helft van de wereld ben ik iedere dag twee keer alleen in het drukke spitsverkeer, alleen met mijn gedachten, het moderne equivalent van momenten van religieuze eenzaamheid, terwijl mijn ogen in de spiegel turen naar de koplampen die me van achteren verblinden.

Terwijl ik op de automatische piloot rijd, zoek ik naar een reden waarom Crone geen open kaart met ons wil spelen. In die handelsgeheimen geloof ik allang niet meer. Niemand die bij zijn verstand is, gaat levenslang de gevangenis in om zulke belangen te beschermen. Je kunt veel van David Crone zeggen, maar niet dat hij geestelijk labiel is. Hij verbergt iets en heeft daar een goede reden voor. Ik kan alleen maar hopen dat het geen zonneklaar motief voor moord is.

Ik krijg hoofdpijn van de lichten in het spiegeltje. De auto achter me heeft groot licht en het is net of er de hele tijd vuurpijlen achter mijn ogen exploderen. Om minder last van dat licht te hebben klap ik het nachtspiegeltje om. 's Zomers is het de ondergaande zon die je verblindt. In het najaar en de winter zijn het koplampen, tegenover je en achter je. Nu zie ik alleen nog kleine gele stadslichten in het spiegeltje, en het licht aan de linkerkant is opgebrand. En zo gaat dat, de avondevacuatie van de stad.

Sarah zal thuis op me wachten. We bellen elkaar iedere middag. Ze wordt al echt een dametje en maakt tegenwoordig het eten klaar. De afwas is voor mij, het huiselijke karweitje waar ik iedere avond echt van geniet. In tegenstelling tot mijn werk, met eindeloze vertragingen en onvoltooide projecten, is het een taak die ik in enkele minuten kan voltooien en waar ik dan met tevredenheid op kan terugkijken, hoe onbenullig dat ook klinkt.

Ik neem de afrit naar de brug. Op de brug zelf is het rijden en stilstaan, auto's die staan te wachten voor de tolpoorten aan de andere kant. Dat kost twintig minuten. Achter me zie ik niets dan stilstaande lichten. Ik kijk naar mezelf in het spiegeltje. De stress van het proces eist zijn tol. Als ik 's morgens uit bed kom, herken ik soms nauwelijks het gezicht dat vanaf de spiegeldeur van de medicijnkast naar me terugkijkt.

Terwijl ik daar vastzit in het verkeer, laat ik alle puzzelstukjes steeds weer door mijn hoofd gaan, op zoek naar de stukjes die passen. Tash en Crone. Kalista Jordan en William Epperson. En Jordans moeder, die ineens is opgedoken. Ik heb haar vaak in het gerechtsgebouw gezien, en nu weet ik waarom. Tannery hield haar achter de hand.

Ik kom bij de tolpoorten, rijd door en begin aan het laatste stuk, een paar blokken naar huis. Binnen enkele minuten sta ik op mijn garagepad. Het is nu helemaal donker. Ik stap uit Lena en grijp naar mijn aktetas, die op de passagiersplaats ligt. Als ik dat doe, zie ik een paar huizen verder, aan mijn kant van de straat, een auto stoppen. Het is een donker busje; koplampen uit, stadslichten aan, behalve dat linker licht dat blijkbaar defect is. Het busje trekt mijn aandacht doordat het met bijna geen licht aan langzaam langs de trottoirband tot stilstand komt. Op dat moment dringt het tot me door. Het is het busje dat ook tegenover het huis van bewaring geparkeerd stond toen Harry en ik afscheid van elkaar namen.

— 12 —

Vanmorgen lijd ik aan slaaptekort, het gevolg van een nachtmerrie die ik nu al drie nachten heb. Het begint altijd op dezelfde manier. Ik ben in de rechtszaal, maar in plaats van mijn jasje en das heb ik een honkbaltenue aan. Ik voel de knuppel in mijn hand, klaar voor de slag. De honken zijn bezet. Een jury van norse, woedende scheidsrechters kijkt toe. Elke avond kom ik dicht bij een vonnis, maar dat maak ik nooit mee, want vlak voor het zover is, word ik wakker. Het is zo'n levendige droom dat ik me alle details nog kan herinneren als Harry en ik vanmorgen door het straatje van het parkeerterrein naar het gerechtsgebouw lopen.

We naderen de trappen van het gerechtsgebouw en zien dan de wagens met videosatellietschijven net om de hoek geparkeerd staan. Dat wordt weer spitsroeden lopen.

Als we bij de trappen zijn aangekomen, hebben ze ons omsingeld, geluidsmannen die elkaar met hun microfoons aan lange stelen verdringen, cameramannen die hun lenzen als bazooka's heen en weer laten zwenken. Dat is het nieuwste amusement: de sensaties van de rechtbank. Crones proces is nu groot nieuws. In dit geval komt het raciale element er nog bij. Zonder dat het in de pers of op de televisie wordt genoemd, wordt het onderstreept doordat je telkens weer foto's van Crone en het slachtoffer ziet, profielopnamen op dezelfde bladzijde. Twee van de plaatselijke televisiestations hebben die foto's verwerkt in het logo dat ze elke avond laten zien bij het item 'Jigsaw Jane, de moordzaak van professor David Crone'. Harry denkt erover om die logo's op zijn visitekaartje te laten afdrukken.

In de rechtszaal wordt niet om raciale gerechtigheid geroepen, maar in de talkshows op de televisie en in de krantencommentaren wordt daar wel openlijk op aangedrongen. Ondanks alle verzekeringen van rechter Coats vragen Harry en ik ons af of de juryleden daar wel goed tegen geïsoleerd zijn. We zouden kunnen eisen dat ze worden afgezonderd, dat ze in een hotel worden opgesloten en door parketwachten bewaakt. Dat zou absoluut in ons nadeel werken. Het is een feit dat juryleden die gedurende een proces worden opgesloten zich altijd tegen de verdachte keren.

Harry en ik worstelen ons langs de camera's de trap op, duwend en dringend.

'Wie is de getuige van vandaag?' Een van hen steekt een microfoon voor mijn gezicht. Ik duw het ding met mijn schouder opzij en loop door.

'Waarom is de zitting gesloten voor de pers?'

'Dat moet u de rechter vragen,' zegt Harry.

'Is het waar dat er een getuige van de moord is?'

Nu blijft Harry abrupt staan. 'Dat is nieuw voor mij,' zegt hij.

'Dus het is niet waar? U zegt tegen ons dat het niet waar is?'

'Ik zeg helemaal niets tegen jullie.' Omdat ons een spreekverbod is opgelegd, heeft Harry nu alles gezegd wat hij mag. Het gerucht hangt al dagen in de lucht.

'Dus u ontkent het niet?'

Ik zeg niets. Harry houdt zijn mond, reageert alleen met een dodelijke blik.

Er zijn wel duizend manieren waarop je cliënt in de pers kan worden berecht. Je komt in een erg moeilijke situatie wanneer de pers valse geruchten begint te verspreiden en jij niets mag zeggen omdat de rechter je een spreekverbod heeft opgelegd. Je weet nooit zeker of de juryleden die geruchten niet horen en ze in hun eigen overwegingen betrekken.

We banen ons een weg door de menigte. Net als in middeleeuwse toernooien gebruiken twee van de geluidsmannen de lange steel van hun microfoon als piek. Ze houden die dingen voor ons gezicht terwijl we de trap blijven opgaan. Harry gebruikt zijn aktetas als een schild om ze af te weren.

'Kunt u ons vertellen wie de getuige is?'

'Ik kan je niks vertellen,' zegt Harry. 'En als je dat ding niet bij mijn gezicht vandaan haalt, loop je er straks mee rond op een plek waar de zon niet schijnt.' Dat worden de televisiebeelden van vandaag, als ze niets interessanters vinden.

'Zouden we het mis hebben als we meldden dat er een getuige van de moord is?'

'Heeft het jullie ooit dwars gezeten dat jullie het mis hadden?' Harry begint zich op te winden.

'Bedoelt u dat we het mis hebben?'

Een van de parketwachten in de hal van het gerechtsgebouw ziet dat we worden belaagd. Het is een stevig gebouwde kerel en hij maakt de deur open en gebruikt een arm om een pad door de opdringende pers te maken, als Mozes die de Rode Zee scheidt. Binnen wachten ons een metaaldetector, parketwachten die in onze aktetassen kijken, de rechtszaal en enig gezond verstand.

Ik vecht tegen de hoofdpijn, en dat terwijl de dag nog maar amper is begonnen. Het grootste deel van de nacht ben ik op geweest om me voor te bereiden op het onbekende, en van tijd tot tijd keek ik naar het donkere busje dat aan de overkant van de straat geparkeerd stond. Kort na drie uur ging het weg. Het zette zich langzaam in beweging en reed met de lichten uit tot bijna het eind van het blok. Toen ging het de hoek om en verdween.

Het was te donker om inzittenden te kunnen zien. Misschien word ik paranoïde. Waarschijnlijk was het gewoon iemand die bij mij in de straat op bezoek was. Die ochtend vertel ik Harry er niets over.

We komen langs de parketwachten en nemen de lift. Als we bij de rechtszaal aankomen, zien we daar alleen de gebruikelijke types, advocaten die in de hal op het laatste moment met hun cliënt overleggen, nerveuze getuigen en familieleden die zich geen raad weten in de zee van afdelingsnummers. Voor afdeling 22 staan twee verslaggevers van plaatselijke kranten, die een vaste plaats in de rechtszaal hebben. Ze maken zich niet zo druk als hun collega's buiten, want ze hoeven niet met sensationele beelden voor het journaal van vijf uur terug te komen.

Ze stellen de verwachte vragen. 'Wat gebeurt er?' 'Kunt u ons vertellen wie de nieuwe getuige is?'

Een van hen, Max Sheen, werkt hier al twintig jaar. Hij is een oude rot in het vak en kent elke advocaat in de stad. Hij mag alle rechters bij de voornaam noemen, in elk geval de rechters die herkozen willen worden. Er gaan geruchten dat Sheen zijn eigen sleutel van het gerechtsgebouw heeft, met toegang tot het archief in de kelder.

Ik zeg tegen hen dat ik geen commentaar heb, dat ons een spreekverbod is opgelegd, en Sheen gaat in hoger beroep bij Harry. 'Kunnen jullie me dan tenminste vertellen hoe lang ze waarschijnlijk in de getuigenbank zal zitten? Iets voor de deadline van één uur,' zegt hij.

Sheen weet misschien al meer over de komende gebeurtenissen dan wijzelf.

Harry kent hem. Hij vindt het nuttig om contact te onderhouden met iemand als Sheen, want zo'n journalist kan hij gebruiken als hij midden in een proces zijn eigen nieuwsbom wil laten ontploffen zonder dat zijn vingerafdrukken overal op komen te zitten. Ze gaan apart staan, Harry en de twee verslaggevers, een gesprek buiten gehoorsafstand.

Harry heeft altijd met zulke types aangepapt. In Capital City heeft hij hun privé-telefoonnummers in zijn Rolodex. Ook in deze stad is hij al druk bezig nieuwe vrienden te maken. Daar in dat hoekje van de gang gaat het heel hartelijk toe. Ze kijken elkaar aandachtig aan en er wordt druk in notitieboekjes gekrabbeld. Ik wil niet horen wat Harry hun vertelt. Onwetendheid is een zegen. Als ze klaar zijn, klapt Sheen zijn notitieboekje dicht en kijkt hij naar de deur van de rechtszaal. Die zit op slot; de smalle raampjes zijn aan de binnenkant afgeplakt met dik bruin papier. We moeten kloppen om te worden toegelaten.

'Ik hoop dat je niet te ver bent gegaan,' zeg ik tegen Harry.

'Wat? Met Sheen? Nooit! In ieder geval niet zo ver dat Coats me iets kan maken.'

Dat is niet veel troost. Als Harry betrapt wordt op schending van het spreekverbod, is het sterk de vraag of de rechter, als hij boetes of zelfs gevangenisstraffen uitdeelt, een subtiel onderscheid weet te maken tussen Harry en mij.

Tenslotte wordt aan de andere kant van de deur het slot omgedraaid en laat een parketwacht ons in de zaal. Evan Tannery zit al aan zijn tafel, samen met een van de opsporingsambtenaren. Ik heb in pauzes gezien dat die rechercheur haastig de rechtszaal binnenkwam en fluisterend met Tannery overlegde. Als die rechercheur hier vandaag is, als vertegenwoordiger van de staat, denk ik dat hij degene is die uiteindelijk die verklaring uit Tany Jordan heeft losgekregen. Tannery wil natuurlijk dat die man vooraan zit, want dan zal ze haar verhaal niet zo gauw herroepen of er dingen in veranderen.

'Hebben jullie even?' vraagt Tannery aan mij.

'Ja.'

Hij komt naar onze tafel toe, waar we nog bezig zijn de papieren uit onze aktetassen te halen. Harry bekijkt intussen ook de inhoud van een van de dozen die eerder op de ochtend bij hem zijn bezorgd.

'Onze getuige is een beetje getraumatiseerd,' zegt Tannery. 'Dat is te begrijpen. Ze heeft haar dochter verloren.'

'Ik begrijp het volkomen.' Hij wil een stipulatie. Ik kan het ruiken. Iets waarover we haar geen vragen stellen als we haar een kruisverhoor afnemen.

'We moeten haar niet te hard aanpakken.'

'Wij hebben er geen belang bij om haar in elkaar te slaan,' zeg ik.

'Dat verwachtte ik ook niet. Willen jullie er ook voor zorgen dat ze niet al te lang in de getuigenbank hoeft te zitten?'

'Hoe?'

'Door in plaats van bepaalde gedeelten van haar mondelinge verklaring een schriftelijke verklaring te accepteren?'

Harry vraagt hoe we met zoiets akkoord kunnen gaan zolang we nog niet weten wat ze gaat zeggen.

Tannery houdt vol dat het geen omstreden terreinen zijn. Hij wil alleen dat we het haar niet onnodig moeilijk maken.

'Jullie willen toch wel accepteren dat ze de moeder van het slachtoffer is en dat ze een nauwe familieband hadden? Dat zijn pijnlijke terreinen. We hoeven de getuige niet door alle details heen te slepen.'

'Als ze op het proces als getuige optreedt, zijn jullie dan bereid verklaringen op dat gebied te laten schieten?' vraag ik.

Tannery moet met zijn vriend de opsporingsambtenaar overleggen. Ze bespreken het. Ik kan zien dat de rechercheur niet blij is. Tenslotte kijkt Tannery ons weer aan.

'Afgesproken.'

Ik kijk Harry aan. Hij haalt zijn schouders op. Dit klinkt goed. Als de details van een nauwe familieband aan de orde komen, kunnen de daaraan verbonden emoties op het gemoed van de juryleden werken. Als we dat op deze manier kunnen voorkomen, is dat des te beter.

'En nog één ding,' zegt Tannery. 'Het zou zinloos zijn om in de persoonlijke achtergronden van die arme vrouw te gaan spitten. Haar politieke activiteiten, de mensen met wie ze omging – allemaal oude koek,' zegt hij.

'Waar hebben we het over?' vraagt Harry. 'Hoe oud?'

'We hebben het over de tijd waarin ze in Michigan studeerde. We zullen naar voren brengen dat ze bij demonstraties betrokken was en actief was in wat sommigen, zeker in die tijd, een radicale beweging zouden noemen.'

Harry kijkt hem zijdelings aan. 'Hebben we het nu over een veroordeling?'

'Niet voor ernstige misdrijven,' zegt Tannery.

'Maar ze is gearresteerd?'

'Verstoring van de openbare orde,' zegt de aanklager. 'Weigering om door te lopen. Ze is tegelijk met een aantal andere mensen gearresteerd. Ze heeft niet gezeten.'

'Was ze toen nog minderjarig?'

Tannery schudt zijn hoofd. Dat betekent dat het vonnis niet verzegeld is. Hij zou het bekend moeten maken, al zou het ons niet lukken om haar met een beroep op die veroordeling uit de getuigenbank te weren.

'En waar heeft dat vergrijp plaatsgevonden?' vraag ik.

'Op de campus van de universiteit,' zegt Tannery.

Ik trek mijn wenkbrauwen een beetje op. 'Waar precies op de campus?'

'Bij het faculteitsgebouw van de verdachte.'

'Ze betoogde tegen hem?' vraagt Harry.

'Met een aantal andere mensen,' zegt hij.

'Dus ze had al eerder met de verdachte te maken gehad?'

'Niet met hem persoonlijk,' zegt Tannery. 'Ze had bezwaar tegen de dingen waaraan hij werkte. Ze gaf ruchtbaarheid aan haar gevoelens, zoals veel andere studenten in die tijd ook deden.'

Hij heeft een stipulatie voorbereid, één pagina lang. Hij geeft hem aan mij en ik lees de tekst door, maar voordat ik klaar ben, is de parketwacht opgestaan.

'Wilt u opstaan? De rechtbank van het district San Diego is

nu in zitting. De edelachtbare Harvey Coats treedt de zaal binnen.'

Coats komt met zijn golvende zwarte toga de zaal binnen en bestijgt het podium. Hij neemt op zijn stoel plaats, een gecapitonneerde hoge directiestoel. 'Gaat u zitten.' We gaan allemaal zitten. Ik ben Tannery's stipulatie nog aan het lezen en kijk met een half oog naar de rechter.

Coats kijkt in een aantal papieren die hij heeft meegebracht, op zoek naar de plaats waar hij verder kan gaan.

'Het zal in het verslag worden opgenomen dat de juryleden geëxcuseerd zijn en dat de pers en het publiek geen toegang hebben tot deze zitting. Meneer Tannery, bent u bereid een aanbod van bewijs te doen?'

'Jazeker, edelachtbare. Als we even de tijd hebben. Meneer Madriani leest een document. Het kan het hof misschien wat tijd besparen.'

Tannery treft nog wat laatste voorbereidingen. Hij heeft zijn schrijfblok netjes klaar liggen en wacht tot ik klaar ben met lezen.

'Meneer Madriani, heeft uw cliënt besloten vandaag niet aanwezig te zijn?'

'Dat is juist, edelachtbare.'

Coats maakt een aantekening. Omdat het er vandaag alleen om gaat of bepaald bewijsmateriaal mag worden toegelaten, hoeft Crone niet aanwezig te zijn. Hij zal nog gelegenheid krijgen om te horen wat Tanya Jordan te zeggen heeft, als ze de gelegenheid krijgt om voor de jury te verschijnen. Omdat Crone tot nu toe een nauwkeurig verslag van het proces heeft bijgehouden, is het vreemd dat hij de confrontatie met de moeder van het slachtoffer blijkbaar uit de weg gaat. Harry denkt dat het door zijn schuldige geweten komt, al zegt hij niet zeker te weten of Crone wel een geweten bezit, schuldig of anderszins.

'Het openbaar ministerie roept Tanya Jordan op,' zegt Tannery.

De parketwacht roept haar naam niet, maar loopt in plaats daarvan naar een zijdeur, de deur die naar de cellen leidt. Ze leiden Tanya Jordan daarlangs opdat ze niet spitsroeden hoeft te lopen langs de menigte journalisten op de gang. Enkele seconden later komt ze de rechtszaal binnen.

Tanya Jordan is een rijzige vrouw. Ze draagt een grijs pakje, een rok met jasje, en een blouse met een effen witte kraag. Tannery had haar als een diepbedroefde moeder afgeschilderd, maar zo te zien is ze niet erg van streek. Als de formele rechtszaal intimiderend op haar overkomt en ze tegen het kruisverhoor opziet, laat ze daar niets van blijken.

Ze is slank en bijna een meter tachtig lang, en haar hele houding, vol gratie en zelfverzekerdheid, zal waarschijnlijk indruk maken op de jury. Als ze naar de tafels en de griffier loopt, kijkt ze recht voor zich uit naar de rechter op het podium. Ze brengt haar rechterhand omhoog en legt de eed af. Ze zweert de waarheid te spreken, de hele waarheid en niets dan de waarheid, en gaat dan de twee treden op om in de getuigenbank plaats te nemen.

Tannery gaat naar de lessenaar die tussen de tafels van het openbaar ministerie en de verdediging is neergezet. 'Edelachtbare, wij hebben een stipulatie opgesteld.' Hij kijkt mij vragend aan.

'Heb ik daar een exemplaar van?' vraagt de rechter.

Tannery is vergeten hem er een te geven. De opsporingsambtenaar zoekt op de tafel en geeft tenslotte zijn eigen exemplaar aan de parketwacht, die het aan de rechter doorgeeft.

'Wat is dit?' Coats kijkt naar het papier terwijl hij die vraag stelt.

'Het gaat over de achtergronden van de getuige, edelachtbare. Ik denk dat we de ondervragingen kunnen verkorten als we het vooraf eens worden over bepaalde feiten.'

'Edelachtbare, gezien de beperkte informatie die we over

deze getuige hebben geloof ik niet dat we dit deel van de stipulatie kunnen accepteren.' Harry en ik zijn nog aan het overleggen terwijl ik dit zeg.

'Ik zie niet in waarom niet, edelachtbare. De informatie is waarschijnlijk irrelevant,' zegt Tannery. 'Deze activiteiten waarbij de getuige betrokken was, hebben meer dan twintig jaar geleden plaatsgevonden.'

'Als de verdediging zich niet in de stipulatie kan vinden, kent u de procedure, meneer Tannery. U kunt straks bezwaar maken, en dan zullen we daarop reageren.'

'Edelachtbare, dit maakte deel uit van een pakket. Twee stipulaties.' Tannery is hier niet blij mee. 'Als we het niet eens worden over deze ene stipulatie, moet de vorige stipulatie die door ons is aangeboden ook worden ingetrokken.'

Tannery laat dit in de lucht hangen en kijkt me afwachtend aan. Hij weet dat de familiegeschiedenis, de relatie tussen moeder en dochter, de jury in emotioneel opzicht kan beïnvloeden en dan schadelijk voor ons kan zijn. Op zich is het vreemd dat hij dat wil prijsgeven. Ik vraag me af waarom hij het verhaal van wat de getuige als studente in Michigan deed zo graag wil vermijden. Harry denkt hetzelfde. Hij maakt een notitie voor zichzelf.

'We zijn bereid de eerste stipulatie te accepteren,' zeg ik tegen de rechter.

'Wij niet,' zegt Tannery.

'Goed,' zegt de rechter. 'Er zijn geen stipulaties. Gaat u verder.'

Tannery wendt zich nu eindelijk tot de getuige. 'Wilt u uw naam noemen voor het verslag?'

'Tanya Elizabeth Jordan.' Ze spelt haar eerste voornaam en haar achternaam voor de stenograaf. Er klinkt geen nerveuze aarzeling in haar stem door. Ze is kalm – bijna zakelijk.

'Ik weet dat dit moeilijk voor u is,' zegt Tannery. Al blijkt dat niet uit haar houding. 'We zullen dit heel rustig doen. Als u tijd nodig hebt om uw gedachten te ordenen, kunt u dat zeggen. U bent de moeder van het slachtoffer in deze zaak, Kalista Jordan?'

Ze knikt. 'Ja.'

'Wanneer hebt u uw dochter voor het laatst gesproken?'

Ze hoeft niet lang na te denken. Ze weet de exacte datum nog. 'Dat was vorig jaar op 30 maart.'

'Had u een nauwe band met uw dochter?'

'Een erg nauwe band. Ik was een alleenstaande ouder. Kalista en ik hadden verder geen familie. Ze was mijn enige kind.'

'Leeft haar vader nog?'

'Nee. Hij is gestorven toen ze nog erg klein was. Kalista heeft haar vader nooit gekend.'

'Dus u hebt haar alleen opgevoed?'

'Min of meer. Mijn moeder woonde een tijdje bij ons toen ik studeerde. Ze paste op mijn dochter als ik naar de universiteit ging, of naar mijn werk.'

'Maar u had dus een nauwe relatie met uw dochter?'

'Een erg nauwe relatie.'

'En dat bleef zo toen ze volwassen werd? Uw dochter, bedoel ik.'

'Ja.'

'Hoe vaak ontmoette u haar?'

'Protest. Geen specifiek tijdvak aangegeven.'

Tannery kijkt me even aan, en voordat de rechter een beslissing kan nemen, verandert hij de vraag. 'Hoe vaak ontmoette u uw dochter in het laatste jaar voor haar dood?'

'Minstens vier keer per jaar, misschien vijf keer. We brachten de vakantietijd met elkaar door, en Kerstmis en Thanksgiving. Omdat we ver van elkaar vandaan woonden, reisde ik soms naar haar toe, en soms kwam ze naar huis.'

'En hoe vaak telefoneerde u met haar? In datzelfde tijdvak?'

'Minstens twee keer per week. Soms vaker.'

'Nam ze u in vertrouwen?'

'We hadden geen geheimen voor elkaar, als u dat bedoelt.'

'Vroeg ze u om raad?'

'Meestal wel. Dat doen kinderen niet altijd, maar Kalista is...' Voor het eerst is Tanya Jordans concentratie verbroken. Ze kijkt naar het plafond en begint opnieuw. 'Ze was een goed kind.' Haar stem slaat een beetje over als ze in de verleden tijd over haar dochter begint te spreken.

'Ja.' Tannery kijkt naar Harry en mij alsof hij wil zeggen: als jullie die stipulatie niet accepteren, gaat dit nog een tijdje door. 'Ik neem aan dat ze, toen ze jong was, met u over jongens en haar vriendinnen praatte, en over de dingen die ze op school deed?'

'Jazeker. We praatten over bijna alles. Ze had nooit geheimen voor me.'

'En ik neem aan dat u haar ook dingen vertelde?'

'Ja.'

Tannery neemt de stapel papieren die voor hem op de lessenaar ligt en haalt een vel papier naar boven. 'Hebt u haar ooit iets verteld over de dingen die u hebt meegemaakt toen u aan de universiteit van Michigan studeerde?'

'Ja. We hebben het erover gehad dat ik een aantal dingen had gedaan, een aantal fouten had gemaakt, maar dat zij niet een van die fouten was.'

'Wat bedoelt u, dat zij niet een van die fouten was?'

'Ik bedoel dat ik niet echt van plan was een kind te krijgen. Maar ik zou het voor niets ter wereld hebben teruggedraaid.'

'U was niet met Kalista's vader getrouwd?'

'Nee.'

'Zat dat haar dwars?'

'Ik denk van niet. Ik bedoel, er zullen vast wel momenten in haar leven zijn geweest waarop het moeilijk voor haar was om zonder vader op te groeien. Maar ze ging er niet onder gebukt. En zoals ik al zei: hij is lang geleden gestorven.'

'Dus ze zou toch geen vader hebben gehad, of u nu met hem getrouwd was of niet?'

'Protest.'

'Zo is het.'

'Toegewezen. U mag geen antwoord geven op een vraag als er een protest is,' zegt de rechter.

'Sorry.' Ze kijkt naar hem op. Ze is maar een paar centimeter korter dan Coats, al zit hij op het podium.

'Laten we ons op uw tijd in Michigan concentreren.' Tannery begint nu oude verhalen met haar op te halen. Harry en ik kijken elkaar aan. We vragen ons af waarom hij dat doet, tenzij Tannery alleen maar probeert de angel uit die oude arrestatie te halen, iets wat wij toch niet gauw ter sprake zouden brengen.

'Hebt u veel met uw dochter over uw studententijd gepraat?'

'We praatten erover. Ze interesseerde zich voor die tijd – studenten die actie voerden. Ik denk dat er voor haar een zekere romantiek van uitging. Jonge mensen van tegenwoordig hebben het veel gemakkelijker, maar ze denken dat ze veel hebben gemist, de jaren zestig en zeventig.'

'Burgerrechten?' zegt Tannery.

'Dat speelde een grote rol. Ja.'

'En u was daarbij betrokken toen u studeerde.'

'Ja.'

'U zette zich in voor burgerrechten?'

'Ja.'

'U nam deel aan demonstraties? Zogeheten sit-ins?'

'Ja.'

'En Kalista interesseerde zich daarvoor?'

'Ja. Ze wilde altijd weten hoe het was. Ik denk dat het voor haar...' Ze denkt even na. '... dat het voor haar geschiedenis was. Ze was nieuwsgierig omdat het in haar ogen een romantische tijd was. Kalista werd geboren toen ik studeerde, maar ze was nog erg klein toen ik klaar was met mijn studie. Ze kan zich niets van die tijd herinneren. Het was erg zwaar. Ik kon alleen studeren omdat ik een beurs had, en omdat mijn moeder op Kalista paste, kon ik mijn colleges volgen. We hadden een klein appartement buiten de campus. Kalista wilde daarover meer weten. Ze was erg nieuwsgierig.'

'En u praatte daar met haar over?'

'Ja, we hadden er gesprekken over.'

'Leeft uw moeder nog?'

'Ze is vier jaar geleden gestorven.'

'Neemt u me niet kwalijk.' Tannery laat haar het hele verhaal doen, het verhaal van iemand die zich moeizaam heeft opgewerkt. Hij laat haar vertellen over haar studie, over de bijbaantjes die ze had om geld voor haar gezin te verdienen terwijl ze nog studeerde, over die tijd waarin ze ook betrokken was bij actiegroepen. Wat Tanya Jordan haar 'periode van engagement' noemt. Ze zegt dat met een enigszins cynische grijns, alsof ze sindsdien volwassen is geworden en tot het besef is gekomen dat er niet zoiets als gerechtigheid bestaat.

'En u zegt dat u in uw studententijd aan demonstraties deelnam?'

'Ja.'

'Vond u van uzelf dat u in dat opzicht erg actief was?'

Ze denkt even na. 'Ik vond dat ik maatschappelijk betrokken was.'

'Bij sociale gerechtigheid? Burgerrechten?'

'Ja.'

'Gelooft u dat u nog steeds in dat opzicht maatschappelijk betrokken bent? Betrokken bij die doelstellingen?'

'Ja.' Ze zegt het, maar er klinkt geen overtuiging in haar stem door. Wat voor sociale gerechtigheid kan er bestaan in een wereld waarin haar kind op wrede wijze is vermoord en van haar armen en benen is ontdaan?

'En deelde uw dochter die interesse? Die betrokkenheid?'

'Ja.'

Tannery zwijgt even, kijkt in zijn papieren, vindt wat hij zoekt en bestudeert dat een ogenblik. 'Ik ga u een papier geven. Edelachtbare, mag ik naar de getuige toe gaan?'

De rechter geeft hem een teken dat het mag.

'Ik wil dat u dit document bekijkt en het hof vertelt wat het is.' Tannery geeft haar iets. Zo te zien zijn het drie velletjes die aan elkaar geniet zijn. De getuige kijkt er even naar en kijkt dan op.

'Het is een politierapport. Een rapport over mijn arrestatie op 2 mei 1971.'

'En waarvoor werd u gearresteerd?'

'Ik weet niet precies meer wat de exacte tenlastelegging was. Verstoring van de openbare orde, of wederrechtelijke samenscholing.'

'Wat deed u toen u werd gearresteerd?'

'We demonstreerden. Het was een sit-in op de universiteit. In het faculteitsgebouw.'

'Waarom demonstreerde u?'

'Vanwege onderzoek dat op de universiteit werd gedaan.'

'Wat voor onderzoek?'

'Het was een soort raciale profilering. Intelligentiequotiënten, gebaseerd op zogenaamd genetisch onderzoek.'

Tannery, die nog bij de getuigenbank staat, draait zich nu om naar Harry en mij.

'En wie deed dat onderzoek? Wie had destijds de leiding van het project?'

'David Crone.'

'De verdachte in dit proces?'

'Ja, dat klopt.'

'Hebt u de verdachte indertijd ooit ontmoet?'

'Ja.'

'En wanneer was dat?'

'Ik liep college bij hem.'

'Hij was docent op de faculteit en u was een van zijn studenten?'

'Dat is juist.'

'Dat waren colleges genetica?'

'Ja.'

'En waarom volgde u die colleges? Ik bedoel, ik neem aan dat het geen verplicht vak was?'

'Ik volgde ze om aan informatie te komen.'

'Wat voor informatie?'

'In die tijd werd vermoed dat hij...'

'Crone?'

'Ja. Het werd aangenomen dat hij informatie verzamelde om aan te tonen dat zwarten, Afrikaans-Amerikanen, door hun genetische structuur bepaalde cognitieve vaardigheden misten.'

'De vaardigheid om te redeneren, te beoordelen.' Tannery legt haar schaamteloos woorden in de mond, maar Harry en ik protesteren niet. We willen weten wat de getuige te zeggen heeft. Als het zover komt dat ze deze dingen in het bijzijn van de jury zegt, ligt het heel anders.

'Dat is juist.'

'En dat onderzoek was controversieel, neem ik aan?'

'Het was puur dynamiet,' zegt de getuige. 'Ze wilden het niet in de openbaarheid hebben, in ieder geval niet voordat ze klaar waren, voordat hij zijn onderzoek had afgerond. Dan zou het tijd kosten om de resultaten te weerleggen. En in die tijd zou Crone alle gelegenheid van de media krijgen om zijn onderzoek te promoten. Hij zou enorm veel publiciteit krijgen.'

'Zo komen we terug op de vraag waarom u die colleges van de verdachte volgde.'

'Omdat me dat werd gevraagd.'

'Door wie?'

Ze haalt diep adem. 'We waren actievoerders. We noemden

ons Studenten voor Raciale Gerechtigheid. Er zaten oudere studenten bij, en jongere.'

'En u maakte deel uit van die groep?'

'Ja.'

'Waarom kozen ze u? Ik bedoel, waarom kozen ze niet een oudere student die onderzoek bij Crone deed?'

'Er waren geen oudere studenten van minderheden bij zijn project betrokken. Dat wilde hij niet. Tenminste, dat zeiden ze.'

'Protest. Ik verzoek dit te schrappen.'

'Toegewezen.'

'Werkten er zwarte studenten aan Crones project mee?'

'Nee.'

'Werkten er mensen van andere minderheden aan mee?'

'Hij had één Aziatische ouderejaars die aan het onderzoek meewerkte, en de rest was blank.'

'Dus om dicht bij het project te komen kon de groep alleen een jongerejaars naar zijn colleges sturen?'

'Dat klopt.'

'En die colleges die u bij Crone volgde – gingen daar nog andere Afrikaans-Amerikaanse studenten naar toe?'

'Nee.'

'Waarom niet?'

'Op de campus zeiden ze dat Afrikaans-Amerikanen die colleges beter niet konden volgen.'

'Waarom?'

'Ze namen aan dat Crone een raciaal vooroordeel had.'

'Protest. Geen grondslag. Speculatie van de kant van de getuige.'

'Laat me de vraag anders formuleren,' zei Tannery. 'Was u indertijd in de gelegenheid om met andere studenten uit minderheden over die colleges te praten?'

'Ja.'

'En trok u op grond van die gesprekken enige conclusie

waarom studenten uit minderheden die colleges van Crone niet zouden willen volgen?'

'Ja. Ik trok de conclusie dat algemeen werd aangenomen dat Crone raciaal bevooroordeeld was.'

'En waar was dat op gebaseerd?'

'Verhalen over zijn werk.'

Wat de getuige bedoelt, zijn geruchten, aangezien geen van de studenten er dicht genoeg bij zat om te weten wat voor werk hij deed.

'Hoeveel studenten volgden die colleges?'

'Ongeveer honderd, misschien honderdtwintig.'

'En u was de enige Afrikaans-Amerikaan?'

'Ja.'

'Nu zegt u dat u door die groep bent uitgekozen. Die Studenten voor Raciale Gerechtigheid. Waarom werd u daarvoor uitgekozen?'

'Ik had onderwijskunde als hoofdvak en natuurkunde als bijvak. Ik had goede cijfers. Daar kwam nog bij dat ik parttime op de universiteit werkte, zodat ik toegang had tot bepaalde informatie en bepaalde kamers.'

Harry kijkt me aan alsof hem ineens een heleboel duidelijk is.

'Had u ook toegang tot kamers van de faculteit?'

'Ja.'

'Ook tot de kamer van David Crone, de verdachte?'

'Ja.' Ze kijkt mij aan en glimlacht terwijl ze het zegt.

'Hebt u, afgezien van uw dochter, ooit iemand anders hierover verteld?'

'Alleen de mensen van onze groep.'

'U hebt het nu over die organisatie waartoe u behoorde, Studenten voor Raciale Gerechtigheid?'

'Dat klopt.'

'En bent u in die periode de kamer van David Crone binnengegaan?'

'Ja.'

'Wanneer?'

'Ik kan me de exacte datum niet herinneren, maar het was in het voorjaar, tegen het eind van het academisch seizoen.'

'En hebt u iets uit die kamer meegenomen?'

Ze kijkt mij, Crones alter ego, recht aan voordat ze antwoord geeft. 'Ja.' Ze zegt dat doelbewust, alsof dit het hoogtepunt van een missie was.

'En wat nam u mee?'

'Ik heb wat onderzoekspapieren gekopieerd. Met de hand geschreven aantekeningen in een map. Er waren ook formulieren met ruwe gegevens en enige conclusies, met de hand door hem geschreven, gebaseerd op die gegevens. Ik heb dat allemaal gekopieerd.'

'Ik neem aan dat u met "hem" de verdachte, David Crone, bedoelt.'

Ze knikt.

'Voor het verslag,' zegt Tannery.

'Dat is juist.'

'Waarom hebt u die papieren gekopieerd?'

Ze aarzelt even voordat ze antwoord geeft. 'Ze waren bewijs.'

'Bewijs waarvan?'

'Van waar hij aan werkte.'

'En wat was dat?'

'Racistisch onderzoek,' zegt ze.

'Protest.' Ik ben opgestaan. 'Edelachtbare, dit is irrelevant en bevooroordeeld. Het zijn dingen uit de tweede hand. Het valt buiten het bestek van de bewijsvoering. Het ergste soort speculatie van de kant van deze getuige.'

'We presenteren dit niet om de waarheid van de beweringen te bewijzen,' zegt Tannery. 'We willen niet bewijzen dat deze documenten racistisch waren, of dat professor Crone dat was, maar we willen een beeld geven van de gemoedstoestand van deze getuige. We zien dit als een motiverende factor.'

'Motiverend waartoe?' vraag ik.

'Daar komen we nog op,' zegt Tannery.

'Ik neem aan dat er enige relevantie is,' zegt de rechter.

'Absoluut,' zegt Tannery. 'Als u me toestaat nog een paar vragen te stellen...'

Omdat de jury er toch niet bij is, kan het weinig kwaad. Coats geeft Tannery toestemming om verder te gaan met het presenteren van dit bewijsmateriaal. Geen wonder dat het openbaar ministerie al gauw niets meer in de theorie van een liefdesverhouding zag. De suggestie van een racistisch vooroordeel zou veel schadelijker zijn. Vanuit tactisch oogpunt is dat ook beter, omdat het de reputatie van het slachtoffer niet aantast.

'Wat hebt u met die documenten, die kopieën, gedaan?'

'Ik gaf ze aan anderen.'

'Aan de mensen uit uw organisatie?'

Ze knikt, herinnert zich dan de stenograaf en zegt hoorbaar 'ja'.

'En wat deden ze ermee?'

'Ze gaven ze door aan de kranten. De campuskrant was de eerste, maar toen waren er demonstraties en raakte de landelijke pers geïnteresseerd. Ik geloof dat de *Tribune* het oppakte, en toen werd het landelijk nieuws. De persdiensten kregen het verhaal te pakken. Associated Press.' Ze zegt het met een glimlach.

'En wat gebeurde er?'

'Het werd een enorme toestand,' zegt ze. Van verontwaardiging gaat haar stem een octaaf omhoog. 'De wereld was te klein. De universiteit kwam onder vuur. En Crone. Hij werd door het universiteitsbestuur op het matje geroepen. De academische senaat kwam bijeen. De zaak werd onderzocht en er werden veel vragen gesteld. Uiteindelijk werd zijn onderzoek stopgezet.'

Harry kijkt me opgewonden aan, met een gezicht van 'zei ik het niet?'. Harry denkt wat ik denk: moeder en dochter, de geschiedenis herhaalt zich, alleen had de moeder het fatsoen en de vooruitziende blik om de papieren niet uit Crones kantoor weg te nemen maar ze te kopiëren.

'Heeft professor Crone ooit ontdekt dat u ervoor verantwoordelijk was dat die documenten bij de pers terechtkwamen?'

'Niet dat ik weet. Ik geloof van niet.'

'Dus het is nooit in de openbaarheid gekomen? In ieder geval niet tot vandaag?'

'Dat is juist.'

'En u bent nooit gearresteerd?'

'Wat bedoelt u?'

'Omdat u Crones papieren hebt gekopieerd?'

'O. Nee.'

Tannery gaat over op een andere versnelling, herschikt de papieren op zijn lessenaar. 'Hebt u later, jaren later, uw dochter over die episode in uw leven verteld, het feit dat u in uw studietijd documenten van een van uw hoogleraren had weggenomen?'

'Ja.'

'En wanneer vond dat gesprek plaats?'

'Ongeveer twee jaar geleden.' Ze kijkt me nu met een strakke blik aan. Een boodschap voor Crone.

'En hoe kwam het ter sprake?'

'Kalista had net haar dissertatie geschreven. Ze was op zoek naar een geschikte functie, een onderzoeksterrein. Daar lag haar kracht. Ze had een uitstekende academische staat van dienst. Er kwamen veel aanbiedingen, en een daarvan trok mijn aandacht. Dat was die van het genetisch centrum hier.'

'Dat is het onderzoeksinstituut waarvan de verdachte, David Crone, de leiding had?'

'Ja.'

'En hoe kwam u te weten dat het centrum uw dochter een functie had aangeboden?'

‘Ze liet me de brief zien. Zijn naam stond in nogal grote letters in het briefhoofd. Hij had de brief ondertekend waarin Kali werd verzocht om te solliciteren. Ze zei tegen me dat ze hem op de universiteit had ontmoet toen hij daar aan het rekruteren was. Ik dacht dat het onmogelijk dezelfde man kon zijn. Maar ergens in de literatuur die werd meegestuurd stond ook zijn cv. Daar stond in dat hij een tijdlang aan de faculteit in Michigan verbonden was geweest. Hij was het. Ik kon het niet geloven. Natuurlijk stond er niets over zijn eerdere onderzoek naar raciale genetica. Hij had geld nodig, en hij zou het niet krijgen als –’

‘Protest.’

‘Toegewezen. Beantwoordt u alleen de vraag,’ zegt Coats.

‘Maar u vertelde uw dochter over de voorgeschiedenis van de verdachte op dat terrein? Het feit dat hij vroeger betrokken was bij controversieel onderzoek naar raciale genetica?’

‘Ja.’

‘U sprak over een controverse,’ zegt Tannery. ‘Laten we eens in bijzonderheden treden. Waar werkte professor Crone destijds precies aan?’

‘Protest, edelachtbare. Dat is irrelevant.’

‘Afgewezen. U kunt antwoord geven op de vraag.’

‘Hij werkte aan raciaal grijzen.’

‘En wat is dat?’

‘Hij deed onderzoek naar raciale markers, enzymen die de ene raciale groep van de andere onderscheiden. Hij wilde manieren vinden om ze te neutraliseren, te vervagen. Hij wilde een soort genetische smeltkroes creëren zonder raciale kenmerken, zonder unieke eigenschappen van een bepaald ras.’

‘En dat vond u onethisch?’

‘Absoluut. Hij speelde voor God, of was dat tenminste van plan. Het was duidelijk dat hij naar eliminatie van minderheidseigenschappen streefde.’

'En u hebt hem tegengehouden?'

'Ja. Gelukkig voor ons was de wetenschap van de genetica toen nog niet zo ver als nu. We konden ontdekken waaraan hij werkte en we konden het aan de kaak stellen.'

'En dat vertelde u aan uw dochter?'

'Ja.'

'Wat vertelde u haar nog meer?'

'Ik vertelde haar over de demonstraties in de jaren zeventig, over Crone's publicaties, en hoe zijn onderzoek in diskrediet raakte.'

'Hebt u haar verteld dat het voor een groot deel uw verantwoordelijkheid was dat die informatie uitlekte?'

'Ja.'

'En wat was haar reactie?'

'Protest.'

De getuige gaat rechtop in de stoel zitten en kijkt mij aan. Ze slaakt een diepe zucht, alsof ze het protest niet heeft gehoord. 'Ze was trots op me. Ze zei dat ik daar goed aan had gedaan.'

'Protest. Ik verzoek dit te schrappen.'

'Toegewezen.' De rechter waarschuwt haar dat ze de vraag niet mag beantwoorden als er is geprotesteerd.

De getuige kijkt hem aan, maar laat niet blijken of ze zijn instructie al dan niet accepteert. Coats maakt het nog eens goed duidelijk, en tenslotte geeft Tanya Jordan te kennen dat ze het begrijpt.

Zulke mededelingen uit de tweede hand zijn in een moordproces absoluut niet toegestaan. De stem van het slachtoffer is voor altijd tot zwijgen gebracht. Het procesrecht verbiedt het herhalen van ieder commentaar dat ze voor haar dood heeft gegeven, met enkele strikte uitzonderingen. Dat verbod betreft in ieder geval Kalista Jordans mening over de incidenten waarover haar moeder haar vertelde.

Tannery vraagt de rechter om een ogenblik. Hij overlegt met

de opsporingsambtenaar die aan zijn tafel zit. Ze zitten met het probleem dat ze tegen een muur zijn opgelopen. De getuige mag de jury geen dingen vertellen die haar door haar inmiddels dode dochter zijn verteld. Tanya Jordan kan alleen maar getuigenis afleggen over haar kant van ieder gesprek, en in dat geval kan de jury de lacunes zelf opvullen met gissingen. Als het zover komt, zal de rechter waarschijnlijk helemaal niet toestaan dat ze als getuige optreedt.

De officier van justitie gaat naar de lessenaar terug. 'Hebt u die mogelijkheid om hier te komen werken met uw dochter besproken? De baan bij het genetisch centrum?'

'Ja.'

'En kunt u het hof vertellen wat u daarover tegen uw dochter hebt gezegd?'

'Ik zei tegen haar dat het me geen goed idee leek om die baan te accepteren.'

'En waarom niet?'

'Vanwege professor Crones voorgeschiedenis.'

'U bedoelt, het raciale standpunt dat hij zou innemen?'

'Protest. Er is geen getuigenverklaring afgelegd over zijn standpunt, alleen over zijn werk.'

'Toegewezen. Herhaalt u de vraag.'

'Is het redelijk om te zeggen dat u niet wilde dat uw dochter die baan bij professor Crone aannam omdat u kennis had van zijn vroegere werk op het terrein van raciale genetica?'

'Ja.'

Tannery glimlacht omdat ik dit duidelijk heb gemaakt. Hij zal hier waarschijnlijk gebruik van maken als de jury erbij is. 'Maar ze nam de baan toch aan?' vraagt hij.

'Ja.'

Waarom? Die niet-gestelde vraag hangt in de lucht als de bittere rooklucht van een uitgebrand vuur. Tannery mag de vraag niet stellen, want dan zou hij naar mededelingen uit de tweede hand vragen, maar de juryleden zullen er gemakkelijk naar kunnen raden.

'Even voor alle duidelijkheid: u wilde niet dat ze deze baan nam?'

'Nee.'

'En de reden daarvoor?'

'Professor Crones voorgeschiedenis. Hoe ik daarover dacht, mijn zienswijze, mijn mening dat hij betrokken was geweest bij wat ik als racistisch genetisch onderzoek beschouwde.'

De getuige leert snel. Ik protesteer, maar nu wijst de rechter mijn protest af. Ik kan bezwaar maken tegen mededelingen van feiten, maar niet tegen haar opinies, zeker niet wanneer die betrekking hebben op haar eigen motieven.

'Ik vond dat Kalista zich niet moest inlaten met iemand die zo'n voorgeschiedenis had.' De getuige drijft het mes er nog wat dieper in.

Er zijn wel tien manieren waarop ik onder het kruisverhoor in de aanval kan gaan: wat maakt Tanya Jordan tot een expert op het gebied van de raciale genetica? Hoe kan ze er zo zeker van zijn dat Crones onderzoek niet legitiem was? Hoe is het mogelijk wetenschap te bedrijven als bepaalde onderwerpen taboe zijn? Al die vragen zouden op mijzelf terugslaan. Tannery zou glimlachend toekijken terwijl ik mezelf in de nesten werkte. De getuige heeft Crones vroegere werk al 'racistisch' genoemd. Indertijd waren die beschuldigingen al gevaarlijk genoeg om tot een controverse te leiden en een abrupt einde aan zijn toenmalig onderzoek te maken. Als ik samen met de moeder van het slachtoffer, een Afrikaans-Amerikaanse, ging analyseren wat racisme is, maak ik weinig kans de discussie te winnen. Eén ding staat vast: als racisme de inzet van het proces wordt, hoeven we niet meer aan de uitkomst te twijfelen.

Tannery gaat dichter naar de vraag toe. 'Had u reden om aan te nemen dat professor Crone zich in de tijd dat hij uw dochter aanwierf met raciaal getint onderzoek bezighield?'

'Ik wist het niet.'

'Is het redelijk om te zeggen dat u zich daar zorgen om maakte?'

'Ik maakte me zorgen. Ja.'

'En ontdekte u later dat dit inderdaad het geval was?'

'Ja. Ik kreeg bericht van Kalista dat ze documenten die ze had meegenomen aan haar mensen wilde overdragen.'

'Protest, edelachtbare. Uit de tweede hand.'

'"Haar mensen." Zijn dat de woorden die ze gebruikte?' zegt Tannery.

'Toegewezen,' zegt Coats.

'Ze gebruikte die woorden? Ze wilde die documenten aan haar mensen overdragen?'

'Dat is precies wat ze tegen me zei.'

De rechter slaat nu met zijn hamer. 'De vraag en het antwoord zullen worden geschrapt. De getuige heeft opdracht geen vraag te beantwoorden wanneer nog geen beslissing over een protest is genomen. Begrijpt u dat?' Coats richt zijn hamer als een pistool op haar, en richt hem dan op Tannery. 'En u, meneer. U weet wel beter. De enige reden waarom ik geen sancties opleg, is dat de jury niet aanwezig is. Als u dit ook probeert wanneer de jury er wel bij is, kunt u beter meteen uw tandenborstel meenemen, want dan brengt u de nacht in de cel door.'

'Sorry, edelachtbare. Ik liet me meeslepen.'

'Ja. Als u zo doorgaat, wordt u meegesleept door mijn parketwacht.'

Tannery doet zich een beetje nederig voor. Zijn ogen neergeslagen, zijn voeten schuifelend, zijn lichaamstaal een en al verontschuldiging. Hij zoekt in een paar papieren en gaat dan verder alsof er niets gebeurd is.

'Laat me u iets vragen,' zegt hij. 'Die informatie over de aard van professor Crones huidige onderzoek – kon u uit een andere bron informatie daarover krijgen? Een andere bron dan uw dochter?'

Coats kijkt over zijn bril heen naar hem, klaar om hem met zijn houten hamer te meppen.

'Ja.'

'En wat was die bron?'

'Een andere medewerker van het centrum.'

Tannery draait zich naar mij om terwijl hij de laatste vraag stelt. De haartjes in mijn nek gaan recht overeind staan. Ik voel dat het eraan komt: de genadeslag van de officier van justitie.

'En kunt u het hof de naam van die medewerker noemen?'

'Zijn naam is William Epperson.'

— 13 —

Crone wacht in het huis van bewaring op ons. Harry heeft vooruit gebeld om er zeker van te zijn dat de bewaarders hem naar een kamer voor advocatenbezoek brengen, een van die kamertjes boven de recreatieruimte waar 'de professor' met halters heeft gewerkt en kilometers op de tredmolen heeft afgelegd terwijl wij in de rechtszaal waren.

Het nieuws dat Epperson als bron van informatie voor Kalista's moeder heeft gefungeerd, trof ons als een donderslag bij heldere hemel. Harry heeft Epperson benaderd en daarmee niets bereikt. Nu kunnen we een vijandige getuigenverklaring verwachten, precies datgene wat we van het begin af van die voormalige basketbalheld hadden gevreesd.

'Wat zei Crone toen je hem het nieuws vertelde?'

'Als hij verrast was, sprak hij dat niet uit,' zegt Harry.

'Je denkt dat hij het al wist?'

'Als hij het niet wist, is hij onverstoorbaarder dan wie ook sinds James Dean. Het scheen hem helemaal niet van zijn stuk te brengen. Hij zei dat hij een absoluut vertrouwen in ons had.' Harry kijkt me met een scheve grijns aan.

'Misschien wist hij niet wat hij anders kon zeggen.'

'Hij had best een beetje angst mogen tonen,' zegt Harry. 'Voor de verandering.'

'Dus de man heeft ijswater in zijn aderen.'

'Het is een kouwe kikker. Nou, we zijn dus weer helemaal terug bij af. Omdat Kalista Jordan dood is, kunnen we alles wat ze tegen haar moeder heeft gezegd buiten het proces houden.

Dat zijn allemaal dingen uit de tweede hand. Maar Epperson, dat is andere koek. Hij leeft nog en hij is beschikbaar. Als Tannery hem in de getuigenbank zet en Epperson zegt dat Crone bezig is een genetisch soepje met de ingewanden van wombats te vermengen om een nieuwe formule voor het Afrikaanse intelligentiequotiënt te vinden, zal ons slotpleidooi ongeveer overkomen als het volkslied van de nazi's. De jury zal algauw concluderen dat Kalista vermoord is omdat Crone ontdekte dat ze op het punt stond huiveringwekkende raciale experimenten in de openbaarheid te brengen. Voor je het weet sta je de engel des doods te verdedigen.'

'Maar het klopt niet,' zeg ik. 'Waarom zou hij haar in dienst nemen als hij aan iets werkt dat raciaal geladen is? Waarom zou hij dat risico nemen?'

'Wie moet hij dan in dienst nemen?' zegt Harry. 'Er lopen niet veel skinheads rond met een academische graad in wat was het ook weer?'

'Moleculaire elektronica,' zeg ik.

'Wat dan ook. Crone had gekwalificeerde onderzoekers nodig om subsidies te krijgen. En het kan geen kwaad om een paar mensen uit etnische minderheden in je team te hebben. Hij wist hoe hij het spel moest spelen. Misschien had hij geen keus. Je moet niet vergeten dat Crone die subsidie van dat bedrijf dringend nodig had.'

'Cybergenomics.'

'Ja, dat bedrijf. Als hij Epperson in dienst moest nemen om een onderzoekssubsidie te krijgen, was hij misschien ook wel over te halen om Kalista Jordan om dezelfde reden in dienst te nemen. Ze kenden elkaar al voordat ze daar kwamen werken. Epperson werkte nog voor het bedrijf toen Kalista werd aangenomen. Hij kwam pas daarna op het centrum werken. Als ze nu eens samenwerkten om informatie over Crone te verzamelen? Als Kalista's moeder de waarheid sprak en ze haar dochter opstookte met verhalen over acties uit de goeie ouwe tijd, is het best mogelijk dat de dochter naar Epperson is gegaan om zijn hulp in te roepen.'

'En jij denkt dat ze hem in de val wilden laten lopen?'

'Ja, als je haar moeder moet geloven. En als Epperson een getuigenverklaring aflegt, maakt Tannery een goede kans om de jury te overtuigen.'

Ik denk daar even over na. 'Toch klopt er iets niet.'

'Wat dan?' zegt Harry.

'Waarom zou een bedrijf als Cybergenomics zich met zoiets inlaten? Ik bedoel, als Crone een onderzoek doet dat sociaal en politiek controversieel is, waarom zouden ze daar dan bij betrokken willen zijn en riskeren dat het image van hun bedrijf wordt bezoedeld? Ik kan me niet voorstellen dat er veel geld mee te verdienen valt.'

Harry denkt daar even over na. Peinzend lopen we door de hal van het gerechtsgebouw. 'Als nu eens...' Hij denkt hardop. 'Als hun subsidie nu eens voor iets anders bestemd was? Als Crone daarnaast nu eens dat raciale onderzoek deed? Iets waarvan het bedrijf niet wist? Stel je voor wat er met de financiering zou gebeuren als dat bekend werd.'

'Die kraan zou meteen dichtgaan.'

'Het zou nog erger kunnen zijn,' zegt Harry. 'Als Crone geld naar iets anders sluisde en verstoppertje speelde met subsidiegeld, komt het in de criminele sfeer. Het zou iets zijn om een moord voor te plegen.'

Harry en ik hebben tegelijk dezelfde gedachte. We stamelen het woord in koor: 'Accountantscontrole.'

We blijven abrupt staan en kijken elkaar aan. Iemand die vanaf de bovenkant van de roltrap naar beneden kijkt en onze lichaamstaal ziet, zal verwachten dat er een fluorescerend groen licht achter onze ogen flikkert.

'Is die er geweest?' vraag ik.

'Dat weet ik niet.'

Dan herinner ik me dat ik een aantal documenten heb gekregen, papieren met betrekking tot het subsidieverzoek voor het onderzoek naar Huntington bij kinderen.

'Dat zou ons iets geven om mee te beginnen. Het projectnummer en de naam die ze voor het hoofdonderzoek gebruikten. Dat stond op het subsidieverzoek.'

'Wat weten we over de financiering?' vraag ik Harry.

'Niets,' zegt hij.

Plotseling heb ik een misselijkmakend gevoel: we hebben steeds op de verkeerde plaatsen gekeken.

Ik denk dat ik het subsidieverzoek misschien in een van de kasten achter in het kantoor heb opgeborgen, maar dan besef ik waar ik ze heb achtergelaten. Het waren slechts kopieën, en toen we ermee klaar waren, heb ik ze bij Doris Boyd achtergelaten.

Ik zeg tegen Harry dat ik hem de volgende morgen zal bellen. Hij kan ze dan komen ophalen. 'Het is in ieder geval een begin. Dan weten we waar we moeten beginnen met zoeken.'

'Als dat het is,' zegt Harry, 'komt Crone onder een juridische hamer terecht.'

'Als een mug onder een moker.'

'Misschien was hij persoonlijk aansprakelijk voor de fondsen,' zegt Harry.

'Dan zouden ze zich nog mild opstellen. Ze kunnen hem ook naar de gevangenis sturen wegens oplichting en verduistering,' zeg ik.

'Dat zou hem niet ten goede komen als hij weer op subsidiejacht gaat. En het valt toch al niet mee om sponsors te vinden als je in de bak hebt gezeten.'

Ik vermoed dat Harry wel een paar cliënten kent die dat niettemin heel goed gelukt is. 'Je denkt dat Jordan en Epperson dat deden? Dat ze op geld joegen?'

'Ik weet het niet.' Harry wil daar niet aan denken. 'Misschien maken we ons zorgen om niets. Ik bedoel, we kunnen wel lijntjes tussen alle stipjes gaan trekken, maar dat wil niet zeggen dat het iets bruikbaars oplevert.'

'Laten we hopen dat voor Tannery hetzelfde geldt. Ik heb geen behoefte aan nog meer verrassingen. Probeer zoveel mogelijk over eventuele accountantscontroles aan de weet te komen. Volg het spoor van het subsidiegeld, vooral alles wat van Cybergenomics is binnengekomen.'

Harry maakt aantekeningen terwijl we lopen, klikt dan zijn pen dicht en stopt hem in zijn borstzakje. 'Als daar iets mee aan de hand is, hoop ik dat je hun een antwoord kunt geven.'

'Ik?' Ik kijk naar hem terwijl we door de hal lopen, ik een halve stap achter hem aan.

'Jij bent de enige in wie Crone al zijn vertrouwen stelt,' zegt hij.

'En jij dan? Jij hebt al die dingen bedacht waar we ons zo druk over maken.'

'Dat is waarschijnlijk de reden waarom hij geen vertrouwen in mij heeft.' Harry glimlacht.

We lopen snel, bijna op een drafje, de trappen van het gerechtsgebouw af en gaan de hoek om naar het huis van bewaring. Harry loopt voorop en we lopen schuin in de richting van de trottoirband. Het is een van die situaties waarin de wereld een surrealistische droom lijkt. Ik hoor Harry praten, maar mijn hersenen volgen hem niet helemaal, want opeens gaan er allemaal tuimelschakelaars in mijn hoofd om. Stuk voor stuk vallen ze klikkend op hun plaats.

De auto is bijna bij ons voor ik het merk. De bestuurder had midden op straat kunnen keren, maar hij was al te ver gekomen en het zou te veel zijn opgevallen. Het beste dat hij kan doen, is zijn elleboog omhoogbrengen om in het voorbijrijden zijn gezicht af te schermen, op weg naar het drukke verkeer op Broadway. Die elleboog is een handig trucje, alleen heb ik die beweging te vaak op het basketbalveld gezien, en het is moeilijk om niet op te vallen als je twee meter vijftien bent.

'Zag je dat?' zeg ik.

'Wat?' Harry kijkt naar mij op, en dan naar de lucht – *het is een vogel... het is een vliegtuig...*

'Die auto,' zeg ik. 'Dat busje.'

Als hij zich omdraait, is de auto al bij de hoek, zestig meter verder.

'Ik heb niks gezien.'

'Epperson zat achter het stuur.'

Harry kijkt me verbaasd aan en kijkt dan weer naar de hoek. 'Wat denk je dat hij hier deed? Het is een heel eind van zijn werk vandaan. En hij mag niet in de rechtszaal komen.'

'Ja. Dat weet ik.' Maar wat me vooral dwars zit, is de wagen zelf, dat donkerblauwe busje met een fikse deuk in het linker spatbord aan de voorkant en met een kapot stadslicht aan dezelfde kant: hetzelfde busje dat gisteravond voor mijn huis geparkeerd stond.

Als we in het huis van bewaring aankomen, zit Crone al te wachten. Harry en ik zijn niet in de stemming voor spelletjes. We zitten aan de andere kant van het dikke glas dat ons van de gedetineerdenruimte scheidt. Hoewel we ieder woord kunnen horen en elk gebaar kunnen zien, kunnen we Crone niet aanraken, en Harry is daar eigenlijk wel aan toe. Aan geen van beide kanten van de ruit wordt geglimlacht.

Crone is een toonbeeld van zorgelijkheid. Zo gespannen als hij nu is, heb ik hem vanaf het begin van het proces nog niet meegemaakt, al zegt dat niet veel. We krijgen vooral ontkenningen van hem te horen.

'Ik weet niet waar ze het over heeft. Ik heb in de loop van de jaren zoveel studenten gehad. Die kan ik me niet allemaal herinneren.'

'Zij herinnert zich jou wel,' zegt Harry.

'Dan zal ik haar wel een slecht cijfer hebben gegeven.'

Harry en ik hebben besloten om niet over Cybergenomics te beginnen of vragen over de subsidie te stellen voordat we meer weten. We beperken ons tot Epperson en Tanya Jordans getuigenverklaring.

'Het is een feit dat Bill en ik goed met elkaar konden samenwerken,' zegt Crone. 'We kunnen goed met elkaar opschieten. Ik heb alleen maar erg positieve dingen over hem te zeggen.'

'Laten we hopen dat het wederzijds is,' zeg ik, 'als ze hem in de getuigenbank zetten.'

'Als ik moet afgaan op wat we hebben gehoord, zit dat er niet in,' zegt Harry.

'Ik weet van niets. Geloof me.'

'Waar hebben we dat eerder gehoord?' Harry begint bijna tegen Crone te snauwen. 'We interesseren ons niet voor verhalen over collegiale samenwerking of wederzijds respect. We willen weten of jullie aan iets werkten dat een raciaal tintje heeft.'

Crone kijkt hem over zijn brillenglazen aan. 'Dus we komen daar weer op terug.'

'We zijn daar nooit van weg geweest,' zegt Harry. 'Blijkbaar hield die goede verstandhouding die je met Epperson had ook in dat hij informatie aan Kalista Jordans moeder verstrekte, informatie met betrekking tot – hoe zeg je dat? – "controversiële maatschappelijke kwesties".'

Crone kijkt hem door de ruit heen aan.

'Raciale genetica,' zegt Harry. 'En dan heb ik het niet over een middel tegen sikkelcelanemie. Vertel ons eens wat over raciaal grijzen.'

Crone schudt zijn hoofd. 'Er deed zich toen een misverstand voor.'

'Toen? Wanneer?' vraagt Harry.

'Toen ik in Michigan was.'

'We hebben het niet over Michigan. We hebben het over nu.'

Crone kijkt heel verbaasd, alsof hij het echt niet begrijpt. 'Wat zegt ze? Dat ik nu zulk onderzoek doe?'

'Dat schijnt ze te zeggen, en volgens haar is Epperson bereid het in de getuigenbank te bevestigen.'

'Nee,' zegt Crone. Hij kijkt me plotseling fel aan. 'Paul, je moet me geloven. Ik weet niet waar die vrouw het over heeft.' Hij heeft beide handen plat voor zich op de tafel liggen en buigt zich naar de ruit van acryl toe. Daarbij kijkt hij me recht in de ogen om vooral goed duidelijk te maken dat hij de waarheid spreekt.

'Vertel ons eens wat over raciaal grijzen,' zegt Harry. Hij laat zich niet zo gemakkelijk afschepen.

Crone is een en al frustratie. Zijn blik gaat schichtig heen en weer. Hij kijkt naar alles, behalve naar ons. 'Waar moet ik beginnen?'

'Bij het begin, bijvoorbeeld,' zegt Harry.

'Goed. Laten we bij het begin beginnen. In de Middeleeuwen had je dynastieke oorlogen. Legers vochten onder de banier van het christendom om religieuze verschillen van de kaart te vegen. Ze slachtten elkaar af in de naam van God: een hogere roeping dan wij zullen hebben als we in de richting blijven gaan waarin we afdrijven.' Plotseling kijkt hij ons aan. Zijn blik snijdt als een laserstraal door me heen. 'Heb je enig idee hoeveel mensen in de loop van de eeuwen door religieuze twisten hun leven hebben verloren?'

Geen antwoord.

'Jullie vragen je af wat dit met genetica te maken heeft?'

'Die vraag is inderdaad bij me opgekomen,' zegt Harry.

'Die sektarische godsdienstoorlogen waren nog vriendelijk in vergelijking met de raciale en etnische conflicten waarin de mensheid zal worden meegesleurd als we er niet snel mee afrekenen. Mensen konden zich nog tot een nieuwe godsdienst bekeren als ze met een scherp zwaard of een heet vuur werden geconfronteerd, maar hoe verander je de kleur van je huid, de vorm van je neus, de structuur van je haar? De nieuwe inquisitie is al begonnen. Als je me niet gelooft, moet je maar eens naar de raciale samenstelling van onze gevangenisbevolking kijken. We staan aan de vooravond van nieuwe kruistochten, en als je dat niet gelooft, moet je maar eens kijken naar wat er op de Balkan gebeurt.

De grote denkers, de meesters van het intellect, hebben al sinds vóór Christus in hun geschriften op de gelijkheid van alle rassen aangedrongen, en toch hebben we nog eeuwen van slavernij doorgemaakt. Hier, in dit land van de vrijheid, werd pas na vijfenzeventig jaren, een burgeroorlog en zeshonderdduizend doden de preambule van Jeffersons declaratie een feit: dat alle mensen gelijkwaardig zijn. En toch zijn er nog steeds mensen die dat niet accepteren.

Ja, daar werkte ik aan. In Michigan. Dat geef ik toe.' Hij kijkt Harry aan. 'Je begrijpt het niet?'

Van onze kant van de ruit komt niets dan stilte. Harry en ik denken allebei hetzelfde: *Wat gebeurt er als Crone in de getuigenbank zit en zulke dingen vertelt?*

'Hoe goed onze bedoelingen ook zijn, hoezeer we ook naar sociale gerechtigheid streven,' zegt Crone, 'we zullen nooit kleurenblind zijn. We moeten de feiten onder ogen zien. We zullen ons altijd bewust zijn van fysieke verschillen. En het is niet alleen een kwestie van ras. In deze tijd van wetenschappelijke vooruitgang en technologische wonderen beoordelen we onze leiders op hun fysieke verschijning en hun televisieoptredens en kiezen we idioten en corrupte schijnheiligen om ons te regeren. We zeggen dat we voor verscheidenheid zijn, maar gedragen ons daar niet naar. We willen glimlachen en de minderheden aan ons hart drukken, want dat geeft ons een goed gevoel. We willen genieten van die verschillen, en toch scheidt juist het feit dat we verschillen zien ons van de anderen. Ja, ik werkte ernaar toe om die verschillen uit te wissen. Ik weet niet of ik daar trots op ben. Door zoiets te doen geef je namelijk toe dat onze soort gefaald heeft in juist datgene wat vanzelf had moeten gaan: de aanvaarding van de ander. Het besef dat we 's morgens allemaal op dezelfde manier onze broek aantrekken, eerste de ene en dan de andere pijp.

Het is iets subtiels, het zien van het verschil. Hoe geven we aan de hersenen door dat ze geen classificatiesysteem moeten vormen dat ons dagelijks wordt opgelegd door de economie, door de buurt waarin we wonen, door de mediaberichten die over ons heen komen en die we in ons opnemen in een proces dat bijna aan osmose doet denken?'

Hij kijkt mij aan. 'Wil jij beweren dat je je niet gespannen voelt als vijf of zes jonge zwarte mannen, of een stel macho Mexicaanse tieners, op het trottoir naar je toe komen lopen? Zou je diezelfde angst hebben als die jongeren blank waren? Waarom voelen ze zich gedwongen tot allerlei geheime riten zoals bendegraffiti? Waarom zouden ze kleren aantrekken om te laten zien dat ze bij een bende horen, kleren die hen van anderen onderscheiden? Dat zijn staminstincten die zo oud zijn als de mensheid. Archeologen zullen je vertellen dat in de steppen van Afrika sporen van stamleven zijn gevonden die negenduizend jaar oud zijn. En daar gaan we nu naar terug. Terug naar de stammensamenleving, terug naar de duisternis. Ik hoopte op een uitweg.'

Hij kijkt ons door de ruit ijskoud aan. 'Ik geef toe dat het onderzoek controversieel was. Er is geen gen dat iemands ras bepaalt. Dat weten we. Het is veel subtieler. Er zijn meer genetische verschillen binnen raciale groepen dan tussen die groepen onderling. We hebben te maken met honderd, misschien wel duizend genetische verschillen. Melanine bepaalt de huidskleur, maar zelfs dat is geen raciale indicator. Sommige mensen vinden het al onethisch om je met zulke dingen bezig te houden. Maar noem me eens een betere manier om het probleem op te lossen, en ik verander meteen van opvatting.'

'Als we de beslissing nu eens aan de natuur overlaten?' zegt Harry.

'Dat werkt niet,' zegt Crone. 'We hebben geen miljoen jaar de tijd om de evolutie zijn loop te laten hebben, om de verschillen te laten vervagen zodat we één familie worden. De kans is veel te groot dat we elkaar uitroeien voor het zover is. De raciale conflicten zullen ons volledig verslinden.'

'Ik ben wel tevreden met mijn uiterlijk,' zegt Harry. 'Ik zou niet willen dat jij daar iets aan deed.'

'Het gaat om de toekomstige generaties,' zegt Crone. 'Als het werkte, zou het hun ten goede komen.'

'Misschien vinden zij het ook prettig om een product van de natuur te zijn,' zeg ik.

'Een mooie gedachte,' zegt hij, 'maar daarmee doe je niets aan het probleem. Wetenschappelijk gezien, genetisch gezien, bestaan er helemaal geen verschillende rassen; het is alleen maar een sociaal begrip. Zou het niet mooi zijn als de samenleving op het peil van de wetenschap kwam? Misschien kan het ras dan in leven blijven. Ik bedoel het menselijk ras. In plaats van volkstellingsformulieren in te vullen met nutteloze gegevens over ras en etnische herkomst zouden we aan de toekomst kunnen bouwen. Op dit moment zijn we alleen maar bezig raciale stereotypen te versterken.'

Hij denkt even na, kijkt mij aan, vraagt zich af hoe hij het ons duidelijk kan maken. 'Laat me jullie een voorbeeld geven. Je bent piloot in een klein vliegtuig. Je stijgt op en binnen een paar minuten zit je midden in de wolken. Je kijkt door de ramen en ziet alleen maar wit. Je vertrouwt erop dat je ogen je vertellen welke kant boven is. Je vertrouwt op je evenwichtsorganen. Twee minuten later smak je met je vliegtuig tegen de grond.

Waarom? Omdat je ogen en je evenwichtsorganen je hebben bedrogen. Zo is het met rassen ook. We vertrouwen op onze indrukken en negeren de wetenschap. En wat vertelt de wetenschap? Die vertelt je dat er geen genetische verschillen zijn. Er bestaan geen raciale markers. Maar mensen geloven wat ze zien. Dus wat doe je daaraan?'

Ik heb geen antwoord voor hem.

'Mensen zijn zo dom,' zegt hij. 'Als je bijvoorbeeld mensen vraagt wat iemand echt groot maakt, wat het fundamenteelste element is waardoor iemand zijn stempel op de menselijke geschiedenis kan zetten, denken ze er altijd over na, al denken ze nooit lang genoeg, en dan beginnen ze de eigenschappen van grote mensen op te sommen. Ze werken de hele lijst af, op zoek naar dat ene essentiële gemeenschappelijke element. Ze hebben het over doorzettingsvermogen en genialiteit, opvoeding en welsprekendheid, natuurtalent en aangeleerde vaardigheden. Sommigen komen zelfs dicht in de buurt en noemen het toeval. Maar ze hebben het nooit helemaal goed. Altijd ontgaat hen het essentieelste en meest voor de hand liggende element dat iemand groot maakt. En het is zo eenvoudig.

Om een groot mens te zijn, om iets in dit leven te bereiken, moet je allereerst in leven blijven. Je moet overleven.' Hij glimlacht. 'Ik wed dat jullie dat niet door hadden.'

Hij kan aan mijn gezicht zien dat ik het niet door had.

'En toch nemen we het allemaal als iets vanzelfsprekends aan. Weet iemand van ons het? Hebben we enig idee hoeveel Einsteins en Picasso's er zouden zijn geweest als ze allemaal in leven waren gebleven om te laten zien hoe groot ze waren? Hoeveel Churchills en Roosevelts zijn als klein kind gestorven door ziekte, oorlog of hongersnood? We zullen het nooit weten. De wereld zal nooit weten wie ze waren. Ze hebben de geschiedenisboeken niet gehaald om de simpele reden dat ze de eerste proef van grootheid niet hebben doorstaan. Ze zijn niet lang genoeg in leven gebleven. En daar gaan wij als soort nu naartoe. In de race om grootheid in de kosmos. Andere wezens op andere planeten zullen nooit weten dat wij bestonden, want als we de problemen hier niet oplossen, zullen we niet lang genoeg in leven blijven.

Weet je dat ik in de afgelopen vijf maanden, sinds ik hier in het huis van bewaring ben, al minstens twintig keer gerekruteerd ben door Nordic Price, een blanke bende die bescherming geeft?'

Ik heb dat al eerder gehoord van bewaarders die ik ken. Gevangenissen zijn het moderne equivalent van de natuur. Je sluit je aan bij een groep of je gaat dood.

'Het is een kastenstelsel op basis van kleur: bruin, zwart en blank. Tot nu toe heb ik nee gezegd,' zegt hij. 'Ik weet niet hoe lang ik me die luxe nog kan permitteren. Als ik word veroordeeld en in San Quentin of Folsom terechtkom, kan ik er niet langer over nadenken. Dan moet ik in actie komen. Dan wordt het tijd dat ik een keuze maak. Ik moet me bij een stam aansluiten, of anders ga ik dood. En neem maar van mij aan dat ik iemand ben die in leven blijft.'

Dit zijn voor Crone geen theoretische vraagstukken meer. Ik kan merken dat hij ze 's nachts in de duisternis van zijn cel heeft overwogen.

Een ogenblik is er alleen maar stilte. Dan kijkt hij mij aan. 'Gek is dat, hè?'

'Wat?' vraagt Harry.

'Dat niet de scholen of de bedrijven of zelfs de gezinnen de kweekbodem van de moderne Amerikaanse samenleving zijn, maar de gevangenissen.' Hij lacht een beetje om die gedachte. 'Vergis je niet,' zegt hij. 'De stammen die daar ontstaan, zullen daar niet blijven. We kunnen ze niet snel genoeg opsluiten of lang genoeg vasthouden om de problemen te isoleren en uit de wereld te helpen. We moeten iets doen, en vlug ook.'

'En daar was jij mee bezig,' zegt Harry. 'Je ging dat probleem te lijf.'

'Ik probeerde het. Ik wilde in ieder geval een mogelijke oplossing vinden,' zegt Crone. 'In Michigan.'

'Zo komen we daar weer terug,' zegt Harry.

'Omdat het de waarheid is. Mijn opvattingen zijn niet veranderd. Maar ik hield me op het centrum niet met raciaal genetisch onderzoek bezig. Dat is een feit. Als jullie me niet geloven, zetten jullie Bill Epperson maar in de getuigenbank. Hij zal jullie vertellen dat ik niet aan zoiets werkte.'

'We hoeven hem niet in de getuigenbank te zetten,' zegt Harry. 'Dat doet de officier van justitie al.'

'Praat dan met Bill, als jullie me niet geloven.'

'We hebben het geprobeerd,' zeg ik. 'Hij wil niet met ons praten.' Harry is na onze ontmoeting in de lift nog een keer naar Epperson toe geweest. Harry bereikte niets. Epperson weigerde een beëdigde verklaring te ondertekenen en zei dat hij niet meer over de zaak wilde praten. Hij vroeg Harry weg te gaan.

'Ik begrijp het niet.'

'Je bent de enige niet,' zegt Harry.

'Waarom zou hij niet met jullie willen praten? Ik weet dat Kalista's dood hem diep heeft getroffen. Ze hadden een nauwe band met elkaar. Maar ik denk niet dat Bill gelooft dat ik er iets mee te maken had. Eigenlijk weet ik dat wel zeker. Hij heeft het tegen me gezegd.'

'Wanneer?'

Crone denkt even na. 'Een week of zo voordat ik werd gearresteerd. We zaten in mijn kamer te praten. Iedereen in het centrum wist dat de politie aan het rondsnuffelen was, dat ik een verdachte was. Ze lieten dat uitlekken, probeerden mijn reputatie te vernietigen. Ik denk dat ze wilden kijken of ik op de vlucht zou slaan.'

'En wat zei je tegen Epperson?'

'Ik zei tegen hem dat ik niet wist waarom de politie me steeds weer kwam ondervragen.'

'En wat zei hij?'

'Hij begreep het ook niet. Hij zei dat hij niet wist waarom iemand Kalista kwaad zou willen doen. Hij zei dat hij wist dat we onenigheid hadden gehad, maar hij was er ook zeker van dat ik niets met haar dood te maken had. Hij stelde mij niet verantwoordelijk. Dat weet ik. En geloof me, als hij argwaan koesterde, zou hij nooit met me hebben gepraat.'

'Waarom niet?'

Crone wendt plotseling zijn ogen af, alsof hij een grens heeft overschreden, alsof hij iets heeft gezegd dat hij niet had moeten zeggen.

'Hoor eens,' zeg ik nu. 'Als je iets achterhoudt, is dit het moment om ermee op de proppen te komen. We kunnen geen cliënt verdedigen die iets achterhoudt.'

'Het is niet iets belangrijks,' zegt Crone.

'Laat mij daarover beslissen,' zeg ik.

Hij vraagt zich af hoe hij het kan vertellen, zoekt naar de juiste woorden, en gooit het er dan gewoon uit: 'Epperson was verliefd.'

Ik zeg niets, maar hij weet wat ik wil vragen.

'Op Kalista,' zegt hij.

'En nu ga je me vertellen dat het niet wederzijds was?'

Hij laat zijn hoofd heen en weer schommelen alsof hij het liever niet zou zeggen, maar zegt het dan toch. 'Ze mocht hem graag. Ze waren vrienden.'

'Maar niets meer dan dat.'

Crone schudt zijn hoofd.

'En Epperson wilde iets meer?'

'Hij wilde met haar trouwen.'

'Heeft hij haar ooit gevraagd?' zegt Harry. Iets dat we Epperson in de getuigenbank voor de voeten kunnen werpen.

Crone komt nu aan de andere kant van de ruit uit zijn stoel. Hij bevindt zich in een klein hokje met een bewaarder aan de andere kant van een dichte deur. Ik zie het uniform door de acrylruit die ons van elkaar scheidt en door het glas in de deur achter Crone.

'Praat niet met je rug naar ons toe,' zegt Harry. 'Ze kunnen liplezen.'

Crone draait zich om. 'Hij probeerde haar een verlovingsring te geven.'

'Epperson?' zeg ik.

Hij knikt. 'Ze wees hem af.'

'Wanneer?' vraagt Harry.

'Ongeveer drie weken voordat ze verdween.'

'Waarom heb je ons dat niet verteld?' vraag ik.

'Omdat het niets met de moord te maken had.'

'Hoe weet jij dat?' vraagt Harry. 'Volgens mij kunnen maar twee mensen daar zo zeker van zijn als jij blijkbaar bent: Epperson, als hij haar niet heeft vermoord, en degene die het wel heeft gedaan.'

Crone negeert hem. 'Kalista ging met haar probleem naar een vriendin, een oudere vrouw bij het centrum. Die vriendin kwam naar mij toe. Ze vertelde me dat Kalista haar vriendschap met Epperson niet wilde bederven.'

'Wanneer was dat?' vroeg ik.

'Een paar dagen nadat hij probeerde haar die ring te geven.'

'Wie was die tussenpersoon?' vraagt Harry. 'Die oudere vrouw?'

'Carol Hodges.'

Hodges was al als getuige opgetreden. Ze was aanwezig geweest bij de ruzie tussen Crone en Jordan in de kantine van de faculteit, op de avond dat Jordan verdween.

'Ze ging veel met Kalista om. Ze dacht dat ik misschien kon helpen.'

'Hoe kon je hebben geholpen?' vraag ik. 'Jij en Jordan stonden op voet van oorlog. Ze had die papieren uit je kamer weggenomen. Ze had een klacht wegens seksuele intimidatie tegen je ingediend.'

'Dat wist Hodges toen niet. Hodges dacht dat ik met Bill kon praten, dat ik hem misschien aan zijn verstand kon brengen dat ze gewoon niet van hem hield maar dat ze hem wel als vriend wilde. Ik deed wat ik kon.'

'Je ging met Epperson praten?' vraag ik.

Hij knikt.

'Waar had hij die ring gekocht?' vraagt Harry.

'Wat?'

'Die verlovingsring.' Harry heeft een blocnote op de tafel voor zich liggen, en hij heeft zijn pen in de aanslag.

'Dat weet ik niet. Waarom is dat belangrijk?'

'Heeft hij je die ring laten zien?'

'Nee.'

Niets wat we kunnen nagaan. Geen bewijsmateriaal waarmee we Epperson in de getuigenbank kunnen confronteren. Omdat Kalista Jordan dood is, is alles wat Hodges hierover te zeggen heeft informatie uit de tweede hand.

'Heeft Epperson ooit met iemand in het centrum gepraat, misschien met iemand die hij in vertrouwen nam?'

'Met sommige jongere medewerkers,' zegt Crone. 'Een stuk of wat van de jongere kerels gingen in hun vrije tijd met elkaar om.'

'Waarom heb je ons dit verdomme niet eerder verteld?' vraag ik.

'Omdat ik er zeker van was dat hij haar niet heeft vermoord. Hij hield van haar.'

'Ja, en ze wees hem af,' zegt Harry.

'Hij heeft het niet gedaan.'

'Hoe weet je dat?'

De enige reactie bestaat uit een schouderophalen en een starende blik vanaf de andere kant van de acrylruit.

Harry wil buiten overleggen, waar Crone ons niet kan horen. Hij trekt me mee aan mijn arm. Ik zeg tegen Crone dat hij moet blijven zitten. Harry en ik gaan naar buiten en doen de deur aan onze kant van het hokje dicht. We blijven daar staan om er zeker van te zijn dat de bewaarder Crone niet weghaalt.

'De vraag is: praten we nu met Epperson of slaan we hem in de getuigenbank hiermee om de oren?' zegt Harry.

'We hebben niets om hem mee te slaan. Denk je dat je die ring kunt achterhalen?' zeg ik.

'Als die ring bestaat.'

'Jij gelooft hem niet.'

'Ik weet niet meer wat ik moet geloven. Ik moet toegeven dat het nogal vergezocht is, die vrouw die naar hem toe komt om hem voor Cyrano te laten spelen. Hoeveel juweliers denk je dat er in San Diego zijn?'

'Ik zou in La Jolla beginnen, in de buurt van het centrum, en dan deze kant op werken. Probeer de zaken in de buurt waar Epperson woont.'

Harry knikt en trekt een zuur gezicht. Het is een ondankbare taak. Hij heeft zijn bord al meer dan vol: hij moet het accountantsspoor naar Crones onderzoek volgen en nu moet hij ook nog in Eppersons liefdesleven duiken.

'We weten ongeveer wanneer hij die ring heeft gekocht. Trouwens, misschien zijn er meer mensen van het centrum die de ring hebben gezien. Misschien heeft hij hem aan anderen laten zien. Zo doen jonge mannen die verliefd zijn.'

'Ja. Net iets voor mij.' Ik weet wat Harry denkt: Crone die hem met een kluitje in het riet stuurt.

We gaan weer naar binnen. Crone is voldoende tot rust gekomen om weer op zijn stoel plaats te nemen. Hij zit aan de andere kant van de acrylruit op ons te wachten.

'Als we met Epperson wilden praten,' zeg ik, 'hoe zouden we dat dan moeten aanpakken?'

Crone denkt daar even over na. 'Via Aaron, denk ik. Ik kan Tash vragen hem te bellen.'

'Het zou vrijwillig moeten zijn – Eppersons gesprek met ons. Geen aansporingen,' leg ik uit. 'Als hij niet met ons wil praten, moet hem duidelijk worden gemaakt dat hij mag weigeren.'

'Begrepen.'

Het lijdt geen twijfel dat als we met Epperson praten Tannery daarachter zal komen en ons gesprek met Epperson ter sprake zal brengen als hij Epperson in de getuigenbank heeft. Alles wat op pressie lijkt, zal in ons nadeel werken.

'Wil je dat ik hem bel? Aaron, bedoel ik?'

Ik knik.

Crone pakt de gevangenistelefoon op en wacht tot de centrale opneemt. 'Bill is de enige die dat voor elkaar kan krijgen. Ik begrijp niet waarom hij niet met jullie wil praten.'

'Hij heeft van de aanklagers te horen gekregen dat hij bij ons uit de buurt moet blijven,' zegt Harry.

'Mogen ze dat doen?'

'Ze kunnen tegen hem zeggen dat hij niet met ons hoeft te praten als hij dat niet wil. Als ze op de juiste momenten knikken en knipogen, hebben de meeste getuigen de boodschap wel door. Je moet je leven niet ingewikkelder maken dan het al is. En verder mag hij zelf beslissen,' zegt Harry.

'Dan wil hij er misschien gewoon niet bij betrokken raken.'

'Hij is er nu evengoed bij betrokken,' merk ik op.

'Ja, dat zeker. En hij zal de waarheid moeten vertellen.'

'Ja, daar hebben we behoefte aan. Een beetje waarheid,' zegt Harry.

Crone vat dit op als de steek onder water die het ook is, maar hij reageert niet. 'Ik wil een buitengesprek voeren.' Hij heeft de centrale aan de lijn. 'Nee, het is interlokaal. Ja, het is op verzoek van mijn advocaat. Hij is hier aanwezig. Wilt u hem spreken?'

De centrale zei blijkbaar van niet, want Crone vraagt me niet de telefoon aan mijn kant op te pakken. Op dit moment is hij een en al energie en enthousiasme. Eindelijk kan hij iets voor zijn eigen verdediging doen. Hij geeft de centrale het telefoonnummer uit zijn geheugen op, Tash' nummer bij het centrum.

'Zeg niets anders tegen hem, alleen dat hij contact met Epperson moet opnemen en Epperson moet vragen naar mijn kantoor te bellen,' draag ik hem op.

Crone knikt, knipoogt door de ruit en maakt een kring van duim en wijsvinger: hij begrijpt het.

We kunnen de helft van het gesprek horen, want Crone praat niet alleen in de telefoon maar ook in de microfoon aan zijn kant van de dikke acrylruit.

'Aaron, met David. We hebben een probleem.' Zonder omhaal. Crone zegt het alsof hij het centrum nooit heeft verlaten, alsof het om iets gaat dat ze eventjes met elkaar kunnen regelen. 'Wil je Bill Epperson voor me aanspreken en hem vragen iemand te bellen? Nee. Nee. Het heeft niets met het project te maken. Het gaat om mijn zaak. Er is een misverstand. Nee, niets ernstigs.'

Ik begin gezichten te trekken aan de andere kant van de ruit.

'Het schijnt dat een getuige dingen zegt...'

Ik tik met mijn pen op de ruit en schudt mijn hoofd zodra Crone me aankijkt. Hij knikt en wendt dan zijn ogen af.

'Onzin over ons werk,' zegt hij.

Nu tik ik met mijn knokkels op de ruit en zwaai dan met mijn hand heen en weer. Ik snijd met mijn vinger over mijn keel. Hij draait zich op zijn stoel opzij om me niet meer te hoeven aankijken.

'Niets om je zorgen over te maken,' zegt hij. 'Bill kan het allemaal rechtzetten.'

Ik sla zo hard tegen de acrylruit dat een gewone ruit van glas kapot zou zijn geweest. Crone maakt weer een kring van duim en wijsvinger, ditmaal blindelings, zonder me aan te kijken.

'Het is de bekende onzin uit de jaren zeventig,' zegt hij. 'Ja.'

Tash geeft aan de andere kant van de lijn blijk van zijn medeleven.

'Ja. Het steekt allemaal weer de kop op. Daar krijg je wel een keer genoeg van, mensen die je werk verkeerd uitleggen. Zeker nu. Ze zeggen dat ik dingen doe die ik niet doe. Wat bedoel je? Ja, het heeft met dezelfde beschuldigingen te maken.'

Ik kan me alleen maar verbeelden wat Tash aan de andere kant van de lijn zegt, en ik hoop en bid dat de centrale geen opdracht van Tannery heeft gekregen zulke gesprekken op te nemen.

'Ik zal even zien.' Crone houdt zijn hand over het mondstuk en kijkt mij aan. Hij ziet het vuur in mijn ogen maar negeert het. 'Aaron wil graag weten of hij hier mag komen.'

'Wat? Nu?'

'Morgenvroeg. Hij wil me wat cijfers laten zien. Zou een van jullie hier om negen uur kunnen zijn?'

Harry en ik kijken hem verbaasd aan, alsof we van een andere planeet komen.

'Hij hélpt ons om Bill te benaderen,' zegt Crone.

Harry zit er verbijsterd bij. We kunnen geen van beiden iets bedenken.

Dan draait Crone zich weer opzij en praat weer tegen Tash. 'Goed. Ja, dat kan. Negen uur,' zegt hij. 'Nee, het is niet iets wat ik kan bespreken, in elk geval niet door de telefoon.' Alsof hij met Tash de dingen gaat bespreken die achter gesloten deuren in de rechtszaal hebben plaatsgevonden.

Crone draait zich weer om, knipoogt naar mij, fronst zijn wenkbrauwen. Dan komt er een sluw glimlachje op zijn gezicht. Blijkbaar wil hij duidelijk maken dat hij de delicate situatie begrijpt. Hij ziet in hoe riskant het is om met een getuige te knoeien. 'Zeg tegen hem dat het zuiver vrijwillig is, maar dat ik het op prijs zou stellen als hij omwille van de redelijkheid contact met mijn advocaten opneemt.' Hij geeft Tash mijn telefoonnummer om het aan Epperson door te geven. Dan hangt hij op. Hij kijkt ons weer aan. Brede grijns. 'Jullie hebben toch geen bezwaar?'

— 14 —

'Heb jij ook het gevoel dat we worden gebruikt?' vraagt Harry.

David Crone zit nu al een aantal maanden achter de tralies, maar als het op zaken van gezond verstand aankomt, leeft hij nog in een crimineel naïeve buitenwereld. Ik vraag me af wat hij 's avonds allemaal aan zijn celgenoot toevertrouwt. De bendes mogen dan zijn aandacht hebben, verder schijnt er niet veel tot hem door te dringen.

De volgende morgen om negen uur was ik in het huis van bewaring terug, ditmaal om erbij te zitten terwijl Crone en Tash papieren met cijfers aan elkaar lieten zien. Ik ging daar alleen naartoe om ervoor te zorgen dat ze geen dingen met elkaar bespraken die met Kalista Jordan of Tanya's getuigenverklaring te maken hadden, want daar mag Tash niets van weten. Die pantomime van cijferuitwisseling duurde bijna veertig minuten. Tash hield steeds een papier tegen de acrylruit, terwijl Crone aan zijn kant met een potlood cijfers op een papier schreef. Vervolgens hield Crone zijn papier omhoog, terwijl Tash dingen op het origineel veranderde. Voor mij was het allemaal Swahili, al leek het erop dat de bewaarder die achter de deur van Crones hoekje stond veel belangsteling voor de gang van zaken had. Op een gegeven moment haalde hij er een superieur bij, die een ogenblik door het raam naar het spel met de papieren keek. Omdat hij zag dat er een advocaat bij was, besloot die superieur niet tussenbeide te komen. Maar ik kan me al voorstellen dat Tash in de getuigenbank door Tannery om uitleg wordt gevraagd. Zelf vroeg ik Tash er ook naar toen we de gevangenis verlieten.

Het enige dat hij wilde zeggen, was: 'Genetica. Het project.'

'Dat is gelul,' zegt Harry nu tegen mij. 'Ik weet niet hoe het met jou is, maar ik ben het zat dat ze steeds weer verstoppertje spelen achter al dat hightech-gedoe. Het is net het heiligste der heilige, alleen mogen de advocaten er niet naar binnen. Hoe weten we wat ze daar allemaal aan het uitvogelen zijn? Volgens mij is het een truc van ze om niet over hun werk te hoeven praten. En nu zegt de moeder van het slachtoffer dat ze onderzoek met een raciaal tintje doen, en toch wil Crone ons niet vertellen wat er aan de hand is. We moeten ergens een grens trekken. Als ze ons niets vertellen, trekken we ons terug.'

'Dat is een mooie gedachte, maar Coats staat dat in dit late stadium vast niet meer toe,' merk ik op.

We zitten op kantoor en het is weer eens laat op de avond. Morgenvroeg zit Epperson in de getuigenbank, Tannery's aanbieding van bewijs, en ik heb nog steeds niets waarover ik met hem kan praten. Als onze boodschap via Tash tot Epperson is doorgedrongen, is daar niets uit voortgekomen. Ik heb de boodschappendienst gebeld om er zeker van te zijn dat ze alle eventuele telefoontjes naar huis doorverbinden als we hier weg zijn.

'Ik zei toch dat hij niet zou bellen?' zegt Harry. 'Wat zei Tash?'

'Hij zegt dat hij met hem heeft gepraat. Dat Epperson antwoordde dat hij zou proberen ons te bellen.'

'Wat kopen we daar voor? Het lijkt wel of hij het een sportprestatie vindt om de toetsen van de telefoon in te drukken,' zegt Harry. 'Ik zeg je dat hij niet belt.'

Ik kijk op mijn horloge. Het is bijna elf uur in de avond. Waarschijnlijk heeft Harry gelijk.

'Nou, dat waren dan Crones wederzijds respect en goede collegiale verstandhouding,' zegt Harry.

Harry heeft de hele ochtend en middag geprobeerd iets te weten te komen over de verlovingsring die Epperson voor Kalista Jordan zou hebben gekocht. Daarnaast zat hij ook nog achter eventuele accountantscontroles van Crones onderzoek aan.

'Laten we met de ring beginnen,' zegt hij, 'want daar zijn we gauw mee klaar. Ik heb niets gevonden.'

Het is een hopeloze zaak. Zonder foto, zonder afbeelding of beschrijving zouden we net zo goed op zoek kunnen gaan naar de Heilige Graal.

'Als ik nog één juwelier moet bezoeken die probeert me een horloge aan te smeren... Ik zie ze allemaal denken: waarom stelt die ouwe lul vragen over een verlovingsring?'

'Ouwe lullen willen ook nog weleens trouwen, nietwaar?'

Hij werpt me een zijdelingse blik toe. 'Ja. Maar je krijgt er genoeg van als mensen de hele tijd proberen je in een hokje te stoppen.' Harry heeft er de pest aan om een oude blanke man te zijn. Voor Harry was het al moeilijk genoeg om jong te zijn. Aan de andere kant heb ik het gevoel dat Harry al oud was toen hij nog jong was.

'De mensen staan altijd stijf van de vooroordelen,' zegt hij. 'Krijg jij daar nooit genoeg van?' Harry wacht niet tot ik antwoord geef. 'Mij maakt het razend.'

Hij heeft een slechte dag achter de rug. Hij heeft heel wat schoenleer op straat achtergelaten, en zijn schoenen staan nu dan ook midden op mijn bureau, op een stapel papieren. Terwijl hij stoom afblaast, wrijft hij over zijn voet, die hij over zijn knie heeft geslagen.

'Wat zeg je eigenlijk tegen die juweliers?' vraag ik.

'Dat we een verzekeringsclaim proberen na te trekken. En dan geef ik een beschrijving van Epperson. Altijd prijs.'

'En hoe beschrijf je hem? Lang en donker?'

'Ja,' zegt Harry. 'Een gedetailleerde beschrijving is altijd het beste.'

'En natuurlijk vertel je ze ook dat hij een academische opleiding heeft?'

'Dat heb ik maar weggelaten.'

Ik trek mijn wenkbrauwen op.

'Ik laat de rest aan hun fantasie over.'

'Zodat hun vooroordelen alle ruimte krijgen.'

'Ja. Hm.'

Ik kan me voorstellen dat na zo'n bezoek van Harry die juweliers zich Epperson voorstellen als iemand van een boevenfoto. God helpe de man als hij in een van die zaken ooit nog sieraden probeert te kopen. Dan bellen ze meteen de mobiele brigade.

'Veel tijd besteed en niets bereikt,' zegt Harry. 'Nul komma nul. En ik heb nog maar de helft van La Jolla gedaan. Heb je enig idee hoeveel juwelierszaken daar zijn? En dan heb ik het alleen over de zaken die nieuw spul verkopen. Ik ben nog niets eens begonnen met de antiekzaken, de boetiekjes en de galerieën voor het kunstzinnig volkje. Ik heb een detectivebureau gebeld. Ze hebben morgen een paar mensen voor ons.'

'Goed. En de accountantscontrole? Je hebt de map met papier bij Doris Boyd opgehaald?'

'Ja. Ik ben daar geweest. Eerst kon ze ze niet vinden, maar toen heeft ze het hele huis op zijn kop gezet en vond ze ze.'

'Waar lagen ze?'

'Het schijnt dat haar man er het laatst naar had gekeken. Hij had de map in een la van een kast in de eetkamer gelegd. Een goeie plek om papieren te bewaren, hè? Het werd nog even pijnlijk. Doris wilde weten of 't het subsidieverzoek voor haar dochter betrof. Ik moest haar zeepbel doorprikken en zeggen dat we de papieren voor de zaak-Crone nodig hadden. Er gaat niets boven het openrijten van oude wonden. Maar goed, toen ik die map had, kon ik op de universiteit aan de slag. Als er zo'n controle geweest is, kon ik daar niets over vinden. Ze maken ieder jaar een financiële analyse voor het budget, maar dat is alles. Ze schakelen geen accountantsfirma in en ze kijken ook niet waar het geld van vorig jaar gebleven is. Het enige dat ik kon vinden, ligt daar voor je.' Hij wijst naar de stapel papieren die hij op mijn bureau heeft gelegd, onder zijn schoenen.

'Als er geen accountantscontrole is geweest, hebben we daar niet veel aan.'

'Er zitten wat dingen van Cybergenomics bij. Ik zag het briefhoofd toen ik aan het kopiëren was. Ik had niet de tijd om het allemaal te lezen, maar ik heb er vluchtig naar gekeken. Het lijkt me normale correspondentie. Epperson en Jordan worden nergens genoemd. De brieven waren gericht aan de afdeling Financiën van de universiteit. Crone kreeg kopieën.'

Ik pak Harry's schoenen op, geef ze aan hem om ze van het bureau af te krijgen en begin in de papieren te zoeken. Het is een stapel van zo'n twaalf centimeter dik. Ik neem zo'n vijftien, twintig papieren snel door om te zien of me iets opvalt. Ik zie niets bijzonders.

'Ieder jaar binden ze alle papieren in. Ze doen ze in zo'n plastic spiraalding, doen er een omslag omheen en leggen ze op een plank. Ik heb het gevoel dat niemand er ooit nog naar omkijkt. Maar het was wel lastig om het hele spul te kopiëren.'

'Hmm?'

'Die spiraal. Je moet elke bladzijde afzonderlijk omslaan. Bij het kopiëren gaan de marges verloren.' Harry klinkt alsof hij een expert op dat gebied is geworden. 'Een deel ervan is daardoor moeilijk te lezen. Voor zover ik kan zien gaat het vooral over budgetverhogingen en nieuwe subsidieaanvragen.'

'Heb je ook verwijzingen naar genetisch grijzen gezien?' vraag ik.

Harry schudt zijn hoofd. 'Zoals ik al zei: ik heb niet alles gelezen. Toch denk ik niet dat je hier iets in zal vinden. Als Crone subsidiegeld wegsluisde om de etnische evolutie te versnellen, zal hij dat vast niet in een subsidieaanvraag hebben opgenomen.'

Harry heeft gelijk. 'Wat is de procedure voor de ontvangen

fondsen?' vraag ik. Een eeuwenoud adagium – volg het geld.

'Ik heb me laten vertellen dat alles wat van de overheid binnenkomt in het algemeen fonds van de universiteit gaat. Vandaar wordt het verdeeld. Subsidiegeld wordt op afzonderlijke rekeningen gezet en daarna volgens de schriftelijke voorwaarden van elke subsidie verdeeld. Als er onenigheid is, heeft het hoofd Fiscale Zaken het laatste woord. Tenzij het voor de rechter komt.'

'Hoe vaak gebeurt dat?'

'Nooit,' antwoordt Harry. 'Al zei de vrouw van de afdeling Financiën met wie ik praatte dat er vaker onenigheid is dan je zou verwachten. Het schijnt dat ruzies om geld meestal binnen de universiteit zelf worden opgelost. Ze houden niet zo van de publiciteit die een rechtszaak meebrengt.'

'Zo te horen heb je veel informatie uit die dame losgekregen.'

'Ik ben met haar wezen lunchen,' meldt Harry.

Ik kijk hem weer met opgetrokken wenkbrauwen aan.

'Niets bijzonders, gewoon op de campus,' zegt hij. 'Tussen de soep en de salade vertelde ze me dat er op zo'n universiteit een hoop dingen gebeuren waar mensen geen weet van hebben. Veel van die dingen hebben te maken met representatiekosten. Bestuurders van de universiteit en van faculteiten moeten thuis relaties ontvangen, schijnt het. Ze kopen veel dingen: piano's en meubels en zwembaden met het logo van de universiteit op de bodem. Omdat ze daar nogal over in zat, heb ik naar haar geluisterd. Als je iemand een schouder biedt om op uit te huilen, krijg je vaak interessante zaken te horen. Volgens haar zijn een hoop van die aankopen niet echt noodzakelijk.'

'Ik ben diep geschokt,' zeg ik.

'En soms verdwijnt het spul. De universiteit is erg bang voor schandaaltjes. Het schijnt dat de rector-magnificus van een andere universiteit een paar jaar terug in grote problemen kwam vanwege verzekeringsfraude. Het is nog tot daaraan toe dat je een beetje met overheidsgeld rommelt, maar van verzekeringsgeld moet je afblijven. Het schijnt dat die rector-magnificus veel overheidsgeld uitgaf aan tafelzilver om relaties te ontvangen. Het spul werd ontvreemd terwijl hij en zijn vrouw een van hun vele reisjes naar Europa maakten, dus dienden ze namens de universiteit een claim bij de verzekering in. Maar toen ze een maand later de mahoniehouten cassette met het bestek terugvonden, vergaten ze dat tegen de verzekeringsmaatschappij te zeggen. Ze pakten het geld gewoon aan.'

'Oei.'

'Om een lang verhaal kort te maken: deze dame denkt dat er meer verzekeringsmaatschappijen aan financiële controles op de universiteit zouden moeten meewerken. Anders krijgt volgens haar de maffia er voet aan de grond.'

'Zo te horen houdt ze veel van de mensen voor wie ze werkt.'

'Volgens haar wil de universiteit alles wat geschenken, donaties en dergelijke betreft graag buiten de publiciteit houden. Ze vinden het niet leuk dat rechters over hun schouder meekijken en aan accountants vragen of ze even hun rekenmachientje willen pakken. Dat maakt de gulle gevers nerveus. En dus worden geschillen bijna altijd binnenshuis afgehandeld. Als twee professoren ruzie maken om geld voor onderzoek, treedt het universiteitsbestuur als een soort scheidsrechter op. Het neemt een beslissing, iedereen legt zich erbij neer en gaat verder met zijn werk. Als je met het bestuur overhoop komt te liggen, kun je het wel schudden.'

'Dus de kans is klein dat we gegevens vinden over zaken die dieper gaan dan gesteggel over de hoogte van de toewijzingen.'

Harry wijst naar me alsof zijn hand een pistool is en haalt de trekker over. 'Bingo. Volgens die vrouw van Financiën is degene die de leiding van een onderzoek heeft verantwoordelijk voor de verdeling van de toegewezen gelden. In dit geval Crone. Hij heeft de taak het geld toe te wijzen aan de personen die ieder een bepaald project binnen het kader van het onderzoek voor hun rekening nemen.'

'Jordan en Epperson,' zeg ik.

Hij knikt. 'En je kunt je wel voorstellen wat er gebeurt als een van die personen merkt dat het geld voor zijn eigen project besteed is aan een ander deel van het onderzoek. Dan is het huis te klein en doet degene die zich tekortgedaan voelt onmiddellijk zijn beklag bij mensen die hoger in de hiërarchie zitten.'

'Weten we of dat in dit geval is gebeurd? Met Jordan en Crone?'

'Mijn idee,' zegt Harry. 'Ik vroeg het de dame in kwestie. Ze wist het niet. Ze zei dat het in de papieren zou staan, maar dat we misschien tussen de regels door moesten lezen om het te vinden. En dat is nog niet alles.'

'O nee?'

'Er is geen standaardformulier,' zegt Harry. 'Je zou verwachten dat die lui een of ander formulier hebben dat je kunt gebruiken als je het met bepaalde zaken niet eens bent. Maar zo werkt het daar niet.'

'Om voor de hand liggende redenen,' zeg ik.

'Ja. Dus wat doen ze? Ze sturen gewoon een brief aan het faculteitshoofd. Dat wil zeggen, als we geluk hebben.'

'Wat bedoel je?'

'Soms sturen ze alleen maar een e-mail waarin ze om een herziening van de subsidie en een beslissing over een bepaald onderdeel vragen.'

'Laat me eens raden. Er zitten geen kopieën van de e-mailberichten in jouw stapel papieren?'

Harry knikt. 'Kwestie van briefgeheim. Je mag alleen in iemands e-mail kijken als je een dagvaarding hebt.' Voordat ik kan reageren, gaat hij verder: 'Ik heb er al een voor Jordan, Crone en Epperson opgesteld. Het probleem is dat Jordans computer na haar dood opnieuw geprogrammeerd is. De politie legde er beslag op en haalde eruit wat van nut zou kunnen zijn – dat alles onder het toeziend oog van juristen van de universiteit. Toen gaven ze het apparaat aan de universiteit terug. God weet waar het ding nu is. Ik heb in hun lijst van bewijsmateriaal gekeken. Er stond niets in de e-mails dat zelfs maar in de buurt van een klacht over subsidiegeld kwam.' Harry zwijgt even. 'Crones computer staat nog steeds stof te verzamelen in zijn kamer, maar het is niet waarschijnlijk dat hij een klacht over iets heeft ingediend. Zo blijft Epperson over. Ik neem aan dat hij zijn computer nog heeft, dus daar kunnen we eens gaan kijken.'

'Er moet ergens een centrale server zijn.'

'Paul, luister nou. Ik ben doodmoe.'

'Het gaat om het e-mailsysteem van de universiteit, nietwaar?'

Harry knikt.

'Als Jordan over subsidiegeld klaagde, moet er nog iets op de harde schijf van de server staan. Zullen we proberen een dagvaarding voor die server te krijgen?'

'Goed,' zegt Harry. Een diepe zucht. Hij maakt een aantekening.

Ik kan altijd merken wanneer Harry aan het eind van zijn Latijn is. Ik waag me op glad ijs.

'Jammer dat er geen federaal geld bij betrokken was,' zegt hij. 'Bij de subsidie.'

'Waarom?'

'Voordat hij antwoord kan geven, gaat de telefoon. Ik kijk ernaar. Het is de extra lijn. Dit nummer staat niet in het telefoonboek. We denken allebei hetzelfde: Epperson.

Ik neem op. 'Hallo. Advocatenkantoor Madriani en Hinds.'

'Is Harry Hinds daar?'

Ik herken de stem aan de andere kant van de lijn niet, maar het is niet Epperson.

'Met wie spreek ik?'

'Max Sheen.'

'Een ogenblik.' Ik houd Harry de telefoon voor en vraag: '"Wat bedoelde je met "jammer dat er geen federaal geld bij betrokken was"?'

'Wie is dat?' vraagt hij.

Ik trek de telefoon weer naar me toe.

'Als er federaal geld bij zat, zou de kans op een accoun- tantscontrole groter zijn geweest.'

'Aha.'

'Wie is dat?' vraagt hij weer.

'De pers. Je vriend Sheen.' Ik geef hem de telefoon.

Harry neemt hem aan. 'Hallo.'

Ik kijk verder in de stapel papieren op mijn bureau, een deel van het oorspronkelijke subsidieverzoek. Hele regels tekst zijn met een zwarte markeerstift weggehaald. Vertrouwelijke gegevens. Ongetwijfeld informatie die als handelsgeheim bescherming geniet. Als je hier conclusies uit wilt trekken is dat net zoiets als een legpuzzel maken zonder dat je alle stukjes hebt.

'Waarom? Wat gebeurt er?' vraagt Harry. Zijn stem klinkt gespannen en ik kijk op.

'Wat is er?' vraag ik.

Hij schudt met zijn hoofd naar me. Geeft geen antwoord. 'Wanneer? Weet je dat zeker?'

'Wat is er?' vraag ik opnieuw.

Harry houdt zijn hand over het mondstuk van de telefoon. 'Epperson is dood.'

IN DEZE OUDE INDIAANSE NEDERZETTING COSOY

DOOR CABRILLO IN 1542 ONTDEKT

EN SAN MIGUEL GENOEMD

DOOR VIZCAINO IN 1602 BEZOCHT

EN IN SAN DIEGO DE ALCALA HERDOOPT

VESTIGDE DE EERSTE BURGER

FRAY JUNIPERO SERRA

DE BESCHAVING IN CALIFORNIË
HIER ZETTE HIJ HET EERSTE KRUIS
HIER BEGON DE EERSTE MISSIE
HIER STICHTTE HIJ OP 16 JULI 1769
DE EERSTE STAD, SAN DIEGO

De oorspronkelijke inheemse bewoners van deze plaats zouden misschien hun bezwaren hebben tegen wat er uit die eerste kiemen van beschaving was voortgekomen, vooral wanneer ze het macabere tafereel van deze avond zagen.

William Eppersons lichaam bungelt in de donkere, vochtige nachtlucht. Het heeft een touw om de nek. Dat touw is om de horizontale balk van het zware stenen kruis gegooid.

De bronzen plaquette met de tekst over de stichter van de stad is ingebed in de witte bepleistering op het voetstuk onder het gigantische kruis, dat tien meter hoog is en aan de voorkant voorzien van rode baksteen.

Wanneer Harry en ik daar aankomen, zijn medewerkers van de patholoog-anatoom bezig een ladder neer te zetten, een schuifladder die ze hebben geleend van de brandweer, die met twee wagens en een aantal grote schijnwerpers ter plaatse is.

Al op een afstand kan ik Eppersons lijk zien. Harry en ik parkeren in de straat bij de zuilengang, op de top van de heuvel. We hebben die route genomen om alle drukte van de nooddiensten op de weg beneden ons te vermijden. We reden langs Old Town en kwamen door het park op de heuveltop. Je hebt vijf minuten nodig om naar beneden te lopen, al moet je dan wel de kuilen in de grond en de wortels van de eucalyptusbomen vermijden, met als extra handicap de scherpe schaduwen die door de felle schijnwerpers beneden ons op de helling worden geworpen.

Als Harry en ik uit het bos komen, houden we allebei onze arm omhoog om onze ogen tegen het licht te beschermen. Als we dichterbij komen, zie ik het touw van ruwe hennep en de primitieve strop. Ik hoor dat touw kraken onder het gewicht, boven het geroezemoes van stemmen, terwijl Epperson langzaam heen en weer draait in de roerloze, vochtige lucht en de forensische experts beneden hem, aan de voet van het kruis, hun werk doen.

Hij draagt een wit overhemd en de broek van een pak. Zijn ene schoen heeft hij aan, de andere schoen ligt op de grond, alsof die van zijn voet af is gevlogen toen het lichaam aan het eind van het touw ophield met vallen. Het touw waaraan hij hangt is ergens aan de onderkant van het stenen kruis vastgemaakt, net boven het rechthoekige voetstuk met zijn plaquette.

Een schildersladder, drie of vier meter lang, ligt op zijn kant bij het pad dat naar het monument toe leidt.

Het beeld is duizend woorden waard, en allemaal schreeuwen ze hetzelfde: zelfmoord, badend in de schijnwerpers, terwijl beneden het kruis de forensische deskundigen op zoek zijn naar een andere boodschap.

Een van hen onderzoekt de bodem bij het voetstuk van het kruis. Hij schijnt met zijn licht vanuit verschillende posities over de grond, op zoek naar indrukken, voetafdrukken, al denk ik niet dat ze veel zullen vinden. Het compacte rivierzand is zo hard als beton.

Hoger op de helling is ook een aantal politiemensen aan het werk. Ze hebben van boom tot boom gele afzettingslinten gespannen. Een van de agenten houdt ons tegen als we naar het lint toe lopen.

Het kost ons enkele minuten om uit te leggen waarom we hier zijn, dat de dode een getuige is in een proces waarin wij als verdedigers optreden. De agent neemt mijn kaartje aan. Dat kaartje gaat blijkbaar van hand tot hand, steeds hoger de hiërarchische ladder op, tot het bij iemand in een pak komt. Als die man onder de indruk is, laat hij daar niets van blijken. Hij kijkt even naar ons en dan weer naar het kaartje, en wisselt een paar woorden met een van de agenten. Ik kan niet verstaan wat ze zeggen.

Wij wachten rustig af.

Harry port met zijn elleboog in mijn ribben. Als ik hem aankijk, knikt hij naar een parkeerterrein beneden ons, in de richting van het museum op de tegenoverliggende heuvel. Dat parkeerterrein staat vol met politiewagens met flikkerende lichten, blauw, rood en oranje, genoeg kleur om je bloeddruk op te jagen, ook als je ze niet ziet in je achteruitkijkspiegeltje.

Uit een van die auto's stapt Evan Tannery. Hij blijft even staan praten met de hogere politiefunctionarissen die op het parkeerterrein bij elkaar staan en besteedt het grootste deel van zijn tijd en aandacht aan een oudere geüniformeerde man met grijs haar. Die heeft blijkbaar de leiding. Tannery vraagt hem om informatie. Ze staan een aantal seconden te overleggen en de politieman wijst met zijn arm naar de heuvel achter ons.

Tot op dat moment had ik het niet gezien. In de schaduw onder een eucalyptusboom, op een smal onderhoudsweggetje dat de helling opgaat naar het kruis, staat het donkerblauwe busje waarin ik Epperson eerder die dag heb zien rijden. De agenten hebben het met geel lint afgezet en een rechercheur zoekt naar vingerafdrukken op de deurgreep en het raam aan de bestuurderskant. Hij verspreidt grafietstof met een kwast en blaast er elke paar seconden op om eventuele afdrukken zichtbaar te maken.

Ze hebben een probleem, en iedereen is zich daarvan bewust. Een belangrijke getuige in een moordzaak is dood, en de politie denkt dat het geen zelfmoord is.

'U bent Madriani?'

Ik kijk opzij en zie de rechercheur met mijn kaartje. Hij is achter ons de heuvel opgekomen en kijkt nu naar Harry en mij alsof we iets zijn waarmee de kat is komen aansjouwen.

'Ik ben Madriani. Dit is mijn collega Harry Hinds.'

'Ik begrijp dat u deze man hebt gekend?' Hij posteert zich wijdbeens tegenover me en wijst met zijn hoofd naar het bungelende lichaam. De medewerkers van de patholoog-anatoom hebben eindelijk hun ladder in positie gebracht, en twee van de brandweerlieden helpen hen een handje door het lichaam omhoog te tillen. Ze snijden het touw door en laten het lichaam zakken. Ze snijden het touw liever door dan dat ze de knoop proberen los te maken, want de manier waarop de knoop in het touw is gelegd vertelt hun misschien iets over degene die het heeft gedaan.

'We kenden elkaar niet goed,' zeg ik tegen hem. 'Ik heb hem één keer gesproken, ongeveer een week geleden. Het was de bedoeling dat ik hem op de rechtbank zou ondervragen.'

'Zo te zien gaat dat niet door,' zegt hij. 'Hoe komt het dat u hier zo snel bent?'

'We kregen een telefoontje,' zegt Harry. 'Van hem daar. Wilt u met hem praten?' Harry heeft Max Sheen in de verte gezien. Er staat daar een hele troep verslaggevers en Sheen probeert langs het afzettingslint naar ons toe te komen. Dat is wel het laatste dat de politie wil: een gesprek met advocaten waar de pers met microfoons en camera's en notitieboekjes bij is.

'Komt u deze kant maar op,' zegt hij. Sesam open u. We zijn door de afzetting.

— 15 —

Het is zaterdagmorgen en wat Epperson betreft, tasten we allemaal in het duister. Coats' rechtszaal bleef vrijdag leeg. Omdat Epperson dood was, heeft Tannery niemand om te ondervragen. Hij heeft de aanbieding van bewijs opgeschort en vraagt zich af wat hij nu moet doen.

Als hij geen andere getuige vindt die Tanya Jordans verklaring kan bevestigen, berust haar hele verklaring nu op mededelingen uit de tweede hand. Toen we 's morgens in alle vroegte in de raadkamer bijeenkwamen, vroeg Tannery rechter Coats om extra tijd om over zijn volgende stappen na te denken. Het kostte hem geen moeite die tijd te krijgen. Harry en ik verzetten ons er niet eens tegen. De rechter weet net zo min wat hij met Eppersons dood aan moet als de rest van ons. Hij zei tegen de officier van justitie dat hij de bijzonderheden wil weten zodra die beschikbaar komen.

Als je midden in een moordproces zit, moet er heel wat gebeuren wil je aandacht van de gebeurtenissen in de rechtszaal worden afgeleid. Maar dit is een uitzondering. Ik ben nog steeds niet helemaal bekomen van Eppersons dood en de andere gebeurtenissen van de afgelopen vierentwintig uur, maar ik zit ook met het feit dat mijn voornaamste motief om deze zaak op me te nemen plotseling niet meer bestaat. Penny Bod is overleden.

Het gebeurde eerder in de week. Doris belde om me het nieuws te vertellen, en voor het eerst sinds ik het hoorde, heb ik nu even tijd om bij de dood van het kind stil te staan. Ik denk automatisch aan het eerste sterfgeval dat ik zelf als kind meemaakte. Ik was zeven. Een klein meisje, dat vanaf haar geboorte invalide was en in een rolstoel zat, was overleden. Ze woonde bij mij in de straat. Ik zag haar vaak op het trottoir, als ze in haar rolstoel reed en de andere kinderen probeerde bij te houden. Ze glimlachte altijd en riep me bij mijn voornaam. Met haar engelachtige blonde haar en zonnige humeur scheen ze niet te kunnen begrijpen hoe onrechtvaardig haar lot was: haar benen verlamd en ieder jaar longontsteking. Pas vele jaren later hoorde ik van mijn moeder dat ze uiteindelijk aan longontsteking was gestorven. Na al die jaren kan ik me haar gezicht nog steeds voor de geest halen en weet ik haar naam nog. Het is een onuitwisbare herinnering. Ik herinner me nog de dag waarop mijn moeder zei dat ze gestorven was. Ik zei niets, ging naar mijn kamer en bleef daar ontredderd zitten. In het welvarende, beschermde milieu waarin ik leefde, gingen geen kinderen dood.

Blijkbaar ben ik in de loop van de jaren niet veel volwassener geworden. Toen Doris belde om me het nieuws te vertellen, was ik daar helemaal niet op voorbereid. Ik zou zo'n bericht van iemand anders hebben verwacht, een vriend of familielid. Maar Doris was verbazingwekkend kalm, al was haar stem gespannen en een beetje rauw. Het nieuws trof me als een kogel in mijn voorhoofd. Penny was in haar slaap gestorven.

Vanmorgen zit ik achter het stuur met Sarah naast me. We hebben onze lampen aan en rijden in een stoet van de kerk vandaan.

We zijn de zesde auto in de rij achter de lijkwagen en parkeren tenslotte op een licht glooiend terrein bij de begraafplaats. Ik had me afgevraagd of ik Sarah zou meenemen. De laatste begrafenis die ze had meegemaakt was die van haar moeder.

Nikki is nu bijna vier jaar dood, en ik was bang dat begraafplaatsen en kisten allerlei pijnlijke herinneringen bij haar zouden oproepen. Maar mijn dochter is ouder geworden. Het was niet aan mij om te beslissen of ze naar Penny's begrafenis zou gaan.

Toen ik voorstelde dat ze thuis zou blijven, dat de familie daar begrip voor zou hebben, wilde Sarah daar niets van weten.

Vanmorgen draagt ze een zwarte jurk die tot haar enkels reikt en hoog onder haar ontluikende boezem is samengepakt, en zwarte leren pumps met hoge hakken. Ze verandert voor mijn ogen van een kind in een jonge vrouw, een overgang die zich met de snelheid van *time lapse*-fotografie voltrekt.

Sarah heeft dicht bruin haar, overvloedig en weelderig, en ze heeft ook Nikki's lange benen, waardoor ze aan een gazelle doet denken. Terwijl we naar de menigte lopen die zich bij het graf heeft verzameld, zwaait haar dikke paardenstaart boven haar schouders heen en weer.

Als het dan toch moet gebeuren, gaat Penny tenminste op een mooie ochtend naar God, een van die blauwe Californische dagen met doorschijnende witte slierten hoog in de lucht. Er ligt niet meer dan een zweem van dauw op het gras, en er is melodieus vogelgezang, al zijn de vogels zelf niet zichtbaar. Hun lied komt uit de grote eiken en platanen die hun schaduw over het graf werpen.

Er zijn hier meer mensen dan ik zou hebben verwacht bij een kind dat al twee jaar nauwelijks het huis uit kwam. Er zijn kinderen van Penny's leeftijd – kinderen van haar school, denk ik, met grote ogen – en neefjes en nichtjes. De meesten van hen worden voor het eerst met de grimmige realiteit van de dood geconfronteerd. Iemand die ze kenden, een kind net als zij, is gestorven.

Er staan twee rijen klapstoelen onder het baldakijn dat over de kist is aangebracht. In het midden van de voorste rij zit Doris. Ze wordt geflankeerd door familieleden, een vrouw aan de ene kant en haar twee overgebleven kinderen aan de andere kant, allemaal zo dicht bij de kist dat ze hem zouden kunnen aanraken. Frank kan blijkbaar niet zitten. Hij staat achter haar, zijn grote handen op de rugleuning van haar stoel, zijn hoofd gebogen, een reus overmand door verdriet.

Penny's broertje David, zeven jaar, is zo te zien diep geschokt. Hij kijkt verbijsterd voor zich uit. Jennifer, zijn oudere zus, Sarah's vriendin en klasgenote, heeft zichzelf beter onder controle.

Ze kijkt naar Sarah om en glimlacht zowaar. Ze heeft de sociale vaardigheden van haar moeder geërfd. Zelfs onder deze omstandigheden kun je dat merken, ook al is dit de laatste plaats waar ze op dit moment zou willen zijn. Ze hield zielsveel van haar zusje. Toch heeft deze wolk een groot deel van haar leven verduisterd. Waarschijnlijk kan ze zich haar leven nauwelijks zonder die last voorstellen.

Frank kijkt strak naar de kist, zijn gezicht opgezet, een en al verdriet. Hij draagt een donker pak dat hem niet erg goed past, ongetwijfeld iets dat hij op het laatste moment heeft gekocht. Omdat hij zulke brede schouders heeft, zal alles wat niet op maat voor hem is gemaakt hem slecht zitten. Het is moeilijk te zeggen wie hier door wie wordt getroost. Op het eerste gezicht maakt Doris een meer beheerste indruk, al heeft ze een witte zakdoek in haar hand en draagt ze een bril met grote donkere glazen.

Frank kan het niet verbergen. Aan de blik in zijn ogen kan ik zien dat hij helemaal ontdaan is. Hij heeft altijd meer van de magie van de geneeskunde verwacht, al heeft hij er nooit veel van begrepen. Als Penny bij een onderzoek zou zijn betrokken, zou dat voor hem een soort garantie zijn geweest dat ze er bovenop zou komen. Ik heb geprobeerd hem te waarschuwen, maar daar wilde hij niets van weten. Zijn hoop liet zich niet onderdrukken.

Als er iets positiefs in dit alles te vinden is, dan is het dat zijn idee om het gezin door middel van een echtscheiding voor de financiële ondergang te behoeden nu van de baan is.

De priester is met ons meegekomen van de begrafenisdienst in de oude missiekerk, een paar kilometer van de kust vandaan. Ik heb gehoord dat hij al erg lang een vriend van de familie is.

Hij opent zijn gebedenboek en begint bij het hoofdeinde van de kist te spreken. Intussen besprenkelt hij de kist met wijwater uit een gouden vat dat wordt vastgehouden door een misdienaar die daarvoor met hem mee is gekomen.

Verlos haar, O Heer, van de eeuwige dood op die afschuwelijke dag, als de hemelen en de aarde in beroering komen; als ge zult komen om over de wereld te oordelen...

Alle hoofden zijn gebogen, behalve die van sommige kinderen, die verwonderd voor zich uit kijken.

Geef haar eeuwige rust, O Heer,
En laat eeuwig licht op haar schijnen.
Verlos ons...
Heer, wees genadig.
Christus, wees genadig.
Heer, wees genadig.
Onze Vader, die in den hemelen zijt...

Terwijl de priester het onzevader opzegt, loopt hij voor de laatste keer om de baar met de kleine kist heen om hem met wijwater te besprenkelen. De stemmen van alle aanwezigen verheffen zich in volume en in vertrouwen, tot ze in koor een enkel '*amen*' zeggen.

De aanwezigen beginnen zich te verwijderen. Velen van hen gaan naar Doris om haar hun leedwezen te betuigen.

Op dat moment zie ik dat Frank niet meer achter haar staat. Ik kijk rond. Hij is verdwenen. Dan zie ik hem. Hij is om de rij stoelen heen gelopen. Zijn zware lichaam beweegt zich als dat van een gewonde beer. Hij loopt naar het hoofdeinde van de kist, buigt zich eroverheen en steekt zijn linkerhand uit. Ik denk een ogenblik dat hij de kist alleen maar aanraakt om voor het laatst afscheid te nemen. De priester troost hem met enkele woorden. Hij neemt Franks grote hand in allebei zijn handen. Aan Franks gezicht kan ik niet zien of hij de priester zelfs maar heeft gehoord. Hij maakt een verdoofde indruk. Pas wanneer de priester een stap opzij gaat, zie ik dat Frank iets op de kist van zijn dochter heeft gelegd. Het is een enkele roze roos met lange steel.

De politie is nog steeds bezig met pogingen de puzzelstukjes aan elkaar te passen. De media noemen Eppersons dood verdacht, een 'kennelijke' zelfmoord.

Op de een of andere manier zijn ze te weten gekomen dat Epperson de volgende dag achter gesloten deuren op de rechtbank had moeten verschijnen. En nu wakkeren ze het vuurtje aan. Ze suggereren dat Epperson op het punt stond de moordenaar te doden en dat hij daarom zelf is vermoord. Ze speculeren dat de dode man meer over de moord op Kalista Jordan wist dan de autoriteiten willen vertellen.

Harry en ik, Tannery en de opsporingsambtenaren komen vanochtend in rechter Coats' raadkamer bijeen om de feiten naast elkaar te leggen. Aan Tannery's gezicht is te zien dat dit alles niet gunstig is voor de positie van het openbaar ministerie. Hij heeft de rechter al iets in een dichte bruine envelop overhandigd. Op de voorkant staan met grote rode blokletters de woorden:

POLITIE SAN DIEGO

BEWIJSMATERIAAL

Coats opent de envelop in ons bijzijn en haalt de inhoud eruit. Het blijken twee geprinte pagina's te zijn. Coats houdt ze een eindje van zijn ogen vandaan en begint te lezen.

De rechter leest een pagina door, leest de tweede, alleen een paar regels aan de bovenkant, en legt de vellen papier dan met de tekst omlaag op het bureau. 'Waar hebt u die gevonden?'

'Ze zaten in de printer van het slachtoffer, bij hem thuis,' zegt Tannery. 'We hebben op de papieren naar vingerafdrukken gezocht.'

'En?' zegt Coats.

'Niets. Het originele document zat in zijn computer.'

De rechter zou zich nooit met een open onderzoek naar een sterfgeval, zelfmoord of niet, hebben bemoeid, maar de zaak dreigt nu over te slaan naar een moordproces waarvan hij de leiding heeft. 'U hebt dit niet aan meneer Madriani laten zien, neem ik aan?'

Tannery schudt zijn hoofd.

'Ik vind dat hij het moet zien. Vind u ook niet?'

'Ik zou willen betwijfelen of het toelaatbaar is,' zegt Tannery. 'Het is niet ondertekend.'

'Dat is misschien meer een kwestie van het relatief belang van het bewijsmateriaal,' zegt de rechter.

'Edelachtbare...' Tannery is hier niet blij mee.

'Is er een juridische reden om dit niet aan de verdediging te laten zien?' vraagt Coats.

'Nee,' zegt Tannery.

De rechter geeft me het document. Harry leest over mijn schouder mee. Al twee dagen gaat het gerucht dat er een zelfmoordbriefje was. Tot nu toe hebben we dat niet gezien. Het is gedateerd op de derde van de maand. Ik kijk naar de kalender op het bureau van de rechter: afgelopen donderdag, de dag waarop Epperson stierf.

Het is netjes geschreven, met een paar spelfouten. Ik ga vlug naar de tweede pagina zonder het allemaal te lezen. Harry steekt zijn hand uit omdat hij nog niet klaar is. Ik wil kijken of er een handtekening onder staat. Tannery heeft gelijk. De uitdraai is niet ondertekend, maar Eppersons naam staat netjes in het midden van de tweede pagina.

Ik ga naar de eerste pagina terug, en in het midden daarvan, in de derde alinea, zie ik een schokkende mededeling. Daar staat, bijna midden in een zin begraven, de bekentenis van Epperson dat hij niet meer met zichzelf kan leven nadat hij Kalista Jordan heeft vermoord.

'Shit.' Harry zegt het hardop.

De rechter neemt niet de moeite hem de les te lezen, waarschijnlijk omdat hij hetzelfde denkt.

'Het is allemaal een beetje te mooi, edelachtbare,' zegt Tannery. 'Op de avond voordat hij moet getuigen, verhangt hij zich. Ik vind dat het niet moet worden toegelaten.'

'Wat bedoel je met "te mooi"?' vraag ik.

'Wat hij bedoelt, is dat we naast de computer bij Epperson thuis een spanwerktuig en kabelbanden hebben gevonden, precies zoals we die op de rechtbank hebben gezien.' Dat antwoord komt niet van Tannery, maar van achter ons. Jimmy de Angelo, de rechercheur in de zaak van Kalista Jordan, zit op de gecapitonneerde leren bank van de rechter. De bank piept bij elke beweging die hij maakt.

Harry's ogen worden zo groot als theeschoteltjes. Hij draait zich naar De Angelo om. 'Echt waar?'

'Ja, echt waar. De natte droom van een verdediger,' zegt De Angelo. 'Iemand heeft een heleboel moeite gedaan. Alleen was het net een beetje te veel.'

'Dat zouden we kunnen tegenspreken,' zegt Harry.

'Waar was jij gisteravond?' vraagt De Angelo hem.

'Ik was met mijn collega aan het werk.'

'Dat zal wel.'

'Genoeg,' zegt Coats.

'Ik zou meneer Madriani willen vragen of zijn cliënt hier iets van weet. Maar dat lijkt me niet nodig, want hij zal weten dat hij verplicht is zoiets te vertellen. Als het om een nieuw misdrijf gaat, kan hij zich niet op zijn verschoningsrecht beroepen.' Hij zou het willen vragen, maar dat doet hij niet, want hij heeft het zojuist al gedaan.

'Edelachtbare, mijn cliënt weet hier niets van.'

'Ja, en als hij iets wist, zou hij het jou niet vertellen,' zegt De Angelo.

'Het is mogelijk dat meneer Epperson niet wilde dat de echtheid van de brief in twijfel werd getrokken,' zeg ik tegen de rechter. 'Misschien liet hij daarom fysiek bewijsmateriaal achter.' Ik heb het over de kabelbanden en het spanwerktuig.

'Waarom zette hij dan niet zijn handtekening onder de brief?' vraagt Tannery. 'Dan zou die brief echt genoeg overkomen. Zou het niet kunnen dat degene die hem doodde hem niet zover kon krijgen dat hij meewerkte?'

'Zijn er aanwijzingen voor dat het moord was?' vraag ik.

Tannery geeft geen antwoord.

'Jullie zeggen dat de brief nog in de printer zat?'

De Angelo knikt.

'Dat is je antwoord.'

'Waarom haalde hij hem er niet uit?' vraagt De Angelo.

'We kunnen er eindeloos over discussiëren waarom hij dingen deed of niet deed,' zegt Harry. 'Iemand die op het punt staat zich te verhangen, gedraagt zich niet altijd rationeel.'

'En vingerafdrukken?' vraag ik. 'Hebben jullie de afdrukken van iemand anders op de computer gevonden?'

'Nee.' De Angelo geeft het niet graag toe, maar hij draait er niet omheen. 'Maar iedereen kan van dat spanwerktuig hebben geweten. Het zit bij het bewijsmateriaal. Alle kranten hebben erover geschreven, en ook over de kabelbanden.'

'Dan kan meneer Tannery zijn standpunt voor de jury uiteenzetten,' zeg ik. 'Het blijft een feit dat zolang er geen dader kan worden aangewezen, zolang er geen naam kan worden genoemd, en het openbaar ministerie niemand kan noemen die zo'n persoon met mijn cliënt in verbinding kan brengen, professor Crone niet kan worden beschuldigd. Dat weet het openbaar ministerie ook. Professor Crone zat op het moment van Eppersons dood in de gevangenis. Tenzij ze Eppersons dood met mijn cliënt in verband kunnen brengen, is er nu, met dat zelfmoordbriefje, gerede twijfel aan de schuld van mijn cliënt.'

'En sporen op de plaats waar Epperson is aangetroffen?' vraagt de rechter. 'Bij het monument?'

'We vonden bandensporen die niet van het busje van het slachtoffer zijn,' zegt De Angelo. 'Dat zijn we nog aan het nagaan. We vergelijken die sporen met bandafdrukken van sommige verdachten.'

'Welke verdachten?' vraagt Harry.

'Personen die ons interesseren,' is het enige dat De Angelo wil zeggen. Ik denk dat ze iedereen natrekken die in de afgelopen maanden met Crone in verband heeft gestaan, medegedetineerden die inmiddels zijn vrijgelaten, mensen van het centrum, noem maar op. Avond aan avond zal de politie iedere auto die ze kunnen vinden door het gips rijden om te proberen een paar autobanden te vinden dat ze op de een of andere manier met Crone in verband kunnen brengen.

'Hebben jullie ook aan de plantsoenarbeiders en het tuinpersoneel van het museum gedacht?'

De Angelo kijkt me aan alsof hij niet weet waarover ik het heb.

'Waarschijnlijk maken die de hele tijd gebruik van de onderhoudswegen door het park. Hebben jullie naar hun banden gekeken?'

'Nog niet,' zegt hij. 'Ik zal een notitie maken.' Hij schrijft niets op.

Coats wil weten of ze nog een andere getuige voor hun aanbieding van bewijs hebben, iemand die Tanya Jordans verklaring kan bevestigen.

Tannery zegt dat hij niet zo iemand heeft.

Coats kan hun een dag, misschien twee dagen geven. Ik denk dat Epperson centraal stond in hun bewijsvoering. Zonder getuige die kan bevestigen dat Crone raciaal onderzoek deed, kunnen ze geen motief voor de moord presenteren. Ze hebben de theorie van de mislukte romance al opgegeven en worden nu ineens geconfronteerd met Eppersons zelfmoord, compleet met bekentenis.

'Edelachtbare.' De Angelo mengt zich erin. 'Dit is heel vreemd, dat deze man zich zomaar van het leven berooft.'

'Misschien was hij bang dat hij de ondervraging niet kon doorstaan,' zeg ik tegen Coats. 'Hij moest de volgende dag op de rechtbank verschijnen. Zo vreemd is het niet.'

Coats overweegt de verschillende dingen die hij kan doen. Hij slaakt een diepe zucht. 'We hebben een probleem. Het bevalt me niet, maar als u geen andere getuige kunt vinden, geen bevestigend bewijsmateriaal, zal ik de getuigenverklaring van die vrouw moeten schrappen.' Tannery wil iets zeggen, maar de rechter steekt zijn hand op. 'Ik heb geen andere keuze. Het is allemaal uit de tweede hand. En ik weet ook niet of die verklaring op dit moment nog veel betekenis zou hebben.'

'Wat bedoelt u?' vraagt Tannery.

'Ik bedoel dat u daar een bekentenis in uw hand hebt. Tenzij u kunt aantonen dat die brief iets anders is dan hij pretendeert te zijn, kan ik hem niet buiten de zaak houden.' Inmiddels is Eppersons zelfmoordbrief de kamer door gegaan en heeft Tannery hem weer in handen. Hij houdt het papier vast alsof het gloeiend houtskool is.

'Ik wil daar een kopie van,' zeg ik tegen hem. 'En ik verzoek het hof het openbaar ministerie de order te geven ons voortdurend van hun onderzoekingen op de hoogte te stellen. Ik zou graag willen weten wat ze nog meer bij het monument hebben gevonden. Bijvoorbeeld vingerafdrukken op het busje? Ik zag dat ze daarnaar zochten.'

De rechter kijkt De Angelo aan.

'We vonden de afdrukken van het slachtoffer en van twee andere medewerkers van het centrum waar hij werkte. We zijn dat nog aan het natrekken,' zegt de rechercheur.

'Namen?' Ik haal een pen en een blocnote te voorschijn.

De Angelo wil die namen niet noemen, maar de rechter zegt dat het moet. Dan haalt hij een notitieboekje uit zijn binnenzak en slaat een paar bladzijden om. 'Een zekere Cynthia Gamin en Harold Michaels. Ze zeiden dat ze het busje vorige week hebben gebruikt. Dat blijkt te kloppen, maar we kijken toch ook naar hun eigen auto's om te zien of de extra bandafdrukken op de plaats van het delict daarbij passen.'

'En jullie zullen ons op de hoogte houden?' zeg ik.

De Angelo kijkt me aan alsof ik een soort insect ben. Het is altijd prettig als de politie voor je aan het werk is.

'Edelachtbare, u zegt dat de brief in de zaak wordt opgenomen, nietwaar?' Tannery had dat wel verwacht, maar voordat hij weggaat, wil hij proberen Coats op andere gedachten te brengen. 'Ik zal dat met mijn superieuren moeten opnemen.' Hij heeft het over zijn baas, hoofdofficier van justitie Jim Tate en diens nummer twee, Edelstein, die binnenkort met pensioen gaat en wiens baan Tannery wil overnemen.

'U neemt dit maar op met wie u wilt,' zegt Coats. 'Dat heb ik u hierover te zeggen. U kunt alle finesses aanvoeren. Dat de brief niet ondertekend was, bijvoorbeeld. U kunt in het geweer komen tegen het fysiek bewijsmateriaal dat in het appartement en op de plaats van het delict is gevonden, zolang u alles maar vooraf ter beschikking stelt van de verdediging. Ik geef u wat dat betreft alle ruimte die ik kan geven. Maar tenzij u nog meer hebt dan wat ik hier vandaag heb gehoord, is er een grote kans dat die brief wordt geaccepteerd. En opdat u het allemaal weet: zodra ik vanmorgen het nieuws over meneer Epperson hoorde, heb ik de jury afgezonderd.'

Harry begint te protesteren. 'U hebt ons niet verteld –'

Ik por hem met mijn elleboog in de ribben. Als de dingen gaan zoals je wilt, protesteer je niet. Harry is echter bang dat de juryleden het de verdediging kwalijk nemen dat ze nu zijn opgesloten.

'Er was geen tijd. Ik dacht dat u geen bezwaar zou maken, zeker niet in het licht van alle speculaties,' zegt Coats. 'Het leek me beter dat ze het niet in de kranten zouden lezen of op de televisie zouden zien. Maar ik kan de jury niet veel langer van de rechtbank weghouden. U krijgt twee dagen.' Hij kijkt in zijn agenda. 'Woensdagmorgen om acht uur zien we elkaar hier terug. Ik verwacht dan een volledig verslag van alles wat u over de zaak-Epperson aan de weet bent gekomen. Is dat duidelijk?'

Tannery knikt, maar hij is er niet blij mee.

De rechter geeft de bruine envelop aan de aanklager terug. 'Het is een vervelende manier om een zaak te verliezen, maar zulke dingen gebeuren nu eenmaal.' Hij kijkt mij aan. 'En u, meneer Madriani. Ik hoop voor uw cliënt dat als we hier weer bij elkaar komen er niets is dat hem met deze nieuwe zaak in verband brengt.'

— 16 —

Ieder stukje bewijs dat ze tot nu toe hebben gevonden, is consistent met zelfmoord, inclusief de Y-vormige kneuzing op Eppersons nek. Dat hebben we gelezen in het rapport van de patholoog-anatoom waarvan we vanochtend een exemplaar hebben gekregen.

'Precies wat je krijgt als je met een touw om je nek van een hoogte springt,' zegt Harry. 'Maar het was geen pijnloze dood. Zijn wervelkolom is niet geknapt. De patholoog-anatoom bevestigt dat hij is gestikt. Waarschijnlijk heeft hij een aantal minuten aan het touw gehangen voordat hij bewusteloos raakte.'

'Daar kan Tannery niet veel mee doen,' zeg ik. 'Je zou het bijna een uitzondering kunnen noemen als Epperson zijn nek had gebroken. Een goede ophanging is een hele kunst. De meeste zelfmoordslachtoffers stikken terwijl ze spartelend aan het touw hangen en er spijt van krijgen en hun daad ongedaan proberen te maken.'

'Of anders springen ze van zo'n grote hoogte dat ze hun hoofd verliezen,' zegt Harry. Door een grote val wordt het hoofd van de romp gerukt. 'Hoe dan ook, het is een rommelige manier om je van kant te maken. Al met al zijn pillen veel beter.' Hij kijkt naar de laatste paar bladzijden van het rapport, dat ik al heb gelezen. 'Ik ben het met je eens dat hier niet veel in staat waar Tannery iets aan heeft.'

'Laten we hopen dat ze daar of bij Epperson thuis verder niets hebben gevonden,' zeg ik.

'Je gelooft echt dat hij zich van kant heeft gemaakt?'

'Jij niet?'

'Ik weet het niet. Het kan zijn dat iemand hem een handje heeft geholpen.'

Ik kijk Harry aan, wachtend op zijn lijst van kandidaten. Die is kort.

'Tash. Wie anders? Hij is nauw met Crone verbonden. Ze zijn net een Siamese tweeling. Ze zitten samen vast aan het onderzoeksproject. Daar komen we steeds op terug, op dat project. Misschien had het er iets mee te maken, en misschien ook niet, maar als je het mij vraagt, wilde iemand Epperson het zwijgen opleggen.'

'Dus je denkt dat Tannery's standpunt goed te verdedigen is?'

'Dat zei ik niet. Hij kan misschien wel denken dat Crone er de hand in heeft gehad, maar dat is moeilijk te bewijzen. Wat de zaak-Jordan betreft, denk ik dat de goden ons welgezind zijn geweest. We mogen ons gelukkig prijzen. We moeten genoegen nemen met wat we hebben bereikt en zorgen dat we op een afstand blijven.'

'Wat bedoel je daarmee?'

'Ik bedoel dat we Crone niet moeten toezeggen dat we hem blijven verdedigen. Hij kan alsnog voor Epperson worden berecht. Als we gehakt van Tannery maken in de zaak-Jordan, hem dwingen de zaak te seponeren, staat één ding vast: hij zal niet rusten voordat hij Crone voor de moord op Epperson veroordeeld heeft gekregen. En heel misschien redt hij dat ook nog.'

'Dus jij denkt dat Crone erachter zit?'

'Ik vind dat we die mogelijkheid onder ogen moeten zien,' zegt Harry. 'Denk eens na. Wat deden hij en Tash met al die cijfers? Die ontmoetingen in het huis van bewaring?'

'Genetische codes,' zeg ik.

'Ik ben het met je eens dat het codes waren. Misschien genetische codes, misschien andere codes. Kon jij er iets van begrijpen?'

Ik schud mijn hoofd.

'Ik ook niet. En die bewaker achter de deur net zo min. Weet jij een betere manier om boodschappen door te geven?'

Ik geef hem geen antwoord, want ik ben ook al op dat idee gekomen en Harry weet dat.

'Ik wil er heel wat onder verwedden dat die papieren met al die cijfers in de papierversnipperaar gaan zodra Tash op kantoor terug is en ze heeft ontcijferd.'

Ik zeg niets.

Hij kijkt me over de rand van zijn koffiekop aan. Hij zit opgevouwen in een van de cliëntenstoelen tegenover me, met zijn schoenen tegen de rand van mijn bureau.

'Misschien kunnen we Tash om een kopie van een van die papieren vragen,' zegt hij. 'Al schieten we daar waarschijnlijk niets mee op. We weten wat Crone en Tash zouden zeggen. Het is vertrouwelijk. Handelsgeheimen.' Harry kijkt me met die typische zijdelingse blik van hem aan en laat het even op me inwerken. Hij kan voelen dat hij de kleine neuronen in mijn hersenen in beweging heeft gekregen. Hij heeft me aan het denken gezet.

'Hoe kon Crone anders met hem praten?' gaat hij verder. 'Hij moest hem vertellen dat het link werd. Dat Epperson op het punt stond alles te vertellen, alles over dat raciale onderzoek.'

'Laten we er even van uitgaan dat het zo is gegaan. Communicatie met cijfers,' zeg ik. 'Je hebt Tash gezien. Schoon aan de haak weegt hij hooguit zeventig kilo. Al had Epperson een hartkwaal, hij was meer dan partij voor Tash.'

Daar moet Harry even over nadenken. 'In de gevangenis ontmoet je veel mensen. En Crone heeft veel vrienden gemaakt. Misschien is er eentje vrijgekomen. Crone zegt tegen Tash dat hij contact met die vriend moet opnemen. Je weet hoe weinig het tegenwoordig kost om iemand te laten vermoorden – een van de dingen die niet door de inflatie zijn aangetast. Het is niet moeilijk om een of andere mislukkeling te vinden die bereid is dat te doen voor een handvol kleingeld en een glimlach van de professor.'

'Weten ze iets over het tijdstip van overlijden?'

Harry, de koffie in zijn ene en het rapport in zijn andere hand, begint te lezen. 'Na zeven uur. Meer kunnen ze er niet van zeggen. Dat is gebaseerd op de ondervraging van een van de plantsoenarbeiders. Hij ging rond die tijd weg en deed de boel op slot.'

'Heb jij een hek gezien?' vraag ik.

'Ik heb er met iemand van de politie over gepraat toen we daar waren. Helemaal beneden, bij het parkeerterrein, was een hek. Maar je kon er boven via die onderhoudsweg ook komen. Er is een paaltje, maar daar kun je omheen rijden. Volgens de politie doen jongelui dat de hele tijd als ze hun auto daar willen parkeren. En dan nog iets. Degene die Epperson vermoordde, sloeg alle lampen kapot voordat hij op het kruis klom om hem op te hangen.'

'Er waren lampen?'

Harry knikt. 'Grote schijnwerpers die vanaf de grond op het kruis gericht waren. De politie vond overal glasscherven.'

'Dat kan Epperson ook hebben gedaan,' zeg ik.

'Dat is mogelijk,' geeft Harry toe. 'Maar waarom zou je die moeite doen als je je gaat verhangen?'

Daar heb ik geen antwoord op. We zitten een paar seconden zwijgend bij elkaar, totdat de telefoon de leegte opvult. Het is de receptioniste. Ik neem op en druk op de intercomtoets. 'Wie is het?'

'Het is het parket. Meneer Tate. Zijn secretaresse aan de lijn.'

Ik houd mijn hand over het mondstuk en kijk naar lijn één, die knippert. 'Er is iets aan de hand. Tate aan de lijn,' zeg ik tegen Harry. 'Ik neem hem.' Ik druk op de toets. 'Met Paul Madriani.'

'Een ogenblik voor meneer Tate.' Een zachte, katachtige stem aan de andere kant. Ik word onder de knop gezet en hoor zachte liftmuziek. Enkele seconden later komt de lijn tot leven.

'Meneer Madriani, met Jim Tate.' Vaderlijk, zelfverzekerd, een man met gezag. 'Ik geloof niet dat we elkaar eerder hebben ontmoet.'

Ik begin dat te bevestigen, maar het interesseert hem niet en hij gaat gewoon door. 'Ik heb Evan Tannery hier bij me zitten. Het gaat over de zaak-Crone. Het lijkt me een goed idee als we bij elkaar komen om erover te praten. Bijvoorbeeld vanmiddag in mijn kantoor.'

'Ik moet even kijken of ik vrij ben,' zeg ik. Ik weet dat ik dan vrij ben, maar ik erger me aan zijn arrogante houding. Ik zet hem onder de knop en kijk Harry aan. 'Het is Tannery's baas. Hij wil praten.'

'Waarover?'

'Dat ze met hun tiet in de wringer zitten,' antwoord ik. 'Maar dat zal hij vast niet door de telefoon toegeven.'

'Het kan goed nieuws zijn. Het kan ook slecht nieuws zijn. Misschien hebben ze iets over Epperson gevonden.'

Ik ga de mogelijkheden na. 'Laten we er maar heen gaan.' Ik druk weer op de knop. 'Twee uur, is dat goed?' zeg ik tegen Tate.

'Mag het ook om drie uur? Ik heb een eerdere afspraak.'

'Goed.'

'Laat de beveiliging maar naar boven bellen als u aankomt. Dan stuur ik een van mijn mensen naar beneden om u op te halen.' Hij zegt dat alsof Harry en ik zoekgeraakte stukken van een schaakspel zijn.

'Goed.'

Harry moet wat papieren op de rechtbank inleveren in verband met die voortslepende aansprakelijkheidszaak van die wapenfabrikant. Daarom besluiten we van kantoor weg te gaan, de Coronado Bridge over te steken en een late lunch te nemen in een klein restaurantje tegenover het gerechtsgebouw en het parket, een van Harry's favoriete eetgelegenheden. Onder de lunch praten we over de zaak. Harry denkt dat op de constatering van zelfmoord weinig zegen rust totdat de lijkschouwer een definitief oordeel heeft geveld.

'Tate zal proberen zich in te dekken,' zegt hij. 'Deze zaak krijgt te veel publiciteit. Als we in de rechtszaal gehakt van hem maken en hij met de billen bloot gaat en Crone naar de universiteit terugkeert, kan Tate zijn gezicht niet meer laten zien op al die modieuze liefdadigheidsevenementen. Weet je wat ik verwacht? Hij gaat proberen de rechter het proces ongeldig te laten verklaren. Dat levert hem wat tijd op.'

'Op welke gronden?'

Harry haalt zijn schouders op. 'Als hij nu eens toegeeft dat ze bewijsmateriaal hebben achtergehouden? Per ongeluk, natuurlijk,' zegt hij. 'Oeps.'

'Dat zou hem een week uitstel opleveren, de tijd die wij nodig zouden hebben om dat materiaal te bestuderen. Maar als ik rechter Coats een beetje ken, zal hij het proces niet ongeldig verklaren. Tenzij ze filmbeelden hebben achtergehouden. Beelden van iemand die Jordan in stukken hakt.'

'Dus wat denk je?' vraagt Harry.

'De kans lijkt me groter dat Tannery in opdracht van Tate probeert de rechter over te halen tot vrijspraak op technische gronden, iets waar de kiezers begrip voor zullen hebben. En daarna geven ze de schuld aan de rechter. Ik wed dat ze op dit moment met zijn tweeën over de papieren gebogen zitten, op zoek naar een manier om van deze ellendige zaak af te komen, al betekent het dat ze zelf ook een paar keer moeten slikken. Dat is gemakkelijker dan een proces verliezen dat anderhalve maand de voorpagina's heeft gehaald.'

'Het zou kunnen,' zegt Harry. 'Vrijspraak op technische gronden. Onze man komt vrij. De hoofdofficier van justitie kan zeggen dat de rechter het gedaan heeft. Iedereen steekt een beschuldigende vinger naar de ander uit en de belastingbetalers krijgen de rekening gepresenteerd voor een proces dat niet is afgewerkt. Het strafrecht in de praktijk.'

Harry praat met zijn mond vol pastrami op roggebrood. De mosterd loopt uit zijn mondhoek en over zijn kin. Hij veegt er met een servet over. Zijn ellebogen rusten op de tafel en de knoop van zijn das hangt ergens op zijn borst. Het is Harry ten voeten uit.

'Ik heb met een stel kerels in de perskamer van de rechtbank gepraat. Ze denken dat Tate zich volgend jaar wil laten herverkiezen. Als ik het goed heb begrepen, heeft hij niets anders te doen. Als ze hem zijn baan afpakken, kan hij alleen nog maar wat rondhangen op de bejaardenclub. Klaverjassen en zo.'

'Laten we hopen dat hij het op een akkoordje wil gooien,' zeg ik.

Het restaurant begint leeg te lopen. Ik kijk op mijn horloge. Het is kort na tweeën. Harry en ik eten de laatste restjes op en proberen elkaar voor de rekening te laten opdraaien. Ik blijf ermee zitten als Harry naar de wc gaat. Ik ga naar de kassa, neem een twintigje om de rekening te betalen en leg daarna een vijfje als fooi op de tafel.

Ik kijk door de voorruit van het lege restaurant; er lopen mensen over het trottoir voorbij, een bus neemt passagiers op bij de halte en braakt dan opeens bruine rook uit en rijdt als een tornado het verkeer weer in.

Plotseling kan ik over vier rijbanen met verkeer naar het gerechtsgebouw aan de overkant kijken. Ik sta op Harry te wachten en kijk naar de hoek aan de westkant van het gerechtsgebouw. Dan herken ik iemand aan zijn lichaamsbouw. Hij staat bij het voetgangerslicht met iemand anders te praten. Het is Aaron Tash, een meter negentig lang en broodmager. Je kunt hem niet missen. Hij is een wandelende straatlantaarn, het menselijk equivalent van de bidsprinkhaan.

Ik vraag me af wat hij in de binnenstad doet. Hij weet dat het proces al dagen stil ligt. En ook als dat niet zo was, zou hij niet naar binnen mogen. Hij staat op de getuigenlijst.

Dan dringt het tot me door. Hij is waarschijnlijk op weg naar Crone. De woede begint langzaam in me op te borrelen. Ik vraag me af hoe lang dit al aan de gang is. Ik blijf naar die twee mannen kijken. Tash luistert meer dan dat hij praat. De andere man haalt een vel papier uit zijn zak en geeft dat aan Tash. Tash neemt het aan, maar kijkt er niet naar. In plaats daarvan stopt hij het vel papier in de aktetas die hij onder zijn arm heeft, dezelfde dunne leren tas die hij altijd bij zich heeft als hij samen met ons naar Crone gaat.

Harry is terug van de wc en staat opeens achter me.

'Je hebt al betaald?'

'Ja.'

'Laten we dan gaan,' zegt hij.

'Wacht even.'

'Waar kijk je naar?'

'Daar, op de hoek.'

Harry kijkt en ziet al snel wat er gebeurt. Inmiddels is Tash klaar met het gesprek. Hij loopt door de straat, naar het gerechtsgebouw toe.

'Wat doet hij daar?'

'Dat vroeg ik me nou ook af.' Ik verwacht dat hij het gerechtsgebouw voorbij zal lopen, naar de hoek en naar de ingang van het huis van bewaring, maar dat doet hij niet. In plaats daarvan draait hij zich om, beklimt de trap en verdwijnt in de schaduw achter de deur van het gerechtsgebouw.

Harry kijkt me aan en denkt hetzelfde. Tash is op weg naar het parket.

'Denk je dat Tate hem onder druk zet?' vraagt Harry.

'Ik weet het niet.' Plotseling hangt er gevaar in de lucht. 'Je hebt de andere helft gemist.'

'Wat dan?'

'Hij praatte op de hoek met een man. Groot, stevig gebouwd, lange blonde paardenstaart, zijn armen onder de tatoeages. De laatste keer dat ik die kerel zag, stond hij in de recreatiezaal van het huis van bewaring met Crone te praten.'

'Weet je dat zeker?'

Ik knik. Het was de medegedetineerde die op die ochtend met Crone aan het dollen was, de eerste keer dat we met Tash naar het huis van bewaring gingen – de blonde viking.

— 17 —

Tates heiligdom is een monument voor een langdurige staat van dienst. De wanden zijn bedekt met banale plaquettes: koperen platen en ingelijste perkamentvellen die zijn hoogstaande ethiek verheerlijken, allemaal aan hem gepresenteerd door mensen die bij hem in de gunst wilden komen.

Er zijn ingelijste foto's van Tate die de hand schudt van honkballers, filmsterren en andere politici: de bevestiging dat hij zich in kringen van beroemdheden beweegt, voor het geval iemand dat zou vergeten. Sommige van die foto's maken pijnlijk duidelijk hoe oud hij is, want daar komen personen op voor die al bijna twintig jaar een horizontale verblijfplaats in Forest Lawn hebben. De tijd gaat door; de tijd achterhaalt je.

Harry kijkt geïnteresseerd over mijn schouder naar een foto van Marilyn Monroe. Ze zit, terwijl haar rok hoog opgeschoven is over haar dij, op de rand van een bureau met Tates naamplaatje erop. Tate zit achter dat bureau en ziet er veel jonger uit, een enthousiaste, ambitieuze jonge officier van justitie.

'Als hij met pensioen gaat, moeten ze zijn verhalen optekenen, anders verliezen ze het contact met de antieke wereld,' zegt Harry.

'Wie zegt dat hij met pensioen gaat?'

We zijn omringd door zoveel souvenirs dat het net een vlooienmarkt is. Een bal die pretendeert de eerste Padre-honkbal te zijn die in een van de league play-offs is geworpen, ligt op de tweede-honkzak uit diezelfde wedstrijd.

Een blok graniet van honderdvijftig kilo, een grafsteen, met het opschrift AFSCHAFFING DOODSTRAF – RUST IN VREDE staat in een hoek van het kantoor en geeft blijk van Tates betrokkenheid bij de wereld van politie en justitie. Het schijnt dat hij er een zakdoek van zwart kant overheen legt als hij met zijn mensen overlegt over zaken waarin ze de doodstraf kunnen eisen. Het schijnt ook dat hij altijd een inkeping in de rand van de steen maakt als een van hun verdachten is geëxecuteerd. Als het op vergelding aankomt, is hij geen weekhartige progressieveling, en zijn politieke tactieken zijn dienovereenkomstig.

Voordat ik dichterbij kan komen om de randen van de grafsteen te bekijken, gaat de deur achter me open.

'Sorry dat ik jullie liet wachten.' Tate komt als een herfstwind de kamer binnen, en Tannery wordt als het ware meegezogen in het vacuüm dat Tate achterlaat. 'Heeft Charlotte jullie al koffie aangeboden?'

Ik maak een gebaar dat het niet hoeft, maar hij negeert me, ploft in de stoel achter het bureau neer, pakt de telefoon en drukt op de knop van de intercomlijn.

'Charlotte, wil je wat koffie komen brengen? Vier koppen. Jullie gebruiken melk en suiker?'

Voordat we antwoord kunnen geven, zegt hij: 'Ja, breng het allemaal mee op een dienblad. En kijk of er nog wat van die kleine koekjes zijn. Die met pepermunt.'

Hij hangt op en is al weer uit de stoel voordat Harry en ik een woord kunnen zeggen. Hij hangt zijn jas aan een hanger die aan de kapstok in de hoek bungelt.

'U moet Madriani zijn.' Op de terugweg naar het bureau schudt hij mijn hand, bijna alsof hij er met zijn gedachten niet bij is.

'Harry Hinds, mijn collega,' stel ik voor.

Hij moet een stap terug doen om Harry's hand te pakken. 'Aangenaam kennis met u te maken. Ga zitten. Neem plaats.' Hij wijst ons de twee stoelen voor cliënten aan. Tannery haalt een hoge stoel van de kleine vergadertafel aan de andere kant van de kamer en komt bij ons zitten.

'Ik heb veel goeds over jullie beiden gehoord,' zegt Tate. Dit is helemaal *zijn* bespreking. Hij heeft de leiding. 'Het schijnt dat we wederzijdse vrienden in Capital City hebben.' Hij noemt wat namen, oude getrouwen van de balie en de magistratuur. 'U hebt Armando Acosta verdedigd.'

Ik knik.

'Dat was een grote zaak. Vette krantenkoppen. Het gebeurt niet elke dag dat een rechter beschuldigd wordt van moord. En als klap op de vuurpijl kwam er ook nog een lekker stuk bij kijken.' Hij trekt aan zijn rechter oorlel en grijnst alsof hij me misschien kan overhalen wat sappige details van de zaak aan hem te vertellen. De rechter was verstrikt geraakt in een zedenzaak doordat de politie een mooie lokvogel op hem af had gestuurd die later dood werd gevonden. Acosta werd beschuldigd van de moord op haar.

'Die beschuldigingen zijn nooit bewezen,' zeg ik tegen hem.

'Natuurlijk niet,' zegt hij. 'U hebt die zaak gewonnen. Rechter Acosta staat voor eeuwig bij u in het krijt, als ik het goed heb gehoord. Uw grootste fan. Dat was niet altijd zo.'

'Sinds zijn eigen proces heb ik geen enkel proces meer bij hem kunnen voeren. Wat dat betreft is rechter Acosta erg gewetensvol. Zodra ik bij een zaak betrokken ben, diskwalificeert hij zichzelf.'

'Grappig is dat. Je bewijst iemand een dienst en het slaat in je eigen gezicht terug.'

'Het recht is geen politiek,' merk ik op. 'Tenminste, dat hoort het niet te zijn.'

Hij glimlacht. 'Natuurlijk niet. En dat brengt ons op de reden voor deze bijeenkomst. Een aantal onvoorziene gebeurtenissen – de dood van een getuige op de dag voordat hij zijn verklaring zou afleggen. Dat is u vast nog nooit eerder overkomen?'

'Niet dat ik me kan herinneren.'

'Natuurlijk is het een tegenslag voor ons.'

'Dat is ons opgevallen,' zegt Harry. Harry krijgt er genoeg van om naar al die onzin te luisteren. Hij wil ter zake komen. 'Waarom hebt u ons hier laten komen?'

'We denken nog steeds dat onze positie sterk is. Begrijp me niet verkeerd,' zegt Tate.

'Belde u daarom? Om ons te vertellen dat u nog steeds sterk staat in deze zaak?' vraag ik.

Hij kijkt Tannery even aan en glimlacht. 'Nee. Ik heb u hier laten komen om over een mogelijke oplossing te praten. Zoals het nu is, kan uw cliënt er niet zeker van zijn dat hij met de schrik vrijkomt. Begrijp me niet verkeerd; Eppersons dood heeft flink wat stof laten opwaaien. Misschien is de bewijsvoering niet meer zo eenduidig als tevoren, maar we hebben altijd nog de kabelbanden in zijn zak, het spanwerktuig in zijn garage, het feit dat hij en het slachtoffer onenigheid hadden. De medische gegevens wijzen erop dat de ledematen vakbekwaam van het lichaam zijn verwijderd. Al met al hebben we de jury heel wat te bieden.'

'We hebben dus een hele berg te beklimmen. Wat biedt u ons aan?'

'Een oplossing die uw cliënt een zekerder resultaat oplevert,' antwoordt hij.

'Wat? U gaat het gif direct in zijn hart spuiten, in plaats van in zijn arm?'

'En als we de doodstraf nu eens uitsluiten?' zegt Tate. 'Bijvoorbeeld levenslang zonder mogelijkheid van vervroegde vrijlating.'

'Geen denken aan,' zeg ik.

Tate kijkt Tannery nog eens aan. De blikken die ze uitwisselen, wekken bij mij de indruk dat dit niet Tannery's idee was. Hij weet dat hun positie niet sterk genoeg is om hierover te onderhandelen, maar je kunt het Tate niet kwalijk nemen dat hij het probeert.

'Goed. Tweedegraads moord,' zegt hij. 'We laten alle bijzondere omstandigheden vallen, en hij krijgt vijftien jaar tot levenslang. Met goed gedrag kan hij over tien jaar vrij zijn. Beter kan hij het niet krijgen.'

Ik kijk hem zwijgend aan, met een Mona Lisa-glimlach op mijn gezicht.

'Goed, dan maken we het nog aantrekkelijker.' Tate weet niet wanneer hij moet ophouden met praten. 'Als jullie cliënt zich schuldig verklaart en met ons meewerkt, zijn wij bereid hem niets in de zaak-Epperson ten laste te leggen.'

'Hoe kan hij met u meewerken?' vraag ik.

'Hij kan ons vertellen wat er is gebeurd.'

'Geen probleem. Epperson heeft zelfmoord gepleegd,' zeg ik.

'En u gelooft dat?'

'Voor zover ik weet, hebben veronderstellingen op grond van wat ik geloof geen bewijskracht. Maar als u naar de feiten kijkt, zult u zien dat het zelfmoord was. Zijn er aanwijzingen dat Epperson geen zelfmoord heeft gepleegd?'

Tate heeft geen goede advocatenogen. Misschien heeft hij daarom de rechtszaal de rug toegekeerd om politicus te worden. Zijn grote bruine ogen zeggen *nee.*

Hij slikt, schraapt zijn keel en kijkt Tannery aan. 'Evan, misschien moet jij hier iets over zeggen.'

Tannery schuift wat dichter naar ons toe. 'Het is een gunstige regeling,' zegt hij tegen mij. De duivel tegenover me, de duivel bij mijn oor.

'Ik ga hiermee naar mijn cliënt,' zeg ik.

'Zul je het aanbevelen?' vraagt Tannery.

'Nee.'

'Waarom niet?'

'Omdat jullie bewijsvoering in het slop is geraakt. Ik zou geen goede advocaat zijn als ik zo'n regeling zou aanbevelen.'

Tannery kijkt me met grote ogen aan.

'Alle getuigenverklaringen over het zogenaamde motief van mijn cliënt om Kalista Jordan te doden, en het zogenaamde raciale genetische onderzoek dat de jury tegen hem in zou nemen – dat is allemaal weg. Zonder Epperson is alles wat Tanya Jordan heeft verklaard informatie uit de tweede hand. Zo houden jullie alleen wat nylon kabelbanden en een spanwerktuig over, de dingen die jullie in de garage van de verdachte hebben gevonden, en het feit dat Crone en Jordan niet goed met elkaar konden opschieten. In het ergste geval kan dat voor een ernstig geval van professionele naijver doorgaan. Sterker nog, wisten jullie dat Epperson haar heeft gevraagd met hem te trouwen? Dat ze hem een paar dagen voor haar verdwijning heeft afgewezen?'

Ik kan aan hun gezichten zien dat dit nieuw voor hen is.

'Wie heeft je dat verteld?' vraagt Tannery.

'Als je dat wilt weten, vertellen we het je wel in de rechtszaal,' antwoord ik. 'Aan de andere kant hebben jullie een zelfmoordbrief die op Eppersons computer is getypt en waarin hij toegeeft dat hij haar heeft vermoord.'

'Niet ondertekend,' zegt Tate.

'Zijn op Eppersons toetsenbord de vingerafdrukken van iemand anders gevonden?'

Doodse stilte.

'Ik dacht al van niet. Verder zijn er nog de fysieke sporen op de plaats van het delict, die consistent zijn met zelfmoord. En er zijn de kabelbanden en het spanwerktuig die bij Epperson gevonden zijn.'

'Dat komt allemaal wel heel mooi uit,' zegt Tate.

'Of het nu mooi uitkomt of niet, de jury ziet er waarschijnlijk wel een grond tot gerede twijfel in.'

Ik wacht even of ze dat willen tegenspreken. Ze doen het niet.

'Ik vat die stilte op als instemming,' zeg ik. 'En de rechter heeft u opdracht gegeven alle andere gegevens die u omtrent Eppersons dood in uw bezit hebt uiterlijk morgenvroeg aan ons over te dragen. Ik zou zeggen dat wij er vrij goed voorstaan. Ik denk dat we zullen wachten.'

Tate kijkt ons met venijnige kraaloogjes aan. 'We laten de moord op Epperson niet zomaar schieten,' zegt hij.

'Dat wordt dan een probleem voor u.'

'Waarom?'

'Omdat u zult moeten bewijzen dat het moord was en dan een getuige zult moeten vinden die bereid is meineed te plegen.'

'Waar hebt u het over?'

'Ik heb het over een getuige die bereid is mijn cliënt met de moord op Epperson in verband te brengen. Professor Crone zat ten tijde van het delict opgesloten.' Ik kijk naar Tates ogen. Als hij iets achter de hand heeft, laat hij dat niet blijken. Misschien hebben ze Aaron Tash ergens zitten, in de bibliotheek of een andere kamer, terwijl Harry en ik wachten. Maar misschien konden ze hem niet bang genoeg maken om zijn medewerking af te dwingen, of hij weet niets, al heb ik, nu ik hem op straat heb gezien, mijn twijfels wat dat laatste betreft.

Het kan ook zijn dat ze hem ergens veilig hebben opgeborgen, in de hoop dat wij hen aan iets zullen helpen dat ze kunnen gebruiken om hem onder druk te zetten, bijvoorbeeld als ze tegen hem kunnen zeggen dat Crone een deal heeft gesloten en dat hij, Tash, misschien in zijn eentje voor de moord op Epperson moet opdraaien.

'Dus u bent niet bereid een akkoord te sluiten?' vraagt Tate.

'Niet op die voorwaarden,' zeg ik.

Hij leunt in zijn stoel achterover, zuigt wat lucht in zijn longen en krabt met de achterkant van zijn nagels over zijn wang, à la

Marlon Brando in *The Godfather*. Al zijn bewegingen zijn goed ingestudeerd.

'Weet u,' zegt hij, 'ook als uw cliënt onder Jordan uitkomt, kan hij nog voor Epperson worden berecht.'

Wat we doen lijkt op het spelletje van het elkaar recht in de ogen kijken om te zien wie dat het langst volhoudt, en hij heeft zojuist geknipperd door toe te geven dat ze de zaak-Jordan niet kunnen winnen.

'Dat zal hij dan met zijn volgende advocaat moeten bespreken,' zeg ik tegen hem.

Tate glimlacht en schudt zijn hoofd. 'De pers heeft veel belangstelling voor deze zaak gehad.'

Ik kan bijna horen hoe de vonken tussen de synapsen in zijn hoofd heen en weer springen, met sliertjes rook als ze doorbranden.

'Die publiciteit kan alleen maar erger worden als hij wordt vrijgesproken,' zeg ik. 'Als u naar een jury gaat en het bewijsmateriaal presenteert, zal de pers zich afvragen waarom u dat doet, en mijn cliënt ook. Die verliest waarschijnlijk zijn baan op de universiteit. Een levenslange betrekking.'

'We hebben het over een vrouw die haar leven heeft verloren,' zegt Tate.

'Nee, we hebben het over bewijzen die u niet hebt.'

Tate heeft zich lang genoeg in dit vak gehandhaafd om te weten wanneer hij zijn verlies moet accepteren. Als hij in het licht van de nieuwe bewijzen blijft aandringen, en hij verliest, dan krijgt het openbaar ministerie misschien een eis tot schadevergoeding van acht cijfers voor de komma wegens ongeoorloofde vervolging en misbruik van rechtsgang aan de broek.

Op dit moment is Tate het toonbeeld van een aanklager die in de puree zit, en dat weet hij zelf ook. Daarom heeft hij ons bij zich laten komen. Als hij akkoord gaat met een verzoek om de aanklacht in te trekken, krijgt hij daar misschien moeilijkheden mee als later blijkt dat Crone wel degelijk betrokken was bij Eppersons dood. Een goede verdediger zou de confrontatie met Tates officier van justitie niet uit de weg gaan en in zijn slotpleidooi aan de jury vragen waarom de aanklager, toen de verdachte in een eerder proces terechtstond wegens moord, bereid was geweest de aanklacht in te trekken. Het antwoord zou kunnen zijn: *Dat was een andere zaak*. Maar als Crone zo'n slechterik was, waarom lieten ze hem dan gaan? Veroordeling of geen veroordeling, het openbaar ministerie zou er niet goed uit naar voren komen, en Tate is de belichaming van het openbaar ministerie.

'Ik moet erover nadenken,' zegt hij.

'Ik zou er niet te lang over nadenken. Morgenvroeg krijgen we het bewijsmateriaal, alles wat u over de dood van Epperson hebt ontdekt. Daarna zal mijn cliënt zeker niet bereid zijn een akkoord te sluiten. Als u niet over rotsvast bewijs beschikt, zult u de zaak moeten intrekken of in de problemen komen als hij wordt vrijgesproken. Het districtsbestuur zal niet blij zijn wanneer blijkt dat er miljoenen belastingdollars zijn verspild aan een proces dat op niets is uitgelopen.'

Hij probeert een beroep te doen op de discretionaire bevoegdheid die hij als aanklager heeft, de soevereine immuniteit. Harry en ik gaan aan de andere kant van de kamer op de bank zitten en doen alsof we niet horen hoe Tate van Tannery te horen krijgt dat die bescherming door recente jurisprudentie is aangetast. Aanklagers die misbruik maken van hun discretionaire bevoegdheid kunnen langdurige gevangenisstraf krijgen. Tates gezicht spreekt boekdelen. Hij leunt in zijn stoel achterover en gebaart met zijn vinger om ons te laten weten dat we weer bij hem kunnen komen. Harry en ik lopen door de kamer en gaan weer zitten.

'Nou, wat gaan jullie voor ons doen als we akkoord gaan met een soort regeling?'

'U dient een verzoek in om de aanklacht in te trekken?'

'We sluiten ons niet bij zo'n verzoek aan,' zegt Tate. 'Maar we verzetten ons er ook niet tegen. Daarbij baseren we ons op de gegevens die momenteel bij ons bekend zijn, en op het belang van het recht.'

'Uiteraard.' Ik denk over mijn verschillende mogelijkheden na. We moeten ze een of ander bot toewerpen. 'Met het voorbehoud dat ik mijn cliënt om instemming zal moeten vragen – hij zal afstand doen van zijn recht om civiele actie tegen het openbaar ministerie te ondernemen omdat hij gearresteerd is en aan dit proces is onderworpen.'

Ik kijk aandachtig naar Tates ogen. Hij knippert niet eens. 'Goed.' Hij komt uit zijn stoel, schudt mijn hand en grijnst van oor tot oor.

Ik besef op dat moment dat het allemaal een show was, een rookgordijn. Dit was het waar het Tate om begonnen was, al vanaf het moment dat hij deze kamer binnenkwam: dat Crone geen schadevergoeding zal eisen. Wat is er toch in vredesnaam aan de hand?

De volgende morgen stellen we de regeling tot in details op. Harry en ik zitten bij Crone in het huis van bewaring. Hij is blij met het geluk dat hem ten deel is gevallen, maar wil dat ik met de universiteit ga praten over zijn terugkeer. Ik waarschuw hem dat hij het paard niet achter de wagen moet spannen. Hij is volkomen bereid om afstand te doen van zijn recht om schadevergoeding te eisen, maar we wijzen hem toch op de verschillende kanten van de zaak. Cliënten in zo'n situatie staan altijd te springen om alles op te geven, mits ze maar weer meteen hun vroegere leven kunnen oppakken. En dat kan bijna nooit.

'En als ze je niet terug willen nemen?' vraag ik.

'Wat bedoel je?'

'De universiteit.'

'Waarom zouden ze dat niet willen?'

'Er is nog steeds de klacht wegens seksuele intimidatie die door Jordan is ingediend.'

'Maar je zei dat die klacht tegelijk met haar was gestorven.'

'Ja, maar ze zijn nu gewaarschuwd.'

'Wat bedoel je?'

'Je kunt het vergelijken met een hond die een keer iemand bijt,' zegt Harry. 'Daarna ben je er nooit meer zeker van dat het beest het niet nog een keer zal doen. Stel dat je een huisdier hebt, een klein hondje. Dat hondje heeft nog nooit iemand aangevallen of gebeten. Op een dag komt er een buurjongen in je tuin. De hond valt hem aan en bijt hem. Niemand weet waarom; misschien pestte die jongen hem. De ouders stappen naar de rechter. Die ene beet kost je misschien niet zoveel. Maar nu heb je een probleem. Je weet dat je hond een keer heeft gebeten. Je weet nu dat hij gevaarlijke neigingen heeft. De volgende keer dat hij iemand bijt en die persoon tegen je procedeert, verlies je misschien je huis.'

'Je bedoelt dat ik zoals die hond ben?'

'We bedoelen dat de universiteit het misschien zo ziet. Misschien denken ze dat ze het risico beter niet kunnen nemen. Als ze je terugnemen en een ander personeelslid dient later een klacht tegen je in wegens seksuele intimidatie of discriminatie, kan dat je werkgever op een grote financiële aderlating komen te staan. Bij de universiteit is veel te halen.'

'Kunnen ze dat doen? Ik bedoel, ik heb een levenslange aanstelling.'

'Ze kunnen doen wat ze willen. De vraag is of de rechter je een schadevergoeding wegens het verlies van je baan zal toekennen, en of je je die procedure kunt veroorloven als het erg lang duurt.'

Hij denkt daarover na. 'Hoe lang zou het duren?'

'Het zou jaren kunnen duren. Hoorzittingen bij de administratieve rechter, procedures bij de rechtbank, beroepszaken. En het zou je een fortuin kunnen kosten.'

'Het geld is geen probleem,' zegt hij. 'Maar de tijd wel. Zou ik op het centrum kunnen blijven werken, in mijn oude baan, terwijl die procedures aan de gang zijn?'

'Dat betwijfel ik,' antwoord ik. 'Dat zou afhangen van het standpunt van de universiteit, en van wat de rechters bepalen.'

'We weten dus niet of ze me terug zullen nemen,' zegt hij.

'Nee, dat weten we niet, maar de aanklagers willen vanmiddag een reactie op hun aanbod.'

'Wat moet ik doen?'

'Je kunt maar één ding doen,' zegt Harry, 'en dat is akkoord gaan. We vertellen je dit alleen maar omdat je, als je je baan verliest, geen schadevergoeding van het openbaar ministerie kunt eisen omdat ze je ten onrechte van een misdrijf hebben beschuldigd.'

'Dat geeft niet,' zegt hij. 'Het geld kan me niet schelen.'

'Dat is mooi. Dan heb je niets te verliezen,' zegt Harry.

Crone zakt onderuit op zijn stoel. 'Nee. Ik heb mijn positie te verliezen, mijn reputatie.'

Daar hebben Harry en ik geen antwoord op.

— 18 —

'Wat bedoel je, hij was undercover?' vraag ik.

'Hij werkte in de speciale eenheid voor bendes in het huis van bewaring.' Je kunt aan Tannery zien hoe moeilijk hij het de afgelopen dagen heeft gehad. Hij ziet er niet goed uit. Hij is net een geslagen hond, zoals hij daar met gebogen schouders voor de rechter staat. Tate heeft dit misschien niet verwacht, maar Tannery krijgt nu een pak slaag voor dingen die hij waarschijnlijk niet heeft gedaan.

Harry en ik, Tannery en De Angelo zijn in de raadkamer van rechter Coats. Coats zit achter zijn bureau en zijn ogen boren gaatjes door de officier van justitie.

Ik ga er hard tegenaan. 'Edelachtbare, wij zijn niet ingelicht. Ze hadden in het huis van bewaring een undercover-agent die met mijn cliënt praatte. Ze verzamelden informatie die ze tegen hem wilden gebruiken zonder dat wij werden ingelicht.'

'Waar klaag je over?' zegt Tannery. 'We staan op het punt om de aanklacht tegen je cliënt in te trekken op grond van informatie die we via die agent hebben verkregen. We zijn ervan overtuigd dat je cliënt niet betrokken is bij de dood van Epperson. En wat dat andere betreft' – hij heeft het over de moord op Jordan – 'lijkt het erop dat we tegen een muur zijn gelopen.'

Harry en ik hebben Tannery hier tegen zijn zin naartoe gesleept. Voordat we tijdens de zitting de puntjes op de i zetten van het akkoord, wilden we weten wat de politie over Eppersons dood achterhield. De rechter vond ook dat onze cliënt daarvan in kennis moest worden gesteld, opdat hij er gebruik van zou kunnen maken als ze hem later op die aanklacht zouden arresteren. Toen hij met die eis werd geconfronteerd, moest Tannery wel toegeven dat de politie zich aan ernstig wangedrag had schuldig gemaakt.

De blonde viking blijkt een undercover-agent te zijn. Hij is in het huis van bewaring gezet om te infiltreren in de bendes die daar gedijen. Dat is de reden waarom Tate zo graag zaken wil doen. De man is in meer geïnfiltreerd dan in alleen de Aryan Brotherhood.

Harry en ik hadden goede reden om ons zorgen te maken over Crones gebrek aan discretie. Het schijnt dat hij de viking gebruikte om informatie aan Tash door te geven, een lijst van cijfers die leek op de lijsten die ze in het bijzijn van Harry en mij hadden uitgewisseld.

Tate koesterde dezelfde verdenkingen als wij, met dit verschil dat hij ernaar handelde. Hij kopieerde de cijfers en stuurde ze naar militaire encryptiedeskundigen. Hij deed een diepgaande ontdekking. De lijst bevatte genetische codes.

Voordat hij zijn informatie terugkreeg, had hij in zijn kantoor een korte ontmoeting met Tash. Dat was op de dag dat wij daar waren. En daar in die vergaderkamer speelde Aaron Tash open kaart. Ze hoefden maar één keer te laten doorschemeren dat hij misschien wegens medeplichtigheid aan moord zou worden aangeklaagd, en alle handelsgeheimen verdwenen als sneeuw voor de zon. Tash vertelde Tate precies waar ze aan werkten.

Het werd Tate duidelijk dat de twee mannen niets anders uitwisselden dan werk. Dat was de reden waarom Tate bereid was alles op te geven in ruil voor de toezegging dat Crone geen civiele procedure zou starten. Tate wist dat hij hem niet voor de moord op Jordan veroordeeld kon krijgen. Bovendien leek het er sterk op dat noch Crone noch Tash iets met Eppersons dood te maken had.

'U ziet het probleem?' vraagt Coats. Hij kijkt Tannery aan.

'Ik wist het zelf pas vanochtend, edelachtbare.'

'U bedoelt dat meneer Tate u niet had ingelicht?'

Tannery wil geen namen noemen, zeker niet die van zijn baas. 'Het was alleen op de hoogste niveaus bekend.' Hij heeft het over de undercover-agent in het huis van bewaring. 'Alleen bij mensen die er echt van moesten weten. Anders zou het leven van die man geen cent waard zijn geweest.'

'Niettemin was hij een politieman die met mijn cliënt praatte,' zeg ik tegen Coats. 'Hij verzamelde informatie van professor Crone terwijl ik er niet bij was, terwijl de politie wist dat hij door mij werd vertegenwoordigd. Dat is een duidelijke schending van zijn recht op verdediging. Dit was niet zomaar een verklikker in de gevangenis. Dit was een ambtenaar van de politie.'

'Het was een zinloze operatie, meneer Tannery. Wat hoopte uw dienst te bereiken?'

Tannery heeft geen antwoord op de vraag van de rechter.

'Als u iets had ontdekt, zou u het niet hebben mogen gebruiken,' zegt Coats. 'Ik zou die informatie niet hebben toegelaten. Of misschien wilde u het me niet vertellen?'

Dat is altijd het probleem met illegaal verkregen bewijs. Als de politie er niets over vertelt en ze een onafhankelijke bron kunnen vinden, ook al is die bron besmet door hun illegaal gedrag, kom je er misschien nooit achter.

'Het openbaar ministerie had de plicht om het bekend te maken,' zeg ik.

'Ja, dat weet ik ook wel, meneer Madriani.' Coats is woedend. 'Je kunt geen Chinese muur in je kantoor oprichten en dan beweren dat je van niets wist. Ik zal u eens wat vertellen, meneer Tannery: deze afspraak gaat niet door. Als professor Crone tegen het openbaar ministerie wil procederen, zal ik zorgen dat hij daartoe alle gelegenheid krijgt. Als u de aanklacht wilt intrekken, doet u dat zonder voorwaarden te stellen.'

'Daar heb ik het gezag niet voor,' zegt Tannery.

‘Belt u dan naar uw kantoor om het gezag te krijgen.’

Ze kijken elkaar over het bureau aan.

Harry’s ogen beginnen te glinsteren. Als je goed kijkt, zie je kleine dollartekentjes – weer een civiele procedure in de maak.

‘Wat hebben ze nog meer op de plaats van het delict gevonden?’ vraagt de rechter.

‘Als u geen bezwaar hebt, laat ik dat aan inspecteur De Angelo over,’ zegt Tannery. Hij is bang dat hij iets ondoordachts tegen Coats zal zeggen en wegens minachting van de rechtbank in de gevangenis zal worden gegooid.

Tannery loopt naar de deur om op de griffie naar Tate te bellen. Ik zou best willen meeluisteren.

‘Zeg tegen hem dat als hij vragen heeft hij gerust naar me toe kan komen. Ik zal de zaak graag met hem bespreken,’ roept Coats hem achterna.

‘Dat lijkt me niet nodig,’ antwoordt Tannery.

‘Laten we hopen van niet,’ zegt de rechter. ‘En nu u.’ Hij kijkt De Angelo aan, die inmiddels een deemoedige indruk maakt.

‘Ze hebben niet veel gevonden, edelachtbare. Een afdruk in de modder. Zo te zien een werkschoen. Een grote zool in de zachte grond bij een van de watersproeiers in het park, niet te ver van het kruis vandaan. Ze weten nog niet van wie die afdruk is. Waarschijnlijk van een van de plantsoenarbeiders. We weten het niet zeker.’ Hij kijkt in zijn aantekeningen. ‘Dat is het. De rest hebt u al.’

In het begin van de middag leidt een contingent bewaarders Crone door een tunnel onder de straat naar het gerechtsgebouw. Omdat de jury er niet bij zal zijn, draagt onze cliënt een oranje gevangenisoverall. Zijn benen zijn door een ketting met elkaar verbonden en zijn handen zijn aan een ketting om zijn middel geboeid. Die kettingen worden weggehaald en hij wordt naar de stoel tussen mij en Harry aan de verdedigingstafel geleid. Ik kan aan zijn gezicht zien dat hij voelt dat er iets gebeurd is, al weet hij niet wat dat is.

De journalisten zitten weer op de voorste rij. Die is voor hen gereserveerd. Omdat het zo druk is, hebben enkele verslaggevers genoegen moeten nemen met een plaats op de rijen daarachter. Een van de journalisten probeert de lege jurybank binnen te glippen, maar dat staat de parketwacht niet toe.

Er zijn de gebruikelijke rechtszaalgroupies, voor het merendeel gepensioneerden die niets beters te doen hebben dan de gang van zaken in het gerechtsgebouw te volgen. Het is de beste show in de stad.

Er zijn ook mensen van de universiteit. Ik herken iemand, een vrouw die verantwoordelijk is voor juridische zaken. Ze is nooit een vaste bezoekster geweest en als ze er was, hield ze zich verre van Crone. Ze praatte nooit met hem en maakte aantekeningen, ongetwijfeld om alles door te geven aan haar superieuren op de universiteit.

Ik zie een paar nieuwe gezichten op de voorste rij, verslaggevers die politiezaken doen en die zich nu voor Crones proces interesseren omdat het misschien in verband staat met Eppersons dood. Zoals Harry en ik verwachtten, vraagt Tate nu om een onderzoek door een lijkschouwer. Op die manier probeert hij de verantwoordelijkheid te spreiden. Als de lijkschouwer verklaart dat het zelfmoord was, zouden Tate en het openbaar ministerie uit de problemen zijn.

'Wilt u opstaan?' roept de parketwacht. Coats komt met grote stappen uit de gang die naar zijn kamer leidt en neemt op het podium plaats. Hij gaat zitten, schuift zijn bril recht en opent de map die hem door de griffier wordt aangereikt.

'Ik begrijp dat er in deze zaak een regeling is getroffen. Is iedereen aanwezig?'

Tannery staat op en verklaart dat hij aanwezig is. Ik doe hetzelfde.

'Ik heb begrepen dat u een verzoek wilt indienen, meneer Tannery.' Coats kijkt hem over zijn brillenglazen heen aan.

De aanklager kijkt even naar mij, alsof ik hem misschien zal redden. Dit hoorde niet bij de afspraak, maar alles is nu veranderd.

'Edelachtbare,' zegt Tannery, 'het openbaar ministerie verzoekt u de aanklachten, alle aanklachten tegen de verdachte in deze zaak, in het belang van het recht in te trekken.'

'Aldus geschiedt,' zegt Coats. 'De verdachte is van de aanklachten vrijgesproken. Hij mag gaan.'

De woorden van de rechter gaan bijna verloren in het tumult achter ons. Na twee maanden komt er zomaar een eind aan het proces. Er wordt niets uitgelegd, niemand wordt voor de moord op Kalista Jordan veroordeeld, en David Crone is een vrij man.

De pers verdringt zich achter het houten hekje. Sommige journalisten rennen naar de camera's buiten de zaal. Tannery, die nog achter zijn tafel staat, wordt omringd door de schrijvende pers.

'Er komt een verklaring van het openbaar ministerie. Verder heb ik momenteel niets te zegen.' Ik kan hem tussen die journalisten zien staan. Hij probeert zijn papieren in zijn aktetas te stoppen en gebruikt de tas als een schild om zich een weg uit de zaal te banen.

Als ik me omdraai en opkijk, is het podium leeg. Coats is al verdwenen.

Crone maakt een verdoofde indruk. Misschien is nog niet goed tot hem doorgedrongen wat hij zojuist heeft gehoord. Mensen uit het publiek komen naar voren en buigen zich over het hek om hem op de rug te kloppen en te feliciteren. Hij draait zich om, herkent niemand van hen, maar glimlacht. Dan kijkt hij mij aan.

'Dat is het?'

Ik knik.

'Het is voorbij?'

'Ja.'

Een van de bewaarders komt naar voren en tikt Crone op de schouder. 'Als u mij wilt volgen? We halen uw kleren, uw persoonlijke bezittingen.'

Als hij opstaat, ben ik even bang dat hij in elkaar zal zakken. Hij brengt zich in evenwicht door met beide handen op de rand van de tafel te steunen. Twee andere bewaarders gaan naast hem staan en proberen de pers van hem weg te houden, die hem nog steeds met vragen bestookt.

'Hoe voelt u zich nu?'

'Goed,' zegt hij. 'Goed.'

'Wat gaat u nu doen?'

Crone kijkt hen aan. Hij heeft geen flauw idee.

'Gaat u naar de universiteit terug?'

'Ik hoop het.'

'Hebt u iets te zeggen tegen de politie die u arresteerde, of tegen het openbaar ministerie?'

Crone schudt alleen zijn hoofd.

Voordat ze nog meer vragen kunnen stellen, leiden de bewaarders hem naar de deur van de jurykamer, waar ze verdwijnen. Vandaar zullen ze hem langs een andere route, dus niet langs de cellen van het gerechtsgebouw, naar het huis van bewaring terugbrengen.

Wij zijn de laatste betrokkenen die weggaan, en de pers stort zich nu op Harry en mij. 'Ziet u dit als een overwinning?'

'Mijn cliënt is vrij. Ik zie dat als een goed resultaat.'

'Hebt u iets te zeggen tegen Tanya Jordan, de moeder van het slachtoffer?'

'Wat kan ik zeggen? Ze heeft de gewelddadige dood van haar enig kind moeten doormaken. Natuurlijk leven we met haar mee.' Ik zeg dat niet zomaar. Op dat moment staat Sarah me voor ogen. 'Ik kan me niet voorstellen hoe het voor een ouder moet zijn om op die manier een kind te verliezen, zelfs een kind dat al volwassen is. We hopen en bidden dat de politie de persoon of personen vindt die daarvoor verantwoordelijk zijn en dat de schuldigen worden gestraft.'

Harry maakt onze laatste doos met papieren dicht en zet hem op de vloer voor de jongen met het steekwagentje. Een van de bewaarders zal een oogje op de dozen houden tot ze naar ons kantoor worden teruggebracht.

We gaan op weg naar de deur, bestookt door vragen. We banen ons een weg tussen de verslaggevers door en komen in de gang. Als we buiten komen, staan we op de trappen tegenover een massa microfoons en camera's. Een van de verslaggevers vraagt om een verklaring.

'Het is mijn overtuiging dat mijn cliënt terecht is vrijgelaten,' zeg ik.

'Had u liever een uitspraak van de jury gehad?'

'Ik ben tevreden met het resultaat. Iedere dag waarop je cliënt als vrij man naar huis gaat, is een goede dag.'

'Gaat professor Crone naar de universiteit terug?'

'Ik neem aan dat hij dat zal doen, als hij het wil.'

'Willen ze hem terug hebben?'

'Ik zou niet weten waarom niet.' Ik kies voor diplomatie in plaats van openhartigheid.

Een verslaggeefster van een plaatselijk televisiestation laat me een paar van mijn uitspraken herhalen, zodat haar camera, die niet goed had gewerkt, een en ander voor het nageslacht kan vastleggen.

Harry en ik hebben ons eindelijk door de menigte heen gewerkt.

'Niet slecht,' zegt hij. 'Hoe wist jij van die undercover-agent in het huis van bewaring?'

'Dat wist ik niet. Maar ik vermoedde dat Tate iets had, anders zou hij niet zo gemakkelijk hebben toegegeven.'

'En die civiele eis?'

'Ik vind dat we dat voorzichtig moeten aanpakken. We moeten Crone de tijd geven om de draad weer op te pikken. Wie weet, misschien neemt de universiteit hem wel terug. In dat geval zou hij niet veel schadevergoeding kunnen vragen. Trouwens, ik geloof niet dat hij veel kans zou maken. Ze hebben bewijsmateriaal in zijn huis gevonden, en getuigen verklaarden dat hij en Jordan ruzie hadden. Er was wel degelijk gerede aanleiding voor een arrestatie.'

'Alleen al zijn advocatenkosten is bijna een bedrag met zes nullen,' zegt Harry. ' En je hebt Coats gehoord.'

'Ja, hij is woedend. Maar als je de zaak morgen aan hem zou voorleggen, zou je een ander antwoord krijgen. Trouwens, op de een of andere manier kan ik me niet voorstellen dat Crone gaat procederen. Ik denk dat hij voorlopig geen rechtszaal meer kan zien.'

Harry ziet er moe uit. 'Zullen we wat gaan drinken?' zegt hij.

'Dat zou ik graag doen, maar ik moet Sarah ophalen. Ik bel je vanavond thuis.'

Hij draait zich om en loopt naar zijn auto. Onder het lopen zwaait hij met zijn aktetas. Als je hem zo ziet weglopen, in het licht van de vallende avond, is Harry net een kleuter die op weg van school naar huis is.

— 19 —

Ik haal Sarah van school en we eten in het winkelcentrum. Omdat ze van plan is naar een slaapfeestje van een jarig vriendinnetje te gaan, kopen we een cadeautje en gaan dan naar huis. Ze pakt haar spullen bij elkaar, doucht en verkleedt zich terwijl ik pogingen doe het cadeau feestelijk te verpakken.

Om half acht zet ik haar bij haar vriendinnetje af en ga dan naar kantoor. Ik heb geleerd zulke extra tijd, als Sarah bij anderen is, te gebruiken om te werken, opdat er zoveel mogelijk tijd overblijft die ik met haar kan doorbrengen. Mijn dochter wordt zienderogen groter. Er is niet veel tijd meer over. Op een dag is ze er opeens niet meer. Dan is ze gaan studeren of getrouwd.

Ik besluit het kantoor op te ruimen en een beetje te werken, zodat ik op zaterdag vrij ben en iets met haar kan doen.

De felle lichten op Orange Avenue stralen een etherische gloed uit in de avondmist die van de Stille Oceaan komt aandrijven. Het is druk op de weg. Vrijdagavond: een ononderbroken stroom auto's rijdt naar het parkeerterrein bij de Del Coronado aan de overkant. Het dak in de vorm van een bruidstaart, de opzichtige versieringen, de twinkelende lichtjes, de palmbomen die wuiven in de oceaanbries – dat alles heeft de uitstraling van een fantasiewereld, een spinnenweb dat de toeristen als vliegen naar zich toe lokt.

Aan de andere kant van de straat, de stille kant, zoemt en flikkert het blauwe neonbord van Miguel's Cocina. Ik loop onder de poort van adobe door en kom in de tuin die naar het kantoor leidt. Harry en ik zitten hier ver van de andere advocaten in de stad vandaan. We hebben een kleine *cabaña* aan een binnenplaats, tussen een aantal andere bedrijven. We geven geen geld uit aan ons imago. Als cliënten een luxe kantoor belangrijk vinden, kunnen ze naar de firma's in de grote kantoorgebouwen aan de andere kant van de brug gaan.

De lamp van de kleine veranda van onze *cabaña* is aan. Er komt muziek uit de bar van Miguel's, en achter de ramen van het Brigantine, waar de eerste gasten aan tafel gaan, zie ik het schijnsel van kaarslicht.

Ik ga de twee treden naar de houten veranda op en steek mijn sleutel in het slot. Ik tast in het donker naar de lichtschakelaar en haal hem over. De tl-lampen aan het plafond gaan flikkerend aan en laten de receptie in een fel licht baden.

De jongen met de steekwagen heeft zijn werk gedaan. Zes dozen met papieren staan tegen de muur gestapeld, overgebracht vanuit het gerechtsgebouw. Het deksel van een van de dozen ontbreekt. Het ligt op het bureau van de receptioniste, samen met een stel papieren die er lukraak verspreid naast liggen. Blijkbaar is Harry toch nog even naar kantoor gegaan, maar werd hij moe en ging hij weer weg. Ik vraag me af of hij bij Miguel's is, of in de bar van het Brigantine. In dat geval komt hij straks terug.

We hebben een grote opslagloods op een paar kilometer afstand moeten huren voor ons archief, en we komen alweer ruimte te kort. Maandag zullen de secretaresses deze dozen met Harry doornemen, de dingen die belangrijk zijn opzij leggen, de rest weggooien en de overgebleven papieren door de jongen naar de opslagruimte laten brengen. Een van de secretaresses zal de dozen van nummers voorzien en een beschrijving van de inhoud in een computerbestand opnemen, zodat we, als we iets nodig hebben, het gemakkelijk terug kunnen vinden. We bewaren die papieren minstens zes jaar. Ook de vriendelijkste cliënt op aarde kan een proces wegens nalatigheid tegen je aanspannen. Strafpleiters die beroepszaken doen, zullen je vertellen dat het je plicht is om je eigen onbekwaamheid toe te geven als je op die manier kunt helpen je cliënt uit de gevangenis te krijgen. Ik heb die filosofie nooit aangehangen, al zal ik mijn dossiers meteen aan ze overdragen als ze erom vragen.

Ik loop bij de dozen vandaan en ga naar mijn kantoor. Het is daar een ramp. Ik maak de deur open, doe het licht aan en neem de chaos in ogenschouw. Al wekenlang stapelt mijn correspondentie zich op. Ik heb dingen uitgesteld tot na Crones proces. Het blad van mijn bureau ziet eruit als Sixth Avenue na een ticker tape parade. Overal ligt papier.

Het probleem is altijd: waar moet je beginnen? Ik hang mijn jas aan de haak, stroop mijn mouwen op en begin met het bakje voor inkomende post. Ik pak een stapeltje papieren, binnengekomen brieven. De secretaresse heeft al die enveloppen opengemaakt, de inhoud eruit gehaald, opengevouwen en met een nietje in de linker bovenhoek aan elkaar geniet, met de envelop er ook nog bij, want soms is het belangrijk om de datum van een poststempel te weten. Het bakje is boordevol en ernaast liggen aparte stapels onbeantwoorde brieven.

Ik pak de kleine dictafoon. In het apparaatje blijkt geen minicassette te zitten. Ik kijk in de la van mijn bureau. Ze zijn op.

Ik ga naar de receptie en begin daar in de laden naar een lege cassette te zoeken. Dan hoor ik het: de *klik* van een metalen la die wordt dichtgeschoven. Het komt uit Harry's kamer. Blijkbaar is hij binnengekomen zonder dat ik hem zag of hoorde.

Ik ga naar de kamer, maak de deur open en zie Harry's silhouet. Om de een of andere reden staat hij in het donker achter zijn bureau.

'Waarom doe je het licht niet aan?'

Hij geeft geen antwoord. Ik sta daar te glimlachen en Harry staat daar in het donker met een of ander raar ding op zijn hoofd – Harry's nieuwste speeltje, dat een lichtstraal op zijn bureau werpt. Zijn hoofd komt omhoog en de straal schijnt recht in mijn ogen. Ik scherm ze met mijn hand af. Dan besef ik dat het Harry niet is. Het silhouet is te groot, met brede schouders, al gaat de rest van hem in de schaduw verloren. Het enige dat ik kan zien, is dat silhouet in het licht van Miguel's dat achter hem door het raam naar binnen valt.

Gedurende een seconde blijven we roerloos staan. Tijd en ruimte zijn bevroren. We staan daar naar elkaar te kijken, en dan laat de adrenaline zich gelden. Het is nu een kwestie van vechten of vluchten.

Hij neemt een besluit en draait zich om naar het open raam achter hem, met zijn knie op het dressoir. In een oogwenk is de helft van zijn lichaam door de opening. Voor iemand die zo groot is, is hij snel en lenig.

'Wat krijgen we nou...?' Met nonchalante bravoure loop ik om het bureau heen. Ik trap op iets dat groot en zacht is. Ik struikel en haal met mijn hand uit naar de indringer, voordat hij door de raamopening heen is. Ik grijp hem bij zijn arm, net boven de pols. Stom, natuurlijk. Ik verlies mijn greep, maar mijn vingers krijgen iets te pakken dat hij in zijn hand heeft, een map, papieren. Ik geef er een ruk aan. De blote huid van mijn hand heeft meer greep dan de stof van zijn handschoen. Ik win en de map komt los.

Voordat ik besef wat er gebeurt, treft zijn andere vuist me precies in het midden van mijn borst, met de kracht van een goederentrein, lijkt het wel. Ik vlieg achterover, tegen het bureau aan, kom er met mijn zitvlak op terecht en belandt plat op mijn rug op het bureaublad. Mijn borstbeen doet zo'n pijn dat ik denk dat er iets gebroken is. Het laatste dat ik zie, is het verblindend felle licht op zijn hoofd, en duisternis achter dat licht. Dan is hij weg.

Het duurt enkele ogenblikken voordat ik mezelf weer onder controle heb. De adrenaline verdooft de pijn. Ik ga moeizaam rechtop staan en buig me uit het raam. Een lichtstraal beweegt zich nog even wild door de struiken, en dan is dat ook weg.

Ik strompel om het bureau heen naar de deur, mijn onderarmen tegen mijn borst gedrukt, piepend ademhalend, vechtend tegen de pijn. Ik kom bij de deur en maak hem open; de ene voet voor de andere. Ik wankel de veranda op. Nadat ik me tegen het hek in evenwicht heb gebracht, kijk ik in de richting van de boogpoort, naar de straat. Er is niets. Uit Miguel's komen nog steeds muziek en vrolijke stemmen. Wie het ook was, hij is weg.

Pas als ik een paar minuten met trillende knieën op een stoel in de receptie heb gezeten, weet ik zeker dat ik niets heb gebroken. Ik ga voor de spiegel in het toilet staan, trek mijn overhemd uit en kijk naar mijn borst. Er vormt zich al een bult in het midden. Als ik die bult aanraak, gaat er meteen een scherpe pijn door me heen. De volgende dag zal ik daar een kneuzing zo groot als Connecticut hebben. Op mijn rug, bij mijn nieren, zit een bloeduitstorting die ik nu pas voel. Toen ik viel, ben ik blijkbaar tegen iets scherps op het bureau terechtgekomen.

Ik loop langzaam door de gang naar Harry's kantoor om de schade in ogenschouw te nemen. Ik houd me in evenwicht door me aan de muren vast te houden, tast om de deurpost heen naar de schakelaar en doe het licht aan.

Binnen heerst een grote chaos. Er liggen papieren en mappen op de vloer achter Harry's bureau, afkomstig uit een van de archiefkasten. Boeken zijn van het dressoir op de vloer gegooid en daarnaast ligt een bureaulamp, met de gloeilamp aan scherven.

Pas nu het licht aan is, zie ik hem. Op de vloer aan de andere kant van het bureau ligt Harry's ineengezakte lichaam.

— 20 —

Ik loop om het bureau heen, op papieren stappend, en kniel achter Harry's lichaam op de vloer neer. Hij ligt roerloos in foetushouding. Eerst ga ik na of hij ademhaalt. Beweegt zijn borst? Ik kijk naar de kreukels van zijn overhemd. Ik kan het niet met zekerheid zeggen. Misschien zien mijn ogen wat mijn hersenen willen dat ze zien.

Ik buig me over hem heen, rol hem op zijn rug. Zijn ogen zijn dicht. Ik beweeg één ooglid voorzichtig met mijn duim omhoog. De oogbal is in zijn hoofd teruggerold. Ik kan zijn pupil niet zien.

De oogbal valt terug, als een figuurtje in een fruitautomaat. Harry beweegt. Zijn hand gaat in een reflex omhoog om zijn ogen tegen het felle licht van de tl-buizen te beschermen. Hij kreunt.

Ik help hem te gaan zitten. 'Rustig maar. Zo blijven zitten.'

'Waar ben ik door geraakt?' vraagt hij.

Ik betast de onderkant van zijn nek. Hij huivert. 'Jezus. Voorzichtig.'

Harry heeft aan de onderkant van zijn schedel een bult ter grootte van een sinaasappel.

'Iets hards,' zeg ik. 'Heb je zijn gezicht gezien?'

'Nee.' Hij grijpt naar zijn achterhoofd, betast het voorzichtig en kijkt dan op zijn vingers of er bloed is. Dat is er niet.

'Het laatste dat ik me herinner,' zegt hij, 'is dat ik binnenkwam. Ik geloof dat ik het licht aan deed. Daarna kan ik me niets meer herinneren.'

De man sloeg Harry neer zodra hij binnenkwam en sleepte zijn bewusteloze lichaam toen hierheen om hem uit de weg te hebben.

'Heeft hij iets meegenomen?' vraagt Harry.

'Weet ik niet.'

'En jij?' Harry kijkt naar mijn ontbloot bovenlijf.

'Ik had wat meer tijd om te reageren,' antwoord ik. 'Niet dat ik daar veel aan heb gehad.'

'Heb je hem gezien?'

'Alleen een schim. En zijn vuist. Die was erg groot, en hard. Hoe voel je je?'

'Dat weet ik pas als ik probeer op te staan.' Harry zit tegen de muur, achter het bureau. Hij trekt zijn knieën op om zich omhoog te duwen. Ik help hem overeind.

Harry kreunt. Ik laat hem in de bureaustoel plaatsnemen. Hij laat zijn hoofd zakken. Het bloed stroomt erheen. 'Ik voel me alsof er een gebouw op me is gevallen.'

'Je zult je nog een paar dagen beroerd voelen. Misschien moeten we naar het ziekenhuis.'

'Nee.'

'Misschien heb je een hersenschudding.'

'Ben je ooit op een vrijdagavond in een ziekenhuis geweest? Dan zitten we er morgenvroeg nog. En dan sturen ze me naar huis en zeggen ze dat ik twee aspirientjes moet nemen.' Hij rekt zijn hals uit, draait zijn hoofd heen en weer, kijkt of alles nog werkt. 'Het enige dat ik nodig heb is een nieuw hoofd.'

Met enige pijn lukt het me het raam achter zijn bureau dicht te krijgen en vast te zetten. Ik zie krassen op de onderkant van het kozijn, waar het raam is geforceerd.

We kunnen de politie bellen en hen naar vingerafdrukken laten zoeken, maar dat zou tijdverspilling zijn. De man droeg handschoenen.

Ik stap over de rommel heen tot ik weer voor het bureau sta

en kijk naar een bruine map van A4-formaat. De inhoud zit er nog in, bevestigd met een Acco-klem die door de bovenkant van de map is geslagen en vervolgens met tape is vastgeplakt. Het is de map die ik uit de hand van de indringer trok vlak voordat hij me stompte.

Met enige moeite buk ik me en raap hem op. De map heeft geen etiket. In plaats daarvan is het woord 'Subsidieaanvraag' op de buitenkant geschreven. Het handschrift is bekend – het is dat van mijzelf.

Ik sla de map open en begin erin te bladeren. Negentig seconden later, na elf bladzijden, beginnen de stukjes plotseling op hun plaats te vallen.

Ik ga met de map naar de receptie. Op de balie, naast het deksel van de open doos, liggen een aantal financiële documenten die op Crones werk betrekking hebben, de financiële jaarverslagen. Die zaten in onze dozen met papieren. Ik kijk naar de map die ik in mijn hand heb en daarna naar het recentste jaarverslag.

Op grond van wat ze wisten – de onschuldige genetische informatie die door Tash en Crone in het huis van bewaring werd uitgewisseld – concludeerden Tate en zijn officieren van justitie dat William Epperson zelfmoord had gepleegd. Dat kon wel eens de grootste fout zijn die Tate in jaren heeft gemaakt.

Als ik Harry's kamer weer binnenkom, zit hij diep voorovergebogen in zijn stoel en probeert hij de zoemtoon uit zijn hoofd te krijgen. Ik pak de telefoon en bel inlichtingen. Ik kijk op mijn horloge; het is nu bijna negen uur. Ik krijg een geautomatiseerde stem aan de lijn. 'Welke plaats?'

'La Jolla,' probeer ik.

'Welke naam?'

'Aaron Tash.' Eigenlijk wil ik zijn adres weten.

'Een ogenblik alstublieft.'

Er gaan enkele seconden van stilte voorbij.

'Wie bel je?' vraagt Harry.

Voordat ik antwoord kan geven, klinkt de stem van een telefoniste aan de andere kant van de lijn.

'Sorry, die naam komt niet op onze lijst voor.'

'Probeer San Diego.'

'Een ogenblik.' Ze gaat het na.

'Sorry. Niets.'

Hij zou overal kunnen wonen, in Escondido, in Carlsbad. Er zijn meer dan tien verschillende telefoonboeken voor deze regio.

'Dank u.' Ik hang op en denk even na. Dan pak ik de telefoon weer en draai een ander nummer. Intussen vraag ik me af wat ik ga zeggen als iemand antwoord geeft. Hij gaat vijf keer over. Niemand neemt op. Ik laat hem zeven en dan negen keer overgaan. Er is niemand thuis. Ik denk aan de duistere mogelijkheden. Ik wil er niet aan denken.

'Wie bel je?'

'Hebben we een privé-nummer of een adres van Aaron Tash?'

'Weet ik niet. Waarschijnlijk wel,' zegt Harry. 'De gerechtsdeurwaarder zal het wel hebben gekregen.'

'Denk je dat je het kunt vinden?'

'Het zit waarschijnlijk in een van die dozen.' Harry hijst zich overeind. Ik houd hem in evenwicht. Samen schuifelen we naar de receptie. Terwijl ik mijn overhemd aantrek, zoekt Harry in de dozen. Hij doet er even over. Hij moet gaan zitten om zichzelf onder controle te krijgen, want zijn benen voelen aan als rubber. Na enkele minuten vindt hij wat hij zoekt, een ontvangstbewijs van een dagvaarding die we Tash hadden gestuurd voor het geval dat we hem als getuige zouden oproepen.

Hij draait het formulier om en legt het voor me op de balie. Tash' privé-adres staat erop. Ik had gelijk. Hij woont in La Jolla. Blijkbaar heeft hij een geheim nummer.

'Hoe voel je je?' vraag ik Harry.
'Beter,' zegt hij.
'Kun je een ritje maken?'
'Als jij rijdt.'

Tien minuten later rijden Harry en ik in Harry's Toyota in hoge vaart over de I-5. We zigzaggen tussen het verkeer door.

'Ik zou maar oppassen,' zegt hij. 'Tenzij je geflitst wilt worden. En ik kots ook liever niet over mijn eigen voorbank.'

'Sorry, maar we hebben niet veel tijd.' Ik neem de linkerbaan en probeer de snelheid op te voeren om voor de verkeersstroom uit te blijven. 'Ik weet het niet zeker, niet zeker genoeg om de politie te bellen, maar als ik me niet heel sterk vergis moet onze bezoeker nog een adres afwerken.'

'Hoe zit dat dan?' Harry ziet een beetje groen. Hij zit met zijn hoofd in zijn handen.

'We hadden het de hele tijd al kunnen weten. Jordan en Epperson concurreerden om geld voor verschillende delen van het onderzoeksproject. Ze hadden concurrerende aanvragen ingediend en vroegen om geld dat Crone opzij had gelegd. Ik besefte dat pas toen ik vanavond de papieren doorkeek. Tot een maand voordat Kalista Jordan werd vermoord was er een overschot aan geld. Geen groot overschot, maar genoeg. Honderdachtduizend en nog wat, volgens de cijfers. Daar ging de ruzie tussen Jordan en Crone over.'

'Geld?' vraagt Harry.

Ik knik. 'Ik heb geen harde bewijzen, maar ik denk dat ik weet wat er gebeurd is. Crone had het overschot uitgespaard op fondsen die oorspronkelijk voor hun budgetten bestemd waren. Jordan kwam erachter. Ze ging naar hem toe en ze kregen ruzie. Toen Crone weigerde het geld alsnog ter beschikking te stellen, nam ze papieren uit zijn kantoor weg. Ik denk dat het financieringspapieren waren, waarschijnlijk condities voor de subsidie van Cybergenomics. Jordan vond dat ze recht had op dat geld en ze was van plan het in handen te krijgen. Ze probeerde Crone onder druk te zetten, maar hij hield voet bij stuk. Ze was kwaad. Het werd een vete. Uiteindelijk diende ze die klacht wegens seksuele intimidatie in. Waarschijnlijk viel hij haar wel lastig, maar dat had niets met seks te maken. Hij wilde die papieren terug hebben. Ze wilde ze niet aan hem geven, en hij wilde zijn financiële beslissingen niet terugdraaien. In Crones ogen was het *zijn* project. Hij had het voor het zeggen.

En dus ging ze naar Epperson, en samen dienden ze aanvragen in om het geld terug te krijgen. Ze gingen waarschijnlijk om Crone heen naar het universiteitsbestuur. Jordan ging een beetje lobbyen. Crone was niet erg populair in die bestuurskringen, en uiteindelijk kreeg ze gedaan dat de fondsen toch naar hun onderzoek gingen. Plotseling was het overschot verdwenen.'

'Ik begrijp het niet,' zegt Harry. 'Waarom hield Crone geld achter?'

'Omdat ik hem dat had gevraagd.'

'Wat?'

'Het ging om Penny Boyd – het onderzoek naar kinderen met Huntington. Crone had het geld daarvoor gevonden door in Jordans stuk van de taart te snijden. Ze kreeg haar deel terug en het kinderproject verviel.'

Harry kijkt me aan. Terwijl de bult op zijn achterhoofd zichtbaar pulseert, beginnen de details tot hem door te dringen.

'Er stonden drie handtekeningen onder de uiteindelijke aanvraagformulieren,' ga ik verder. 'Jordan en Epperson tekenden de aanvragen om het geld terug te krijgen. Maar Crone moet hebben geweigerd daarmee akkoord te gaan, want ook toen de universiteit opdracht gaf de fondsen terug te storten, tekende hij het formulier niet dat daarvoor nodig was. Dat liet hij Tash doen.'

Harry kijkt me vragend aan.

'Wat hij niet besefte,' zeg ik, 'is dat Tash daarmee zijn eigen doodvonnis tekende.'

Het dringt plotseling tot Harry door.

'Ik besefte het pas toen ik alle stukjes aan elkaar paste en ze combineerde met het gesprek dat ik met Frank Boyd had gehad. Hij was helemaal over zijn toeren, maar ik wist niet hoe ver heen hij was.'

'Het was Boyd,' zegt Harry.

Ik knik. 'Dat drong pas vanavond tot me door. Hij moet gek zijn geworden toen het project voor Penny werd opgeheven. Hij was ervan overtuigd dat het haar leven zou redden. Ik probeerde hem duidelijk te maken dat het niet meer dan een minieme kans was, maar hij wilde niet luisteren. Ik had het moeten weten toen hij zei dat hij wilde scheiden.'

'Hij vermoordde Jordan omdat hij haar de schuld gaf van de opheffing van het project,' zegt Harry.

'En Epperson, en ieder ander die misschien een vinger in de pap had gehad. Ik vermoed dat hij vanavond naar ons kantoor kwam omdat hij dacht dat wij erachter waren gekomen.'

'Waarom dacht hij dat?'

'Omdat jij die map van Doris had opgehaald, die map die ze je gaf en die ik bij hen thuis had achtergelaten toen ik samen met Crone de oorspronkelijke papieren opstelde. In die map zat alles: de projectaanvraag voor het kindergedeelte van het Huntington-onderzoek, de kopieën van de aparte verzoeken van Jordan en Epperson. Ik had Doris die map laten houden omdat de papieren niets met onze praktijk te maken hadden. Het waren geen juridische dossiers. Zij en Frank hadden er duidelijk meer belang bij dan ik. En al die tijd zag Frank hoe het geld voor zijn ogen opdroogde.

Ik denk dat hij pas hoorde dat jij die map had opgehaald toen hij ernaar ging zoeken. Waarschijnlijk vroeg hij het aan Doris. Ze vertelde hem natuurlijk waar de map was.'

'Nog een wonder dat hij me niet heeft vermoord,' zegt Harry.
'Hij kon het geestelijk niet aan en ging door het lint.'
Harry kijkt me met grote ogen aan.
'Hij was informatie aan het verzamelen. Waarschijnlijk dacht hij dat hij nog één kans zou krijgen om een betrokkene te pakken te krijgen voordat we hem aangaven en de politie hem inrekende. Toen ik daar vanavond aankwam, was het deksel van een van de dozen in de receptie afgehaald. Jij hebt dat niet gedaan. Hij kreeg jou te pakken voordat je de lichten aandeed. Dus het was Frank. Hij heeft dezelfde papieren gezien als ik, de dingen die jij van de universiteit kreeg: de papieren met Tash' handtekening, de papieren waardoor het geld werd teruggestort en het project werd opgeheven. Ze lagen open op het bureau. Ze zaten niet in het dossier dat ik aan Doris gaf. Hij kan niet meer helder denken. Waarschijnlijk denkt hij nu dat Tash er van het begin af achter heeft gezeten.'

— 21 —

Tash woont in een appartementencomplex op de rotsachtige kust een paar kilometer onder het dorp en even ten zuiden van een plaats die de surfers en de plaatselijke bevolking Wipe-out Beach noemen.

Harry en ik hebben twintig minuten nodig om het te vinden. We moeten twee keer stoppen om de weg te vragen. Als we de straat eindelijk vinden, staan we opnieuw voor een labyrint. De flats in het enorme complex lijken allemaal als twee druppels water op elkaar, met nummers op de postbussen aan de voorkant.

We vinden tenslotte het gebouw waarin Tash' appartement zich bevindt en parkeren aan de voorkant.

'Waarschijnlijk is hij met Crone diens vrijlating aan het vieren,' zegt Harry.

'Laten we het hopen.'

Ik loop naar de deur.

'Laten we er even over nadenken,' zegt Harry. 'We kunnen de politie bellen.'

'En wat wou je dan zeggen? Tate en Tannery zijn op dit moment niet bepaald in de stemming om naar mijn theorieën over de zaak te luisteren. Reken maar niet dat ze op grond van een paar papieren een opsporingsbevel tegen Boyd zullen uitvaardigen. Bovendien hebben zij ook niet met Frank gesproken zoals ik heb gedaan – dat gesprek waarin hij aankondigde te gaan scheiden om onder de medische rekeningen uit te komen. De man was wanhopig.'

Het is het probleem dat elke aanklager in dit stadium zou hebben. Omdat ze Crone maandenlang in de gevangenis hebben laten zitten en hem op beschuldiging van een ernstig misdrijf terecht hebben laten staan, voelen ze er natuurlijk weinig voor om in de openbaarheid te treden en te zeggen: 'O ja, we hebben een andere dader gevonden.' Dat zullen ze niet gauw doen, ook al is het de echte dader.

'Wat ga je trouwens tegen Tash zeggen als je hem vindt?' vraagt Harry.

'Om te beginnen zeg ik tegen hem dat hij voor de komende nacht een hotelkamer moet nemen. En Crone ook. Ik weet niet precies wat Frank van plan is, maar ik kom daar liever niet pas achter nadat het gebeurd is. Morgen probeer ik Tate te spreken te krijgen. Het is zaterdag, de kantoren zijn dicht, maar hij moet op de een of andere manier te bereiken zijn. Misschien kan ik hem overhalen Boyd op te pakken, al is het alleen maar voor ondervraging.'

'Als het zit zoals jij denkt, is de man krankzinnig,' zegt Harry.

'Dat denk ik ook. Ik zal de politie op alle mogelijke manieren waarschuwen.' Als ze Frank benaderen, denk ik dat hij door het lint zal gaan. Als ze hem veilig in hechtenis willen nemen, zullen ze voorzichtig te werk moeten gaan.

'En zijn gezin, Doris en de kinderen?' vraagt Harry.

'Daar heb ik over nagedacht. Ik heb al geprobeerd naar Franks huis te bellen. Er werd niet opgenomen.'

'Je denkt dat hij ze iets heeft aangedaan?'

'Ik weet het niet. Ik hoop dat Doris ergens met de kinderen naartoe is. Het lijkt erop dat Frank op dit moment nog maar één kant op kan. Ik denk dat hij zijn vizier op Tash heeft gericht. Voor zijn gevoel is het een race tegen de klok. Ik ga bij Doris kijken zodra we hier klaar zijn.'

'Dat kan riskant worden.'

'Weet ik. Ik kan je ergens afzetten voordat ik daarheen ga.'

'Vergeet het maar,' zegt Harry. 'Zolang je maar weet dat ik geen kogels voor je ga tegenhouden.'

Ik glimlach naar hem. 'Laten we kijken of we Tash kunnen vinden.'

Als Harry en ik de portieren van de auto openmaken, horen we het bulderen van de branding aan de andere kant van het complex. De flatgebouwen staan daar op de rotsen boven het strand. We kijken naar de nummers op de brievenbussen. Ze staan in groepjes bij elkaar, per adres, met het nummer van het desbetreffende appartement op elke bus.

We vinden Tash' brievenbus. Appartement 312.

'Derde verdieping. Helemaal boven,' zegt Harry.

We volgen het looppad naar de deur van het gebouw. Als we daar aankomen, blijkt hij op slot te zijn.

'We kunnen wachten tot er iemand naar buiten komt,' zegt Harry.

Op de muur naast de deur zit een luidspreker van een intercomsysteem, met belknoppen en bordjes waarop met potlood namen zijn geschreven.

Ik druk op een van de nummers op de tweede verdieping en wacht even. Er reageert niemand. Ik probeer een andere bel. Een stem komt door de intercom.

'Ja?'

Ik kijk naar een andere naam, ditmaal op de eerste verdieping, en hoop dat ze elkaar niet kennen. 'Ik ben meneer Symington van 108. Ik heb mijn sleutel in het slot van mijn appartement laten zitten. Zou u me binnen kunnen laten?'

Er komt geen antwoord, maar een seconde later is er een korte zoemtoon te horen en springt het slot van de voordeur open. Harry geeft een ruk aan de deur en we zijn binnen. We gaan vlug de trap op, voordat de man op de tweede verdieping kan kijken wie er is binnengekomen.

Als we op de bovenste verdieping zijn, hijgen we allebei.

Harry houdt zijn achterhoofd vast alsof hij bang is dat het uit elkaar zal spatten. Ik voel me alsof een *linebacker* keihard tegen me aan is gelopen, met zijn helm tegen mijn borst. We leunen tegen de muur om op adem te komen.

'Gaat het?' vraag ik.

'Ja. Ik moet weer gaan joggen.'

'Wanneer heb jij ooit gejogd?'

'Als kind,' zegt Harry, en hij knipoogt naar me.

Ik kijk naar het nummer op de deur tegenover de trap. Tash' appartement is naar rechts. We lopen door de gang en doen ons best om de vloer niet te laten piepen. We komen langs vier deuren, twee aan elke kant van de gang, en zijn dan bij 312. Tash woont helemaal achter, met uitzicht op de oceaan.

Er zit een kijkgaatje in het midden van de deur, ongeveer op ooghoogte. Ik buig me naar voren en kijk erdoor. Met mijn handen om de lens om het licht tegen te houden probeer ik van buiten naar binnen te turen. Het enige dat ik zie, is licht en schaduw. Zo te zien is er binnen geen enkele beweging. Een paar stippen en strepen van licht. Daar zijn blijkbaar lampen aangelaten.

'Zie je wat?'

Ik schud mijn hoofd. Ik houd mijn oor tegen de deur en luister. Niets.

'We kunnen gewoon aankloppen,' fluistert Harry.

Ik houd mijn hand omhoog en schud mijn hoofd.

Verder naar rechts zijn nog twee deuren van appartementen. Daarachter wordt de gang breder en vormt een T. Zachtjes loop ik naar het kruispunt in de gang. Aan de ene kant, in de kruisende gang die in de richting van de voorkant van het gebouw gaat, zijn twee liftdeuren. De andere kant op, richting oceaan, zie ik een schuifdeur die naar een veranda leidt.

Ik loop naar de schuifdeur. Harry komt achter me aan. Ik haal het knipje van de deur, schuif hem open en stap het balkon op.

Er komt een frisse bries van de Stille Oceaan. De bries slaat tegen de rotsen onder ons en komt dan omhoog. Ik schuif de deur dicht, en Harry en ik kunnen praten.

'Wat doen we?' zegt hij.

Ik kijk naar de balkonkant van Tash' appartement. Het is een afstand van zo'n tien meter. Ik kan van hieruit zien dat de schuifdeur naar zijn appartement een eindje open staat.

'Ik wil in dat appartement rondkijken.'

'Hoe?'

Ik kijk naar het balkon naast het balkon waar Harry en ik op staan. Er zit zo'n een meter tachtig tussen de metalen hekken, met drie verdiepingen lager de ruige rotsen en de witte branding die daar tegenaan slaat. Ik zou twee van die afstanden moeten overbruggen om op Tash' balkon te komen. Het is niet zo'n grote afstand, maar als je mis grijpt, is het wel een diepe val.

'Je bent gek,' zegt hij.

'Weet jij een andere manier om daar binnen te komen?'

'We kunnen op de bel drukken. Op de deur kloppen.'

'En als Boyd daar binnen is? Dan vermoordt hij Tash meteen. Snijdt zijn keel door en gooit hem van het balkon.' Terwijl ik tegen Harry praat, schuif ik de riem uit de lussen van mijn broek. Die riem is van leer, ongeveer vier centimeter breed.

'Geef me je riem,' zeg ik tegen Harry.

'Ik ga daar niet heen.'

'Nee, jij niet. Ik ga alleen.'

'Zolang dat maar duidelijk is.' Harry trekt zijn riem uit de lussen van zijn broek en geeft hem aan mij. Ik maak de twee riemen aan elkaar vast door het uiteinde van de ene riem door de gesp van de andere te trekken, de tong door het eerste gaatje te steken en er hard aan te trekken om er zeker van te zijn dat deze constructie mijn gewicht kan dragen. Vervolgens sla ik de riem om het stalen hek en maak de uiteinden aan elkaar vast. Ik breng ze op de juiste lengte en kijk dan Harry aan.

'Wens me geluk.' Ik hijs me over de reling en zet mijn voeten tussen de smeedijzeren stangen, zodat mijn tenen nog op de betonnen bodem van de veranda rusten. Harry heeft me bij één arm vast en kijkt me aan alsof ik gek geworden ben. Hij heeft ongetwijfeld gelijk.

Ik schuif mijn rechtervoet in de lus die door de riemen wordt gevormd en test hem uit door eerst een klein beetje opzij te zwaaien. Ik voel de pijn in mijn borst op de plaats waar Boyds vuist me heeft getroffen.

En terwijl mijn gewicht op mijn voet in de riem rust en ik mijn ene hand dicht bij Harry op de reling heb, zwaai ik een keer opzij en kom terug. En daarna nog een keer. Bij de derde poging krijg ik de reling van het andere balkon te pakken. Ik zet mijn voet daar tussen de stangen en nog geen twee seconden later ben ik over de reling.

Ik geef Harry een teken dat hij de riemen moet losmaken, en hij gooit ze voorzichtig naar me toe. Ik bevestig de riemen aan de reling aan de andere kant, bij Tash' appartement. Ik kijk met opzet niet naar beneden, al valt het niet mee om het geluid van de bulderende branding in de diepte te negeren.

Ik zwaai opzij. Ditmaal krijg ik de reling bij de tweede poging te pakken. Ik zet mijn andere voet tussen de stangen en hijs me over de reling. De riemen heb ik nu achter me gelaten; ze hangen aan de reling van het andere balkon. Ik kan alleen nog weg komen via de deur van Tash' appartement.

De schuifdeur staat zo'n tien centimeter open. De verticale lamellen van de zonwering zijn zo afgesteld dat ik alles in één richting kan zien, de rechterkant van de kamer. Links wordt het zicht belemmerd door de schuinstaande lamellen die dansen en kletteren in de zeebries.

Verder is er geen beweging in de huiskamer. Twee lampen zijn aan. Ik trek mijn schoenen uit en stap naar de andere kant van het balkon. Als ik hier door de heen en weer waaiende lamellen kijk, zie ik langgerekte stukjes van de keuken. Hoewel ik niet alles kan zien, zijn er geen schaduwen, en de lampen in de keuken zijn allemaal aan. Als er een energiecrisis is, zou je dat aan Tash' flat niet zeggen.

Er is een kleiner raam, een meter of zo van de schuifdeur vandaan. Daardoor kan ik in de slaapkamer kijken. Hoewel er in die kamer geen licht brandt, kost het me geen moeite om iets te zien, want er valt licht uit de hal naar binnen. Het bed is netjes opgemaakt. Ik zie de deur van de badkamer. Er is niemand thuis.

Ik geef Harry een teken door met mijn hoofd te schudden. Hij staat op het eerste balkon te kijken. Ik maak met een gebaar duidelijk dat ik naar binnen ga. Hij knikt.

Ik pak mijn schoenen op, schuif zachtjes de deur open en stap tussen de verticale lamellen door.

Ik concentreer me op de voorkant van het appartement, de hal rechts van me, de keuken links. Terwijl ik daar op mijn sokken loop en mijn tenen diep in het hoogpolige tapijt van Tash' huiskamer laat zakken, vraag ik me af wat ik in godsnaam aan het doen ben. Hoe haal ik het in mijn hoofd om bij een vreemde in te breken en met mijn schoenen in mijn hand door zijn huiskamer te lopen.

'Hallo, Paul.'

Als ik me omdraai, is hij achter me. Frank Boyd zit in een hoge oorfauteuil in de hoek, met zijn rug tegen de muur en helemaal links van de schuifdeur: de enige blinde hoek in de kamer. Op zijn schoot heeft hij een kort dubbelloops jachtgeweer en de loop daarvan wijst nonchalant in mijn richting. Hij heeft zijn vinger buiten de trekkerbeugel, maar wel zo dichtbij dat ik geen ruzie met hem ga maken.

'Ik hoopte dat je niet zou komen,' zegt hij. Franks gezicht is met diepe lijnen doorgroefd. Het is een vermoeid, uitgeput gezicht dat geen enkele emotie toont, een levenloos masker. Zijn haar, dat in geen maanden een kapper heeft gezien, hangt slordig over zijn oren. Hij heeft een wilde blik in zijn ogen, de glazige blik van een junglekat op zoek naar prooi.

'Ik hoop dat ik je geen pijn heb gedaan,' zegt hij.

Ik glimlach. 'O nee. Helemaal niet.' Ik strijk over mijn borst. 'Alleen een lichte kneuzing.'

'Dat is goed. Waarom heb je je schoenen in je hand?'

Ik kijk er met een zuur glimlachje naar. Dan trek ik een grimas en haal mijn schouders op. 'Ik weet het niet.'

'Misschien kun je ze beter aantrekken.'

'Mag ik gaan zitten?'

Hij knikt. 'Natuurlijk.'

Ik loop achteruit door de kamer van hem vandaan en laat me op een bank zakken.

'Wanneer had je het door?' vraagt hij.

'Had ik wát door?'

'Neem me niet in de maling.'

'O, je bedoelt...'

'Ja.'

Ik haal diep adem. 'Vanavond.'

Als hij verrast is, is dat niet aan zijn gezicht te zien.

'Toen ik alle papieren bij elkaar legde en ernaar keek,' zeg ik.

'Je bedoelt, als ik niet naar jullie kantoor was gekomen, zou je niet...'

Ik schud mijn hoofd.

Hij wendt met een raadselachtig grijnslachje zijn ogen af, een en al verwondering. 'Daar sta ik van te kijken. Toen je die map uit mijn huis had opgehaald, meende ik zeker te weten dat je erachter was gekomen.' Weer die lege blik in zijn ogen, alsof hij pogingen doet om in de tijd terug te reizen. 'Ik hoorde dat Crone is vrijgekomen. Het was op de radio.'

'Eerder vandaag,' vertel ik hem.

'Dat is goed. Het heeft me nooit lekker gezeten dat hij de schuld kreeg van iets wat hij niet had gedaan. Ik moest daar iets aan doen. Dat is me vrij goed gelukt, vind je niet?'

'Je bedoelt dat zelfmoordbriefje?'

Hij knikt. 'Ik was nooit goed in typen. Ik deed er nogal lang over. Eén vinger tegelijk. Maar ja, hij ging toch nergens meer heen. Hij was een grote kerel. Ik was bang dat de ladder niet hoog genoeg zou zijn. Het briefje – ik moest oefenen om het goed te krijgen. Ik had het thuis met de hand geschreven en nam het mee naar hem toe. Dat printen was verrekte lastig. Het scheelde niet veel of ik belde Doris om te vragen of ze me via de telefoon kon helpen. Dat zou een domme vergissing zijn geweest.'

'Doris weet het niet?'

'Ze heeft geen idee.'

'Waarom heb je dit allemaal gedaan, Frank?'

'Wat bedoel je?' Hij zegt het alsof het zijn dagelijks werk is om twee mensen te doden en voorbereidingen te treffen om een derde te doden.

'Ik bedoel Kalista Jordan.'

'Ze zette het programma stop. Penny's programma. Wat had ik dan moeten doen? Gewoon toekijken?'

Ik ga daar niet op in. Zijn vinger glijdt naar de trekker toe. Ik probeer een ander onderwerp.

'Hoe gaat het met Doris?'

'Wat?'

'Doris en de kinderen?'

'O. Het gaat goed met ze. Goed.'

'Waar waren ze vanavond? Ik probeerde ze te bellen.'

'Doris is de stad uit. Ze heeft de kinderen meegenomen.'

'Waar zijn ze heen?'

'Een paar dagen ertussenuit. Ze moest even weg. Ze is naar haar moeder in Fremont. We hadden ruzie.'

Ik weet niet of ik hem moet geloven of niet. 'Is ze vanavond vertrokken?'

Hij kijkt me aan alsof hij die vraag niet helemaal begrijpt. 'Welke dag is het?' vraagt hij.

'Het is vrijdagavond.'

'O.' Hij denkt even na. 'Ik denk dat ze een paar dagen geleden vertrokken is.'

'Waar hadden jullie ruzie over?'

'Die map,' zegt hij.

'Die map over Penny's project?'

Hij knikt. Ik zie dat hij huivert zodra de naam van zijn dochter valt. Blijkbaar heb ik een rauw plekje op zijn ziel getroffen.

'Wanneer denk je dat hij thuiskomt?'

'Wie?'

'Aaron Tash,' zegt hij. 'De man wiens huis dit is.'

'Ik weet het niet. Misschien is hij het hele weekend weg.'

Frank kijkt me aan alsof dat geen prettig idee is. 'Hij is geen goed mens, Paul. Hij heeft een eind gemaakt aan het project voor Penny. Hij wilde het geld.'

'Dat is niet zo,' zeg ik tegen hem. Ik kijk of ik tekenen van woede in zijn ogen heeft. Hij kijkt me argwanend aan. 'Hij heeft wat papieren getekend, maar hij wist niet wat hij tekende.'

'Dat zeg je alleen maar omdat je hem wilt redden.'

'Nee. Ik zeg het omdat het de waarheid is.'

'Ik wil daar niet naar luisteren.'

'Professor Crone probeerde Penny's project te laten doorgaan. Andere mensen gaven hem opdracht de financiering stop te zetten.'

'Wie?'

'Dat weet ik niet. Zij wisten ook niet wat ze deden.'

'Ik geloof je niet,' zegt hij.

'Denk je dat professor Crone probeerde Penny kwaad te doen?'

'Nee.'

'Denk je dat ik probeerde Penny kwaad te doen?'

'Nee,' zegt hij. 'Dat is idioot.'

'Dan kun je ook niet geloven dat Aaron Tash probeerde haar kwaad te doen.'

'Waarom is ze dan dood?'

Ik zucht. 'Er zijn geen simpele antwoorden.'

'Ik wil er niet over praten.' De loop van het geweer gaat op en neer, tikt wild tegen zijn knie. Hij heeft een vreemd soort schemerlicht in zijn ogen. Ik kan me voorstellen dat Kalista Jordan datzelfde licht in zijn ogen zag toen ze geen adem meer kon krijgen.

'We kunnen niet veel langer wachten.' Hij zegt het alsof we een afspraak met Tash hebben en hij ons laat zitten.

'Waarom ga je niet naar huis? Om wat te slapen? Waarschijnlijk voel je je dan veel beter.'

'Ik kan niet slapen. Ik heb het geprobeerd. Trouwens, dacht je dat ik achterlijk was? Waarom heb je de politie niet gebeld?'

'Waarom zou ik dat willen doen?'

Hij kijkt me aan, weet niet wat hij moet zeggen – alsof ik hem heb gevraagd een van de diepe mysteries van de kosmos op te lossen.

'Ik ben ingehuurd om professor Crone te verdedigen. Ik heb mijn werk gedaan. Dat is nu voorbij.'

Hij knikt alsof dat volkomen logisch is. Dan houdt zijn hoofd opeens op met bewegen. 'Waarom ben je hier dan heen gekomen?'

'Ik was op zoek naar professor Crone.'

Een duistere blik. Wat zou Crone in Tash' huis te zoeken hebben? 'Hoe ben je buiten gekomen? Daar?' Hij wijst met de loop van het geweer naar de schuifdeur en het balkon.

'Ik was daar de hele tijd al.'

'Je bedoelt, toen ik binnenkwam?'

Ik knik. Op dit moment wil ik alles wel proberen. 'Ik hoorde je niet binnenkomen.'

'Ja. Ik gebruikte wat gereedschap.'

'Waarom leg je dat niet neer?' Ik wijs naar het geweer.

Hij kijkt ernaar en kijkt dan naar mij. Aan zijn gezicht kan ik zien dat hij betwijfelt of die twee goed samengaan. Een man die op de rand balanceert.

'Je gaat me toch niet doodschieten?'

'Nee,' zegt hij. 'Dat zou ik nooit doen.'

'Ik dacht al van niet. Je was vanavond erg geschrokken, hè? Op kantoor.'

Hij glimlacht, knikt, zijn hoofd een beetje schuin. 'Ja. Je verraste me toen je opeens binnenkwam.'

'Ik verraste jóu?'

De glimlach verandert in een brede grijns; hij lacht, een kind van middelbare leeftijd. Ik kijk naar Frank en vraag me af wat voor duister, verwrongen ding zich meester heeft gemaakt van zijn geest. Welke incarnatie van de duivel het ook is, we worstelen er nog steeds mee. Frank heeft het geweer niet neergelegd.

Ik werp een snelle blik op mijn horloge. Het is tien uur geweest. Als Tash binnenkomt, verandert deze kamer in een schietbaan.

'Frank, je kunt hier niet mee doorgaan.'

'Dat weet ik.'

'Wat ga je doen?'

'Ik weet het niet.'

'Laat me je helpen.'

'Hoe? Hoe kan iemand me helpen?'

'We kunnen eerst een eind aan het geweld maken,' zeg ik tegen hem. 'Denk je dat Penny zou willen dat je dit deed?'

Aan de blik in zijn ogen kan ik zien dat hij zichzelf die vraag nooit heeft gesteld. Het beetje leven dat hij nog op zijn gezicht had, trekt weg.

'Waarom leg je dat geweer niet neer? Als ik nu eens wat telefoongesprekken voer?'

Schichtige ogen. Hij wil ja zeggen, maar hij weet niet hoe.

'Alsjeblieft.'

Langzaam zakt de loop van het geweer naar de vloer. Zijn greep verslapt. Hij kijkt naar me op. Voorzichtig legt hij het wapen naast zijn voeten op de vloer.

Ik durf er niet op af te duiken, zeker niet nu Frank in de juiste richting gaat. Misschien zou ik hem weer kwaad maken.

'Zullen we Doris bellen? Misschien kun je met haar praten?'

'Dat zou goed zijn,' zegt hij.

'Heb je het nummer in Fremont?'

'Ik moet het hier ergens hebben.' Hij klopt op zijn zakken, het borstzakje van zijn overhemd, de achterzakken van zijn broek. Hij staat op en haalt zijn portefeuille uit zijn achterzak. Nadat hij hem heeft geopend en er een stukje papier uit heeft gehaald, stapt hij over het geweer naar me toe.

Op het papiertje staan aantekeningen, wat namen, waarschijnlijk klussen die Frank heeft gedaan, en wat nummers. Hij wijst me een van die nummers aan, een telefoonnummer. Hij wil dat ik bel, alsof het niet zo erg is om Tash te doden maar het een schending van Tash' privé-sfeer zou zijn om zijn telefoon te gebruiken.

Ik neem het stukje papier en loop naar de telefoon in de keuken. Ik draai het nummer en wacht. Een vermoeide stem, half slapend, antwoordt.

'Is Doris Boyd daar?'

'Een ogenblik. Ik ga haar halen.'

De zucht van verlichting die op dat moment door mijn lichaam gaat, laat mijn knieën helemaal slap worden.

Doris komt aan de lijn. 'Hallo.'

'Doris. Met Paul Madriani.'

'Wat is er?'

'Kun je even wachten?'

'Ja.'

Ik loop de huiskamer weer in. ‘Frank, ze is aan de lijn.’

Er is iets mis. De wind van de oceaan vult de kamer en laat de lamellen ratelen. Het eerste dat ik zie, is dat het geweer weg is.

Ik kijk naar het balkon, en vanuit mijn ooghoek vang ik alleen nog een glimp op van een broekspijp en twee werkschoenen. Frank Boyd glijdt over de reling, de duisternis in.

Epiloog

Acht dagen later stuitte een echtpaar dat over een eenzaam stuk strand wandelde, bijna zeven kilometer ten noorden van Tash' appartement, op Franks stoffelijk overschot, dat daar was aangespoeld. De rotsen hadden het bijna onherkenbaar gemaakt.

Harry en ik wisten dat Frank die sprong vanaf het balkon nooit had kunnen overleven. We praatten minutenlang, bespraken de verschillende mogelijkheden, en uiteindelijk veegde ik de telefoon en een paar andere oppervlakken af om eventuele vingerafdrukken te verwijderen en gingen we zo zachtjes weg als we gekomen waren. Het enige spoor dat we hadden achtergelaten, bestond uit die twee riemen die aan het balkonhek van Tash' buren hingen. De bewoners zouden die riemen vinden en zich afvragen waar ze vandaan kwamen. Ze zouden het nooit weten.

Vanaf de rotsen onder het complex zochten we bijna een uur naar Franks drijvende lichaam. Tenslotte kwamen we tot de conclusie dat we niets konden doen. Het had geen zin om de politie te bellen. Dat zou alleen maar nieuwe wonden openrijten voor Doris en de kinderen, en Epperson en Kalista Jordan hadden er ook niets meer aan.

Harry had gelijk gehad. Tash en Crone waren Crones vrijlating aan het vieren. Ze hebben nooit geweten wat zich die avond in het appartement afspeelde. Tot op de dag van vandaag hebben we gezwegen.

Er zijn nu zeven maanden voorbijgegaan, en uiteindelijk verklaarde de lijkschouwer dat Franks dood een ongeluk moest zijn geweest. Alleen de verzekeringsmaatschappij verzette zich daartegen. Aan de levensverzekering van een miljoen dollar die Frank jaren eerder had gekocht, was een clausule verbonden: als hij door een ongeluk om het leven kwam, werd twee miljoen uitgekeerd. Zelfs een zelfmoord leverde nog een miljoen op, want Frank had de polis al zo lang dat hij indertijd nog niet van plan kon zijn geweest zichzelf van het leven te beroven. Voor de verzekeraar was het geen prettig scenario: een wanhopig gezin dat in financiële nood verkeerde en het opnam tegen een Goliath van een verzekeringsmaatschappij, gevestigd in een wolkenkrabber in een andere stad.

Doris wilde dat ik bij het onderzoek van de lijkschouwer als haar vertegenwoordiger optrad. Ik zei tegen haar dat ik dat niet kon doen, maar ik vertelde haar niet waarom. Het enige dat ik haar adviseerde, was dat ze niemand zou vertellen dat ik haar die avond had opgebeld. Dat was beter zo. Ze kon naar waarheid een getuigenverklaring afleggen over dingen die ze niet wist. En niemand vroeg er ooit naar. Tot op de dag van vandaag weet Doris niet waarom ik belde of hoe ik het telefoonnummer van haar moeder wist. Toen ik die avond naar de telefoon terugging, nadat Frank over het balkon was verdwenen, zei ik tegen Doris dat ik op zoek naar hem was. Dat was het beste dat ik onder die omstandigheden kon zeggen. Ze wist niet waar hij was.

Toen ze in de getuigenbank zat, stelden ze haar een aantal duidelijke vragen. Ja, haar man was diep geschokt door de dood van zijn dochter. Nee, hij had nooit gedreigd zelfmoord te plegen. Nee, ze had nooit een zelfmoordbriefje gevonden of gezien. Wat ze niet weten, en nooit kunnen vermoeden, is dat het enige zelfmoordbriefje dat Frank ooit schreef voor iemand anders bestemd was.

De lijkschouwer had geen zekerheid, maar kende het voordeel van de twijfel toe en besliste in Doris' voordeel. Per slot van rekening was er geen hard bewijs voor zelfmoord. Zelfs ik had, als ik door een helderziende in de getuigenbank was geroepen, niet met zekerheid kunnen zeggen of Frank die avond sprong of viel, al zouden de details van wat ik weet veel verdriet hebben veroorzaakt. Mijn geheim haalt me 's nachts niet uit de slaap, al bezoekt de aanblik van Franks gekwelde ziel me van tijd tot tijd in mijn dromen.

Toen het voorbij was, testte David Crone, die weer op het centrum werkte, de beide kinderen Boyd die nog in leven waren, Jennifer en Donald, op chorea van Huntington. Beide uitslagen waren negatief. Frank zou blij zijn geweest te horen – en misschien weet hij het nu ook – dat zijn gezin eindelijk rust heeft gevonden.